JN073387

芸術を愛し、求める人々へ

芸術創造論

宮田徹也
MIYATA Tetsuya

論創社

芸術を愛し、求める人々へ　目次

第三章　制　作

第四章　知る／学ぶ

第五章　活　動

ポスト・パンデミックの時代に

本書は『芸術と生活』（未刊）を書き上げた二〇一七年夏から構想し、『及川廣信の芸術』（未刊、二〇一八年九月）、『横尾龍彦展覧会記録集』（私家版、二〇一八年十一月）、「絶望しても――池田龍雄、堀木勝富、横尾龍彦」（『長岡造形大学紀要』二〇一九年三月）を書き上げた、二〇一九年二月から九月にかけて執筆した。

校正を始めた二〇二〇年三月、世界的に新型ウイルスのニュースが流れ出し、日本ではプリンセス・ダイヤモンド号の問題がにわかに騒がれ始めていた。それが瞬く間に世界保健機構（ＷＨＯ）の世界的な疫病の大流行を示す「パンデミック宣言」（三月十一日）、日本では小中高休校の要請（二月二十八日）、緊急事態発令（四月七日）という事態になった。

卒園卒業、入園入学式が中止、不要不急の外出自粛要請、仕事はリモートで、という状況がいつまで続くのか、まったく予想できない。一九一八〜二〇年に世界的に流行したスペイン風邪のように、ウイルスは、収まったと思ったら強力になってぶり返すので、そう簡単には終わらない、十年はかかるとまで指摘する学者もいる。

今、ウイルス拡散を防ぐために美術館、会場、劇場、ホール、小さなライブハウスやギャラリーのほとんどがクローズしている。また、理論を強化するための専門的な読書すら、図書館や大型書籍店が閉められ、アマゾンなどのネット注文しかできない。美術やダンスなど実技の大学授業も、対面型は回避される。どのようにネット上で指導すべきだろうか。

二〇四五年に、ＡＩが人間の知性を超える「シンギュラリティ」が訪れるという。それ以前に資本主義そのものが変容するので、これまでの職業が継続する可能性が薄いと推測されている。生活どころか、価値観も大きく変容する。それが、前倒しになってきているのか。リモート授業が当たり前になり、対面授業でしか行なえないものは、学問から淘汰されるかもしれない。

本書は、新世界秩序の時代に突入してしまった現在、それ以前の芸術と学問の無効を問い、有効の可能性を試論している。だが、新世界秩序の時代すら早くも終焉し、ポスト・パンデミックの時代を迎えようとしている。この経済的にも心情的にも苦しんでいるときにこそ、私は芸術を愛する必要性を問いかけたい。

そのため本書では「ポスト・パンデミックの時代」という新たな項は設けずに、まずは新世界秩序までの時代を振り返り、芸術と思想の可能性を読者と共に考えたい。今回のウイルスは、二〇〇三年に流行したSARSの新型である。人類と疫病の闘争に、終わりはない。それでもポスト・パンデミックの時代は、希望を持てば、訪れる。がんばろう。

二〇二〇年八月

葛飾こどもの園幼稚園、その先生方と職員の方々、在校生、卒業生、未来の入園者、そのご家族に、本書を捧げる。

第一章　前提

一　本書の成り立ち

私は批評者である。美術、文学、演劇、音楽、暗黒舞踏、ダンス、映像、建築、デザイン、工芸、活け花、書等の伝統芸能を含めたあらゆる芸術に眼を向けて、その成果を研究として学会誌や一般誌に投稿している。それに伴い学会発表、一般講演会、ギャラリートークなどを行なっている。時には、展覧会を企画する。その際には必ずフライヤや記録集に批評を掲載し、トークショーを行なう。また、大学、高校、予備校で教えてもいる。さまざまな現場に時間があるかぎり立ち合い、作品やアーティストから学んでいる。批評者とはそのような立場だ。

はじめに明記しておこう。私はさまざまな芸術の研究と批評、企画などを行なっているが、絶対に芸術を理解しているとはいわない。むしろ、これだけ勉強しても、まったく芸術がわからない立場にいる。わからないから勉強を続けていくのである。もしちょっとでもわかった気がしても、できるだけ何度も分析を繰り返す。芸術を学ぶことことは人間を学ぶことだ。私たちは、自身である人間のことをまったくわかっていない。森羅万象、すべてが謎のままだ。だからこそ、私はみなさんと共に学び、考えていきたいのだ。

私が対象にしている芸術とはテレビや新聞に登場する、いわゆる「メジャー」な活動ではなく、マスコミが取り上げないような小さな活動である場合が多い。私は決して著名なアーティストの活動を嫌っているわけではなく、無名のアーティストのささやかな活動に、金銭や権威、名誉を排除した人間の営みの根源を見出すのである。本来は著名、無名など関係しない。著名でも真剣な人は多くいるし、無名でも欲にまみれている人は後を絶たない。しかしマイノリティのアーティストは取り上げられることが果てしなく、ない。

批評も同様で、著名な批評家はマスコミの露出が多い。しかし、今日の世間では芸術を語る批評家が登場する場面は限りなく少ない。振り返ればこれまでも同様であろう。美術となれば敷居が高く、高尚な印象のためか、著名な現代美術家や日展や院展のアーティストでもマスコミにあまり登場しない。デザイナーも意外と少ない。役者、小説家、演出家、映画監督などは大衆的だからという理由でマスコミに取り上げられる場合があるだろう。研究者は専門番組や特集記事にしか出ない。芸術批評などあるのか、と思われているのではないだろうか。

それだけ、芸術批評の力が失われているのが現状だろう。

批評を必要としない芸術は多々ある。有名だからと、それだけで優れた芸術だと思われてしまう場合がある。批評というより、解説を求められるときもある。音楽、映画、演劇などがそうであろう。しかし、芸術自体が今日、あまり注目されていないのではないだろうか。私はメジャーを否定しないが、集客中心の芸術は消費されてしまう。芸術とは決して崇高だと私は思わないが、一過性ではなく何度も向き合う存在であるのではないかと考えている。

そうとはいえども、例えば近年、美大で「ゲーム学」が当たり前になってきた。私はまったく知らないので、『ゲームプランとデザインの教科書』（川上大典他著、秀和システム、二〇一八年）を読んでみて驚愕した。「ゲーム」とはオペラ、映画、アニメーションのような総合芸術であった。その上で、飽きられないように「ルール」と「ストレスのジレンマ」を微細に設置しなければならない。なかなか高等テクニックが必要とされているので、決してたかがゲームだと馬鹿にできない。

そう考えると、私はもっとメジャーにも目を配らなければならないのかとも考えるようになってきた。私の親戚に、芸人のゴー☆ジャスがいる。彼の話を聞いていると、とても苦労しているし面白い。お笑いにまったく興味がない自分が、とても恥ずかしくなった。お笑いであっても芸術だ。目指すところが違えども、その出発点や根底は通じているのではないかと私は考え直し、この著作にそれが少しでも反映されるように努めた。メジャーの動向に対して、私はこの著作が書き終わったらもっと研究を続ける予定である。

私が尊敬する総合芸術の及川廣信（ひろのぶ）は以下のように考えている。

> 私も最近の世界の変動以前には、社会的に反体制の側に身を置いていたように思う。（中略）しかし今はもう時代が違う。環境問題が表面化し、また世界の体制そのものが崩れてしまっている。そしてアーティストが芸術のことだけを考えておればいい時代ではなくなってしまった。（中略）アーティストがこれからの芸術形式を見い出すためには、積極的に社会と関わらざるをえない。
>
> 『地方自治ジャーナル』一九九二年十月号、四六～七頁

この文章を書いてから二七年、及川の思いに変わりはないだろう。及川は一九五〇年代にはテレビに出演するほどの著名な創造者であったが、芸術を探究するといつの間にか「アングラ」になってしまった。真の芸術の探究が「アングラ」の世界に押し込められたのか、それとも世間に背を向けたのか。私もまた、社会に関わりながら、芸術の探究を続けたいと思っている。そのためにはもっと社会に目を向けなければならない。しかし、芸術の本質から外れることはないように努めていきたい。

批評に戻る。自分では批評「家」にならないよう、気をつけている。私の言う批評「家」とは威張っていて、賞を与えたり、褒めるだけの記事を書いたり、「この作品は好きじゃない」と貶（けな）したり、上から目線を崩さない者たちのことを指す。私はアーティストと共に、世界に作品を問う＝闘争することを心がけている。もちろん、私も審査員をしたり褒めちぎったりする。アーティストと共に闘うといっても、ナアナアになるつもりは決してない。「者」と「家」の違いは難しい。権威的ではない批評「者」に、私はなりたい。

研究と批評の違いを簡単に記すと、研究とは水平線上に広がる事物をつぶさに観察し、時間をかけて調査した上で、自らが育んだ思想によって振り分け、先行研究に対して一歩前進させることだ。一方批評は作品と向き合った際、垂直に雷に打たれたような衝撃を、自己に嘘偽りなく、瞬時に、自らの知識をすべて一度捨てて向き合い、書き留めることだと私は定義している。これは私の独自の見解である。研究が実証的であり、批評は印象的であるという、批評が不利である見解を変えていきたいと私は考えている。

私が批評者を志したのは、大学院博士課程を断念し、研究室から出て画廊を回るようになったとき、池田龍雄（一九二八年〜）と出会ったことであった。二〇〇四年当時、池田は七五歳を超していたが、その作品は三〇代の若者が描いたのかというほどに生命力に満ち溢れていた。その池田が五〇年代のアーティストとして「過去の人」扱いされ、今日の作品の批評がまったくないことに驚いたのであった。池田には美術者、舞踏者、映画者と、さまざまな方々を紹介していただいた。そして、私は自分の親よりも上の方々の批評を行なっていったのである。

池田はその後も活動を続けている。この原稿のこの部分を書いている二〇一九年八月十五日は池田の誕生日で、九一歳になった。池田に電話で祝いをつげると、池田は「制作を続けています」と話していた。制作に引退や終わりなど決してない。それは「完成」などを必要としていないことも表している。創造とは日常の生活と同様で、終わりがやってくるのは死と同時である。制作とは実際に創るだけではなく作品を見て感じることでもあるのだから、それはだれでも持ち得ている営みなのである。

私は日々、さまざまな作品と向き合っている。美術館や画廊では絵画、彫刻、平面、立体、インスタレーション、映像、パフォーマンスが待ち受け、劇場では演劇、暗黒舞踏、モダンダンス、コンテンポラリーダンスが行なわれている。コンサートホールやライブハウスではインプロヴィゼーション（即興）や現代音楽を聴き、完全暗転の実験映画を上映する場所、試写会場で商業映画を見ることも多々ある。移動する電車内では書物を読み、書評として反映させたり、思索の動機にしたりしている。常に作品から「学んで」いるのだ。

このように私は分野を問わないので、美術を見ているときに音楽を考えたり、映像を見ているのに社会学について頭の中で考察していたり、ダンスを見ているのにランドスケープアート（自然・大地アート）を想起したりしていることが常だ。それは、ぼんやりしているだけと思われるかも知れない。そのとおりである。ただ私が最近気づいたことは、座禅を組まずに瞑想しているのかも知れないということだ。本当に瞑想している方々にとっては「何を言っているのか」と思われるであろうが、今後、瞑想についても考えていきたい。

分野を問わないで想起することとは、例えば「日本画」とは何かと考える場合、日本画の主題、材料などに限定しない。日本画の余白と流し込み、和歌や短歌の簡略性、能と歌舞伎の踊りと音楽の「間（ま）」などを考え、そのような現代のダンス、映像、インスタレーションなどの他の分野の芸術がないかと探す。または「日本」「アジア」「ヨーロッパ」といった「場所」とは何かを再考する。「場所」を考えれば、当然「時代」に対しても目を向けなければならない。このように、広がりをもって想像力を縦断するのである。

私が中学生くらいからハマっていたのは詩と音楽だった。目に見えない世界が好きだった。芸術を総合的に学ぼうと考え和光大学へ入学、日本美術史形成論を探るために横浜国立大学大学院木下長宏ゼミへ進学、修了後、博士課程を諦め画廊をさ迷い、批評者を志した。学会発表の帰りに画廊へ寄った際にデザイン専門学校の主任、沼田皓二（こうじ）（一九三六年～）と出会い、その学校で美術史を教えることになった。それで私は横浜中央図書館の開架のデザインの本棚の書物をほぼすべて読み、デザインの基礎と歴史も用意して非常勤講師の職に臨んだ。

当時の専門学校のヴィジュアルデザインのコースはグラフィック、エディトリアル、フォント、タイポグラフィ、ピクトグラム、ロゴ、パッケージ、イラスト、ビデオ、写真撮影であった。他のコースはウェブ、ファッション、マンガ、クラフトと規模を拡張していったが、私は深く関わることはなかった。この頃の私は、マーケティング、コピー、広告を含んだデザインの歴史にまで手を広げることはままならなかったのである。その詳細を記す書物との出会いも希薄であった。デザイン専門の批評家はほとんどいない。

日本語学校が主宰する留学生のための予備校の非常勤講師になると、ヴィジュアルに加えてプロダクト、インダストリアル、ランドスケープ、舞台美術、建築、ジュエリー、アニメーションなど、さまざまな分野の大学院に入りたい生徒が増えていったので、そのつど、私は勉強した。陶芸がデザインコースであったことも、恥ずかしながら初めて知ったのであった。理論と実践の専門性、各分野の歴史と他の分野との関わり、各分野が現代に果たすべき機能と役割など、自らが学び、考えなければならないことが今でも多々ある。

私は教育の現場で、どのようにすれば生徒が興味を持つのかに悩んだ。自主的に授業を進めるように心がけたが、なかなかうまくいかない。思い切って、専門学校であっても入学当初からヴァルター・ベンヤミン（一八九二〜一九四〇年）の『複製技術時代の芸術』（一九三六年）の講読をはじめたところ、何にも興味を持たない生徒たちが、一生懸命、私と共に読んでいる。そうか、卵であってもすでに創造者であるのだ。私はこの体験から、生徒と普段接している創造者と同様に向き合うことにした。一応は、うまくいっていると思う。

このように私は八〇歳を過ぎたベテランから中堅、さらにデビュー前の創造者と付き合っている。ここで、ベテランも卵も同じ悩みを抱えていることに気がついた。それは「なぜ作品を制作しなければならないのか」という問題である。ベテランは「発表しても売れないし誰も何も言わないし、やっていて意義があるのだろうか」と問う。卵は「作品を作れない。歴史など知りたくもない。作る意味が見出せない」と言う。どうなっているのだろうか。どうしてこうした、当たり前のような疑問が噴出するのであろうか。

この疑問に対して私なりに答えようと思ったのが、この本を書くきっかけとなったのである。ベテランの創造者といっても、公募団体系、アンデパンダン系、無所属系、官展系、共産系、国際展&オークション&グローバル系、趣味程度系、その他と、いくつもの立場にいる。卵の大半がデザイナー志望であり、美術とデザインの違いの説明も私にとっての最大の課題となっていた。しかしこの年代も分野も異なる創造者たちに、私はいくつかの共通項を見出したのである。そのような共通項に対して答えられればと思う。

私が批評者を志した頃から今日に至るまで、批評者だけではなく「批評家」も風前の灯である。私は創造者と共に在ることが基本なので、まずは創造者が読者であることを前提に、主に創造者のリーフレットやDMに評を書いた。小さな新聞で記事を書くようになり、美術専門者以外の方々にも理解できるような内容にするよう、努めた。その際に気をつけたのが、美術専門者をも納得させられるような質の高さを持続するような工夫である。

この『芸術を愛し、求める人々へ』では、極力、私の経験に基づいたことを記すようにした。私の仕事で最も重要なのは自分の評や研究ではなく、実際に行なわれている現場に自らの身を投じることにある。そこで作品に触れ、作者や企画者と出会って対話し、この経験をさらに深めるために本を読み音楽を聞く。そしてやっと評が書けて研究が行なえる。読書もまた経験の一つである。後半では多くなってしまったが、それでも引用や長い註釈は、最小限に抑えた。一気に読んでいただきたい。

わかりやすいことと、やさしく書くことは異なる。この思いは今でも変わらない。しかし子どもが生まれて幼稚園のお父さんお母さんと話したり、SNSのおかげで中高時代の同級生と話したりする機会に恵まれると、美術やデザインの世界がこれほどまでに世間と乖離していることに、今さらながら唖然としたのだ。芸術やデザインへの興味を少しでも持っていただける方々に対して、説得力のある言語の構築を目指さなければならないという使命感も生まれてきたし、それに対して挑戦しなければ批評者ではない。

私は芸術とデザインを制作し発表する者たちを、どのように呼べばいいのかについても考え続けてきた。家元制を否定はしないが、「家」がつくと平等を目指す私の発想から離れる。「師」も先生、医者と特別な印象を与える。「員」や「長」は階級性が発生する。「者」であれば哲学者や歴史学者などの専門性が鼻につくが、「行動の主体」という意味があるので、批評も創造も「者」をつけることにしたのであった。何かぶっきらぼうで粗雑な感じも私には魅力的であった。この点について、今後も考察を続けたい。

「創造」も、苦悩の選択だ。「創造」だと神のようで嫌だなと私は感じていたので、美術デザインを志望する学生の授業では「クリエイター」という語彙を使用していたのだが、本屋などでふと見ると、「ゲーム・CGクリエイター」と限定されている感触を受けてしまった。口語と文字が与える印象が異なっている。「アーティスト」が一番いいかと思い直したが、これも今日ではミュージシャンを指している場合が多いことを理解する。今回は「創造」に「主」ではなく「者」をつけるという挑戦を行なった。

本書のコピーは、創造者に「なれ」ではなく、「たれ」である。だれもが人間として生まれたからにはすでに創造者であることの自覚を促したいことと、これまで創造を続けてきた方々にも、これから旺盛に活動をしたい卵たちにも、自信を保持していただきたい、という願いを込めた。創造者はきわめて特別な存在であるにもかかわらず、他の職業や生き方をしている方々とも何も変わらない側面を持つことを掘り下げたい。それを創造と関わりがないと思い込んでいる多くの方々に伝え、自らも創造者であると考えてほしい。

それでも表題に「創造者」と付けるとわかりにくい側面があることが否定できないので、やはり簡単に「芸術を愛し、求める人々へ」とした。ここでいう芸術とは美術、文学、音楽、デザイン、建築、ダンス、映像、活け花、書など、普通に「芸術」と世間で括られる内容であると理解していただいて問題はない。本当はこのような「分野」にこそ問題があるのだが、その点については文中で触れるので、とりあえず本書を多くの人々に、手にとっていただきたいのが私の願いだ。社会における、芸術の機能と役割を記していきたいと思う。

そしてこの文章の書き方についても、本当に腐心した。上から目線の啓蒙書、教訓、格言、箴言にならないように気をつけた。私は教えを諭そうとしているのではない。だれもが読める文章を書くのは至難の業だ。若者から年配者のすべてを納得させるのは不可能に近い。立場の違いもあろう。右、左という思想に配慮することは本当に難しい。勤め人の方々からすれば、私の書くことなど自由人の戯言にしか読めないであろう。それでも本書によって自分の人生を考える何かの機運になれば、と、私は願っている。

本書は芸術にまったく興味がない方、今まで創ったことはないけれどこれから作品の制作を始めたい者、制作を行なわないけれどどこの世界を知りたい者、すでに創造者として活躍していたり、場所を経営していたり、作品を購入したりしている方々にも、ぜひとも読んでいただき、これからの人生の飛躍のヒントにしてもらいたいと願う。私の意見は絶対ではない。私は権威を目指しているのでなく、いかに破棄しようかとしている。そのため本書を読んで、このような考え方があるのか、それなら自分はどうするといった参考程度で、私は充分うれしい。

二　私の研究／批評方法

はじめに研究と批評は異なると書いた。もう少し具体的な事項を例に取ろう。この本を手に取るあなたが今いくつなのか私には知ることができないのだが、少なくとも六歳にもなると自己の経験を自身の生活に費やすことができるようになると、子育てを通じて知った。今日は寒いので昨日用意した服にセーターを重ね着しよう、スパゲティに塩をかけ過ぎたので今回はやめよう、このような経験に基づく行動や行為は、研究と同じなのである。初めて入ったラーメン屋で衝撃を受けて直接文字化する。これが批評である。

つまり経験から導き出される研究と、経験を無にして初めて触れ合うようにする批評とは、すでにわれわれの普段の暮らしの中にあり、常に経験しながら生活しているのであるということを理解してくれればいいと思う。何も難しいことではない。特別な学問を追及しなければできないことではない。ただ、このように研究と批評をいつも意識して生きることが難しい。しかし逆を言うと毎日、自分の活動に研究と批評を感じていれば、だれにでも簡単にできることであることに気がついてほしい。自分の人生は自分で決めるのだ。

このように研究と批評を区別すれば、自分が何をすべきかが理解できるようになってくる。われわれは、実は自分で自分の未来を創っている。今日仕事や学校が終わって家に帰って、何をして、寝て、明日起きたらどうするか、意識的でも無意識でもだいたい決めてしまっている。時に大震災や大災害が起きると、この未来の「予定」が一切、無化されてしまうこともある。しかし、常に「本質」を大切に生きさえすれば、何事にも動じなくなる。私は3・11のその日、災害のため、スーパーでまったく売れていなかった生肉をトンカツに揚げた。

つまり経験値の研究だけではなく、重要な場面に向き合った場合、「本質」を一瞬で判断する批評の力が不可欠になるのである。人生は予定どおりに進まない。とっさの判断をする力も身につけていかなければならない。そのためには、その準備を日頃から行なうだけでまったく違う生き方ができるようになる。むろん、批評だけが特化しても糸が切れた凧のように、単に空を漂うに過ぎなくなる。研究と批評という両者をバランスよく考え、自己の中に配置する必要がある。繰り返すが、それは難しいことではけっしてない。

未来を予測し過ぎると過信が待っているし、そのようにならなかったときに修正がきかなくなる。未来の本質とは、まったく予想不可能なものである。予測できないから未来であると定義したほうがいい。われわれは今、ここに自己が生きている意味を渦中にいるから説明できない。過ぎ去ったからこそ、もう一度自己の行動を咀嚼することが可能になる。芸術を通せば、見えない未来を見えないままに見ることができる。「作品がわからない」とは、そういう意味なのだ。「わかる」ことで満足してはいけない、と思うことが大切である。

私は学生時代、教えられることを拒んだので、教師の仕事が来たときにやってみようと思い、実践した。嫌いだからこそチャレンジしたのである。普段から作品に教えられているので、私が学生に教えているのではなく、逆に教えられる。教えることによって自らが「学んでいる」。へたをすれば中学生くらいで、大人を凌駕する人間が存在する。知識や経験がなくとも、人間を見通す力を携えている者がいるのだ。にも関わらず、才能が開花しない人物も多々いる。そのような資質は、実はだれでも備わっているのだから、大切にすべきだ。

私が「話す」ときには、常に「聞く」ことを忘れない。私の話を聞いている人が、自らが話していることによって話すことにつながるように努力している。私が話して相手が聞くことが、相手が私の聞くことければならない。逆に私は相手の話を「聞く」ことによって、自分が話しているようにならなく」はこのような関係性にある。常に一体と化したコミュニケーションは、上下関係をなくし、次の未来を切り拓く力を生み出す。「話す」と「聞く」とは、互いの了承と確認を得ることなのだ。

「話す」と「聞く」の関係性は、「書く」と「読む」にも当て嵌まる。多くの書物を読むと書く時間が削られるのではなく、逆に多くを書くことができるようになる。つまり私は「読みながら」自らの文章を「書き」、自らの文章を「書いている」ときにこそ他者の思想を「読んで」いる。これは一見奇妙に感じられるかも知れないが、実は私たちは無意識に、常に行なっている。この関係性がなければ、自己は自己に留まっているだけで、他者との意思の疎通は行なわれない。発信と受信というヒエラルヒーを無化することが大切だ。

これは作品の制作と観賞、つまり批評との関係性にも当てはまる。「作品があるのだから批評家は批評できる」と勘違いする場合が多い。ヴァルター・ベンヤミンは『ドイツロマン主義における芸術批評の概念』(一九一九年)において、芸術は芸術批評をそれ自身に含み、批評する者と作品とが一つになったところでの実験と観察によって、作品に隠されている萌芽の自己展開が生じ、作品が作品自身として完成するという考察を行なっている(『ベンヤミン著作集』4、大峯顕・佐藤康彦・高木久雄訳、晶文社、一九七〇年)。批評があって作品は成就することを忘れてはならない。

早めに明記しておく。作品を見る者とは作者も含まれる。すると、作品を創らないあなたも創造者であることを認識していただきたい。作品をさまざまな見方で見て、自己の思想によって作者の意図とは別の作品を見出すのだ。作者はまったく困らない。現代芸術は作品や創造者の権力を放棄している。そのかわり作者とまったく異なる見解を作者に伝え、悪意を持たず、作者のためになるように話をする。それで作者は「そういう見方があるのか」と納得し、さらに次の制作のステップになることが望ましい。作者もまた、毅然と聞き入れてほしい。

現代芸術において、作者と観賞者という枠は取り除かれる。すると鑑賞者と呼ばれる者たちは、作者以上に真剣に作品を見て、考え、自己の考えを育成しなければならない。難しいことではない。作品を通じて、作者の意図というちっぽけなものではなく、作者も気づかない人類の今と過去と未来の姿を垣間見るのだ。もう、鑑賞者という部外者的発想はやめよう。これは当然、作者にも当てはまる。自己の作品だけではなくあらゆる作品を客観視して、主体から逃れ、未来を切り拓いていくべきなのだ。

私ははじめに記したとおり、さまざまな分野の研究と批評を行い、必要に応じてデザイン等の他の分野を学んできた。現代芸術を理解するためには、大学院で学んだ美術の知識だけでは足りない。演劇、文学、ダンス、映像、建築、デザインなどの基礎知識を学ぶだけではなく、百人百様に展開するさまざまな人間を理解するために、哲学、社会学、歴史学、文化人類学、教育学、心理学、法学、経済学などの人文科学に満足せず、物理学、生物学、宇宙学などといった科学の領域にも目を向けなければそれを果たすことはできないのだ。

しかし既存の分野に定着することなく、さまざまな領域を横断して語ると、「難しい、胡散臭い、押し付けがましい、独断的、極端、論拠がない」とされる。

> 本書は、一見甚だしく隔っている題目を取り扱わねばならなかった。心理学的、存在論的、認識論的問題を論じ、また神話と宗教、言語と芸術を問題とし、科学と歴史に関する各章を含んでいる著作には、極めて分散した異質的な事物の Mixtum compositum（混成）だという批判の余地があろう。
>
> エルンスト・カッシーラ『人間』一九四四年、宮城音彌訳、岩波現代叢書、一九五三年、vii〜viii頁

従来の学問の方法論に疑問を呈し、自己の探求を行なう研究／批評者は、常に批難されるのである。

自戒の念をこめてこれを現代日本人の人文科学系のアカデミズムに移して言いかえれば、「芸術家・思想家については驚くべき博学な知識を有し、これを祖述して俗化するには長けていても、自らは何の思想ももたず、創造することのない大学の教授たち」ということになろうか。

> 丸山圭三郎『言葉・狂気・エロス』講談社現代新書、一九九〇年、一六二頁

新しいことをすると、苦境に陥るのが常である。

私は宗教、芸術、哲学が第二次世界大戦を止めなかったどころか、加担したことについて絶望していた。以下の定義を信じていた。

> 意識的な統一の諸形態の中で、その頂点に位するものは宗教である。

> 客観的なものと主観的なものとの精神の中での統一の第二の形態は芸術である。芸術は宗教よりも一歩、現実性と感性の中に入り込む、（中略）芸術は神聖なものを想像と直観の前に描き出す。
>
> けれども、真なるものは宗教の場合のように、表象と感情の対象となり、芸術の場合のように直観の対象となるにとどまらず、また思惟する精神の対象ともなる。こうして、われわれはここに統一の第三の形態、すなわち哲学をもつことになる。哲学はそのかぎりにおいて最も高い、最も自由な、また最も知的な形態である。
>
> G・W・F・ヘーゲル『歴史哲学』一八二二～三一年、武市健人訳、岩波書店、一九五四年、上巻八三～八四頁

第二次世界大戦後に宗教、芸術、哲学は死んだと思ったのだが、最近は人類や世界といった「すべて」を救うのではなく百人百様の個を尊重するための努力へと変化したのではないかと考える。

そのような私の考え方にも変化が訪れてきた。宗教、芸術、哲学の力はやはり強力である。これまでの人類とは本当に正しかったのか。もしかしたら死滅すべきであると考えるようになってきた。それならば宗教、芸術、哲学は人類を破滅に追いやるべきであろう。私は戦争を肯定しているのではない。哲学者の今道友信は、「犠牲が大きくないと出てこないものが美だ」（七一頁）、「美は超越です」（八四頁）と語る（小川英晴編著『芸術の誕生』彩流社、二〇〇三年）。この言葉の意味をさらに深く考えなければならない。

ここで書いていることを大学の授業で話したら、「先生は芸術が怖くならないのですか」と質問された。そこで私は、「人類を救う」こととは恣意的な価値観であると気がついたのだ。後にみる新右派連合と戦後民主主義の闘いでも、徳川幕府時代の人々から見れば「自由などとんでもない！」ということになるだろう。人間は自分が歩んだ道しか知らないし、信じられない。私はよく「あなたほどあたしは強くない」と言われる。そ

のとおりだ。苛烈な人生を歩んだことが何の自慢になろうか。

しかし、このように考えてしまうこと自体が、指針を失っていることにもなろう。新右派連合の罠にはまってしまっていると考える人もいよう。私はそうとは考えない。百人百様の人間の尊厳を尊重するためには、自己を基準にしてはならない。かといって、他者に合わせすぎるわけにはいかない。どうすればいいのだろう。私はいつも頭を抱えている。人間の、宗教の、芸術の、哲学の残酷なところは、実はそれが救いになるのかもしれないことだ。残酷という強さがあるからこそ、優しさが伴うことを忘れてはならない。

いずれにせよ、近代までに創られた「学問の大系」は再考察する必要がある。「歴史学」とはヘーゲルが生きた時代にやっと出てきた学問であり、それに準じて経済史などが生まれた。マーケティングの理論は一九〇〇年にアメリカで誕生したばかりで、たった百年の歴史しかない。近代の学問体系とは、分類したところで止まってしまい、分類した項目の研究を続けると、また全体に戻ってしまう場合が多々ある。それどころかこぼれ落ちてしまったものが再発見されてしまい、近代の学問体系がいかに脆弱かということがわかってしまう。

学問からこぼれ落ちたものは、オカルト扱いされる。宇宙、生命、人類の発生と終焉に伴う古代文明、未来からの使者である未確認飛行物体、解明できない生と死によって導き出される霊界、または別次元の世界などがこれに当てはまる。よく考えてみると、これらの問題とは、近代科学では一切解明できていない内容である。われわれは未だ、自らの発生について何も知らない。この国で特に嫌われる内容とは、政治（特に共産党）、宗教（特に新興）、芸術（特に現代）である。これはこれまで人間が培ってきた叡智そのものではないか……。

閑話休題。思い起こせば、人間は何のために存在しているのかといったことを、われわれは考えるのすら忘れてしまっているのではないだろうか。近代の科学で証明できたことは、まだ始まりに過ぎない。私は、オカルトを推奨するつもりはない。「学問」に対して見直すべきであると考えている。すべてを「学問のせい」にできない。例えば人の愛し方や箸の持ち方が学問になってしまうと、われわれは画一化した世界でしか生きられなくなる。みな同じで、まるで軍隊のような生活を強いられることになる。マックス・ウェーバーの「伝統的存在」＝慣習に対する考察を確認してみよう。

　ウェーバーは『社会学の基礎概念』（一九二一〜二二年、阿閉吉男・内藤莞爾訳、角川文庫、一九五八年）で人間の社会的行為を次のように定義する（難解な言いまわしを一部、簡潔にした。二重傍線は引用者）。

> 目的合理的：外界の諸対象と他者との行動を期待することによって結果が求められ、尚且つ考慮された自己の目的の為の「条件」または「手段」。価値合理的：ある一定の行動そのものの絶対的に固有の価値―倫理、芸術、宗教等―を、まったく純粋に、結果とは無関係に、意識的に信じる。感動的情緒的：実際の感動と感情状態によってなされる。伝統的：なじんだ慣用による。（四〇頁）

> 厳密に伝統的な行動は、一般に「有意味的に」方向づけられた行為と呼ばれ得るものの「限界」に立つ。なぜなら、このような行動は日常の刺激に対する何時しか馴染んだ定位の方向において無感覚に通過する反応に過ぎない。（四〇頁）

> 有意味的な行為と、反射的で主観的に思念された意味と結び付いていない行動の境界は、はっきりしたものではない。社会学的に問題とされるあらゆる行動のうち、非常に重要な部分、とりわけ純伝統的行為は両者の境界に立っている。有意味的な、つまり理解し得る行為は、精神物理学的事象の多くの場合にはまったく存在していない。他の場合でも、これは専門家だけに存在するものである。また神秘的な、従って言葉では適当に伝えることのできない事象は、こうした体験に近づき得ない者には充分に理解されない。かといって、完全に「追体験できるということ」は理解の明証のために重要ではあるが、それは意味解明の絶対的条件ではない。或る事象において、理解し得る要素と理解し得ない要素とは、往々、混合し、結合し合ってい

（八頁）

これほどまでに厳密に定義しているウェーバーでも、「伝統的行為」は明かせない。ウェーバーの言う「伝統的行為」と、私の考える近代学問では明かせないオカルト扱いされる領域は、同じでないかと思うのだ。私が最重要視している研究者、思想者でありダンサーである及川廣信は、学問とオカルトだけではなく、さらに医学を含む東洋思想も盛り込んでいる。われわれは新しい地平線を、自ら切り拓いて行かなければならない。その役目を果たすのは一部のエリートではなく、すべての人間の課題である。これは、日本で敗戦後の大学で設けられた「一般教養」と同じ役割なのではないかと思う。学問を掘り下げたい。

第二章　覚悟

三　創造者の決意

さて、前提になるべき内容は一通り述べたので、ここからは創造者が何をすべきかについて論述していきたい。創造者とは単に作品を制作する者だけとは限定されない。先にベンヤミンの定義を見たとおり、制作しなくともその現場にいる者も創造者に含まれているのだ。まずはわれわれが時空から逃れられないことを知り、その上で作品の本質とは何かを探り、創造者になるための決意と、創造者は何のために、だれのために作品を制作すべきなのか、自己紹介の大切さをここでは順番に述べていく。

時空の超克

まず、基本を二つ確認する。一つ目。われわれ人類は、いつも時代から逃れることができない。それはわれわれ平民だけではなく、時の権力も含まれる。今の日本はギリギリ自由が許される時代であり、好きな作品を制作し勝手なことを話すことが許される。一九四五年当時の日本では言論の自由はなく、大政翼賛に関わることでなければ作品の発表は許されなかった。さらに時代を遡れば、例えば戦前美術の領域では油彩か日本画以外は公開できなかった。コラージュなど論外であった。明治、江戸、平安、大和と遡るとどのようになるのか。

われわれは自らが発明した文明という枠から、はみ出ることができないのだ。その頃には当たり前だった伝統的行為＝習慣はいつしか形骸化し、何のために行なっていたのすらわからなくなる。そのような時代の盛衰は人類の歴史からずっと大した変化なく続いていたのだが、近代という未曾有の時代から急激な変容を遂げてしまった。今日に至っては数年前の常識が通用しなくなっている。ベートーヴェンの時代に大音響のロックは考えられなかった。十数年前に「韓流ブーム」があったなど信じられない。時代が押し寄せる速度が増した。

そのため、われわれが今日、自由に芸術を制作したり立ち会ったりしている時代も終わるのかも知れない。人類は今日、大衆制御、遺伝子操作、宇宙開発というこれまでに不可能であった領域に手を伸ばしている。既存の芸術がすべて消滅し、これまでまったく芸術だと思っていなかった存在が今日の芸術の役割を果たすのかも知れない。今日の芸術は経済に対して脆弱であり、生活の中で役に立っていない。しかし芸術の本来の本質とは人間そのものだという重大なことを忘れてはならない。芸術は「時間」を超すべきである。

二つ目は、いくらウェブが発達したとしてもわれわれは「場所」を乗り越えることができないことだ。二〇世紀はヴィジュアルデザインの時代であったと言われているが、私はそうとは思わない。ポスターや絵画とは、実は世界中の美術館を巡回してもその場所でなければ効力を発揮しないことを忘れてはならない。音楽や映像も実は同様であろう。ウェブで外国のポスターを探しても、その国でどのように貼られているのかによって印象はまったく異なる。録音は生音には勝てない。勝ち負けではなく、異なる性質であると言うべきか。

パリ、ニューヨークと先鋭的な場所を目指すこともあろうが、ヴェネツィアやサンパウロなど地方にこそ特別な国際展が開かれてきたことを思い出そう。東京ではなくともいいのだ。現代芸術や原始仏教が標榜した「今、ここ」とは、特別な所にいなくともあなたがそこで生きていていい証しなのである。世界のどのような所でもそこに住んでいる人間を尊重することが、今日も、これからの時代にも不可欠だ。しかし、同時に「場所」から逃れられないことも忘れてはならない。われわれは遠くとも近くても、移動しなければならない。

今日の飛行機や未来の高速ロケットを用いても、われわれは移動する距離が長くなるだけで「移動する」という行為からは逃れられない。それどころか、いくら速度が上がってもわれわれに老いがやってくる。つまり、われわれはどうやっても「時空」から逃れることはできない。しかしわれわれの想像力は、常に「時空」を超えていく。オカルトではない。過去に遡ることも、未来へ行き着くこともできる。実際に太古の作品が、われわれの目の前にある。知り得ないはずの未来が、過ぎ去ったことにより「あれは未来だった」と感じる経験はだれもがある。

例えば小学生のときに、ずば抜けて何でもできる友人がいたとする。それなのにその友人は愛情溢れ、遅刻してでも目の見えない人をホームで導いていた。それほどまでにしなくてもいいのにとあなたは思う。長い年月が過ぎた。その友人は社会的地位を持つようになった。しかし道路に飛び出した老人を救うため、代わりに車にはねられ亡くなる。ああ、やはりそうなったのか。そのようにあなたは思うことになろう。小学生のときに、その友人は、すでにそのような性質を携えていたという話だけでは片づけられない予兆だ。

私はいつしか、両方の時間に生きているのではないかと考え始めた。一九七〇年生まれの私は、二〇二〇年に五〇歳となる。それは、過去から現在、現在から未来へ進む考え方で、もし時間が過去へ遡っているのだとすれば、私は一九二〇年に到達したことになる。そして、その両者を往来できるとすれば、私は一〇〇歳になる。このように考えてもいいのではないか。一方的な考えでは、偏っているのではないだろうか。そのように、自由に発想するようになったのである。これによって、私は人生がさらに楽しくなった。

その理由は何だろうか。美術の池田龍雄がどこかで「時間とは一方向に進んでいるが、それが未来か過去かはわからない」と書いていたことを強く意識したのではないか。または、前衛音楽のＹＡＳ－ＫＡＺが舞踏の山田せつ子と日本画の間島秀徳とのコラボレーションを行なった際、演奏した曲を聴いて、私はぼんやりと自分が生まれた頃の曲かと思って、ＹＡＳ－ＫＡＺに公演が終わった後、すぐに尋ねたら、「なぜいなかったのにわかったの？」と驚かれたことが機運になっているのかもしれない。私は想像力で「時空」を超えられると信じている。

このような人類と「時空」の闘いは、主に現代物理学の領域でなされてきた。アルバート・アインシュタイン（一八七九～一九五五年）とスティーヴン・ホーキング（一九四二～二〇一八年）は、芸術を深く理解していたのだと私は考える。その上での理論展開である。そう考えるとこの二者もまた、芸術者＝創造者であったということができる。芸術は何も特定の技術と思想を携えた者たちによって生み出されるのではない。私はだれもが創造者であり、作品を産み出すことが可能であると考える。それを理解するために、作品とは何かについて考えてみよう。

作品の本質と制作の根源。だれのための制作、自分とは

作品の本質を私は端的に答える。人間の複雑な感情であると。人間の感情とは喜怒哀楽でははかれない複雑さがある。うれしいのに悲しくなったり、悲しいのに怒ってみたりする。愛と憎み、恐れと驕り、怯えと威嚇など、喜怒哀楽以外にもさまざまな感情が渦巻いている。新生児を見ると、いずれにも当てはまらない表情をする。それほどまでに人間の感情とは複雑怪奇で、分類や説明ができない。この感情をダイレクトであったりさらに創意工夫が成されていたりして表現しているのが作品だと私は考えている。作品とは人間そのものだ。

芸術作品はこれまで宗教、政治、消費といったそれぞれの社会の宣伝として利用されてきた。しかし、そのようななかでも、宣伝の領域を超えて生き残っている作品が多々ある。かつて会津八一（やいち）（一八八一～一九五六年）は石碑ですら風化するのだから芸術は永遠ではないと、「普遍」という「権威」に対して釘を打った。私も同様に考えはするが、時代が変わっても人間は今のところ変化はしていない。脳の体積が大幅に変わったわけではない。すると古代人であっても、人間であることにある程度の共通項を見出すはずだ。

あらゆる作品が、人間の感情を表していることを記した。そうなると人間が作り出すあらゆる創造物は、す

べて作品であると言える。物質でなく思想でも、言葉でもいい。自然の素材ではなく化学製品でもいい。ここに芸術と対比される製品すら含まれる。そのすべてに対してわれわれは敬意を払い、尊重し、意味を見つけるべきである。しかしそれはとても難しいことだ。それを簡単に、わかりやすく、一目で判別できるのが、芸術作品ではないだろうか。現代人は古代人に比べて複雑なので、芸術作品は非常に難解になってしまう。

このような作品を、われわれは何のために、だれのために制作すべきなのだろうか。即答しよう。われわれは人類が豊かになるために、作品を制作する。人類とは人間だけではなく、動植物といった有機物だけでもなく鉱物や水といった無機物も含まれている。宇宙や地球ができる以前も、終末を迎えるとしてもそれすらも包囲している。今までなかったものを創造する。それは大それた問題ではなく、他の人から見ればたかが落書きであろうと、創造物は創造物なのである。それに何の意味があるのかを判断するのは、価値観の問題である。

あなたが今、鉛筆で適当に描いたもの。それはこれまでの有数の歴史を持つ人類のだれも創造したことのないものであることを、自覚してほしい。自信を持っていただきたい。勇気を携えて胸を張ろう。だからこそ、その作品をどうすればよくなるのか考えよう。まずは本当にこれまでだれも描いたことはないのか。ドラえもんの似顔絵であっても、あなた以外そのようにだれも描けない。しかし、だれかが見て「タダの物真似ではないか」と言われたらどうするか。ここで作品をよくしていく前に、だれのために作品を制作するのかが問題になってくる。

だれのための制作か。回答しよう。今生きている、人種を超えたあらゆる人類だけではなく、今までの、これまでのすべての人類のためであると。人類すべてなどハードルが高いと思うかも知れない。俺は自分の作品をわかってくれる人だけで充分だ、あたしは家族や友人だけのためでいいのにと考えている方もいるだろう。しかし言葉や人種の違いが強調されるが、実は同じ人間は一人もいない。すると、自分以外のすべての人間に通じる作品を制作しなければなくなる。それが作品の本質である。因習や倫理、道徳を外して考えてほしい。自分の満足のためなら作品ではなくなるのか、だれにも見せなければそれほど大袈裟に考えなくともいいのか、と聞きたくなろう。そのように考えるのであれば、「自分」とは何かを問うべきだ。個人、自我も追求すべきだ。そういった哲学的考察を踏まずとも、実は自己などあるのかないのか定かではないのだ。私とあなたが一致する、とか、個などなく国に従えといった全体主義的な議論ではない。先に未来とはわからないから未来だと私は書いた。それと同様、われわれはどこまでが自己であるかをわからないから生きていると私は考える。

また、人間の感情が複雑なのと同様、明確な「自分」といった定義はできないのではないかとも考えている。自分であるのに自分でない感覚、自分では絶対にやらない行動をしてしまった経験、相手の気持ちが痛いほどわかる瞬間など、さまざまに思い当たるであろう。われわれ現代人は、複数の顔を持つ。恋人、子ども、親、友人、学校の同級生、職場の同僚、公共施設で擦れ違う他人、海外旅行先や国内ツーリストといった、まったく関係のない人々に対して、われわれはまったく異なる表情を浮べる。ひとりでいるときですら、だれかに見られているように演じる。どこに「自分」がいるだろう。

われわれは母胎内で受精した瞬間から――もしかしたらそれ以前からかも知れない――、今の自己を乗り越えるための努力を続けている。成長の限界を過ぎると肉体の老化が始まると言われるが、精神は歳を取れば取るほど豊かになることもある。そんな努力はしてないと言う人もいようが、そんなことはない。人間は確実に経験を積み、時には抹消して、やってくる近い未来と対峙し、対処している。そのように考えると、いつの自分が本当の自分なのかわからなくなる。あのときがよかったと振り返る場合もあろう。しかしその自分は今の自分ではない。

反面、自己の人生に一貫した主張を持つこともある。それしかできないという消極的な発想に陥ることもあろうが、人間はなかなか変われない。子どもを育てたことがある方はわかるだろう。三つ子の魂百まで、成人しても新生児の頃と時には同じ表情を浮べたり、癖が変わらなかったりすることを思い起こす。われわれの「自分」はこのように変化したかと思うと同じであるという、非常に不可解な存在であることに気づくのだ。止まっているかと思うと動き回っている。やはり人類はそう簡単に定義ができない。

人類の複雑さを考えれば考えるほど、人間とは芸術そのものであると確信していく。人間は芸術に憧れ、自己の財産を投げ打ってでも作品を手に入れようとするにもかかわらず、自己や人類の中にある芸術に無自覚である。高尚な芸術という分野が形成されたのは近代だ。人間が変容したのは加工食、労働、宗教が生まれたからだという研究は数多くある。今日、芸術は一つの分野に分類されてしまっているが、一人の人間の些細な行為から人類すべての壮大な営みに至るすべては、芸術の存在が欠かせないことであると深く理解できる。

われわれは作品を制作する。故人を偲んでオマージュ作品を創り続けることと、仏壇に線香をあげたり教会で祈りを捧げたりすることは非常に近い。妊婦がこれから生まれてくる子どものために靴下や手袋を編むことと、未来の人類でも明かせない作品を産み出すことも等しい。われわれは独りではない。常に過去と未来の間に位置する。そのどちらにも焦点を合わせ、作品を制作することが可能である。これは何という想像力であろう。この無限な想像力は、繰り返すがわれわれのだれにでも備わっているのである。

この想像力とは、特別な人間だけに備わっているのではない。古代の人々は、各星を結びつけて星座にしたり、特定の石や山を神に見立てたりと想像力を広げた。それは、権力者に言われてそうしただけではないだろう。星座も自然信仰も、今日に受け継がれている。それよりも古代の人々の想像力を見習うべきだ。今日生きるわれわれがいかに瑣末であるかが理解できよう。古代人のような、ダイレクトな想像力を自在に駆使すること。それは今日のわれわれにもやればできることの一つであろう。
そのように考えると、今日だけに目を向けて作品を制作することなど、何と視野の狭いことであるか。今日の常識、禁忌、教義などといったものに囚われている暇などないことに目覚めるはずだ。芸術は人に夢を与えると共に、破壊までする驚異的な存在でもある。海外の空港では「ポルノ、拳銃、麻薬」の取り扱いに慎重だが、本来ならばここに芸術が入るべきなのに、今日の芸術は衰退している。これまで芸術に魅了されて身を滅ぼした人間は数え切れない。芸術とは国どころか人類を破滅に追い込むほどの力を持っている。

魔術と狂気

今日、特に忘れ去られている芸術の力に、魔術的側面と狂気の含意がある。魔術的側面はシュールレアリスムのアンドレ・ブルトン（一八九六～一九六六年）を筆頭に、日本では近代美術館と近代美術研究の素地を形成した土方定一（一九〇四～八〇年）などが詳細な研究を行なっている。共に原始美術の研究から近代の矛盾を経て、今日に至る「常識」に対して、人間の本質を導き出そうとしている。化学は錬金術から生まれたことを忘れてはならない。むろん、魔術のすべてを推奨できるはずはない。魔術から今日を見直すことが大切なのである。

狂気も同様であろう。人類が未曾有の大量殺戮を経験した第二次世界大戦を経て、平和になったかと思うと近い未来にはさらなる地獄が待ち受けている。宗教と心理学や社会学などの学問が崩壊寸前の今、何が正常で何が狂気かを語ることが難しくなっている。他者を憎み、自らの欲望に突っ走っていく「狂気」に対する羨望は現在では確かに高まっている。これは世界中の人類が大人への通過儀礼を捨ててしまったので、子どものまま大人になっていることにも由縁する。どのように人間は形成されるべきかを問う儀礼と教育は、失われた。

丸山圭三郎も『言葉・狂気・エロス』で探っている。〈狂人〉と芸術家（および思想家）のいずれもが、意識と身体の深層の最下部にまで降りていって、意味以前の生の欲動とじかに対峙し、この身のうずきに酔いしれる。しかし後者は、たとえその行動と思想が狂気と紙一重であっても、必ずや深層から表層の制度へと立ち戻り、これをくぐりぬけて再び文化と言葉が発生する現場へと降りていき、さらにその欲動を昇華する〈生の円環運動〉を反復する強靭な精神力を保っている人びとなのではあるまいか。

（一三八頁）

ミシェル・フーコー（一九二六～八四年）の『狂気の歴史』（一九六一年）を引くまでもなく、狂気どころか魔術もまた時代によってその存在価値が変わる恣意的な存在である。狂気や魔術だけではなく、すべての事物や事象の価値観は時代によって変化する。魔術と狂気のことを考えると、われわれが当たり前だと思い込んでいる科学が根底的に崩れ去る日が来てしまうかもしれない。人類はその発生と終焉の本来の意味と意義を知ってしまったらどうなってしまうのであろう。そしてその日はいつになるのだろうか。考えるだけで恐ろしい。

道徳、因習、教養を捨てて人間らしく自由になろうと思うと、まったく逆どころか、さらに逆行してしまうという罠が待っていた。自由になればなるほど人類は自らを束縛していく。女性の自由を謳ったワイマール共和国を破綻に導いたのは、「女性よ家庭へ帰ろう」と呼びかけたヒットラーであった。日本でも男女平等がやっと果たされたかと思うと、実は女性の賃金は低く、子どもを育てるチャンスを失ってしまうという悲劇が起こる。われわれは煽動され、そちらへ流れてしまう。この習性に何とか終止符を打つにはどうしたらいいのか。

現代芸術の始まり

後述するが、近現代は終焉し、「新世界秩序」や「新右派連合」が主導する時代に突入した。近代は多くの問題をはらんでいるが人類が初めて宗教、政治から解放され、人間が人間のために芸術作品を制作できるようになった時期でもある。現代芸術は皮肉なことに、第一次世界大戦下のヨーロッパで「私たちはここに生きていてもいい」という事実として「発見」された。その代表がチューリッヒのダダ、ドイツのバウハウス、ロシア構成主義である。これら三つの動向は、インターネットがなくとも互いに連絡を取り合っていたのである。

ダダには詩作、詩の朗読＝パフォーマンス、造形、写真、映像が、バウハウスには美術、建築、工芸、写真、版画、壁画、ステンドグラス、グラフィック、インテリア、印刷、広告、舞台美術が、構成主義は平面、立体、建築が含まれていた。総合的な状態がここに現れていたのである。分野が分裂して先細りとなった近代に、オペラのような権威的な総合芸術ではない、芸術の根底の模索がここで行なわれた。むろん、この三つの運動に至るまで芸術はルネサンスから写実主義、印象派を経て、緩やかに展開したのである。

第二次世界大戦後、歴史のない国アメリカで、ダダはポップ・アートとして、構成主義は抽象表現主義として焼き直しされた。バウハウスの職人気質は、結局はアメリカには馴染まなかったが、バウハウスの様式はコピーされた。日本では、どうしてもこの三つの動向はその本質を理解できず、形骸化された模倣がなされたに過ぎないのではないだろうか。いずれにせよ、極限の状態で生まれたこの三つの芸術運動から学ぶことは多々ある。ここに含まれているが詳細の定かでない音楽、演劇、ダンスを研究としてあぶり出すことも重要だ。

この三つの芸術運動が重要だと記したが、近代とは決して正しくて完璧な時代ではない。芸術の分野では特にナショナリズムとしての「美術館」や国策、資本主義の台頭による市場化により、近代の芸術は誕生する前からすでに「商品」という運命を逃れることができなかった。「商品」であるかぎりでは、人目を惹いて売れなければならないし、ナショナリズムとするならば、他の国よりも超絶技巧で優れていなければならない。美術館が「美術史」を形成したのであれば、この史観に則らなければならない。これらが暗黙の掟となる。

この掟に当てはまらない作品は「素人」の作品として扱われた。しかし、子どもや障がい者、未開人が描く作品こそ近代の機械文明に侵されていないのでよいという見解も生まれた。それでも超絶技巧を主体とする見解に揺るぎはなかった。私が注目する研究は皆本二三江（一九二六年〜）による子どもの「ぬり絵」の重要さ、霜田静志（一八九〇〜一九七三年）による「叱らぬ教育」と美術造形の実践である。霜田はジャン＝ジャック・ルソーの「自由」に発想したA・S・ニイル（一八八三〜一九七三年）の「教育」を研究したが、元々美術研究であった。

皆本や霜田のように忘れ去られている研究を、今こそ呼び起こし、再検討する必要がある。われわれは「最古」と「最新」ばかりに気を取られて、その「間」にある貴重な思想を取りこぼしている。「古い」とか「無駄」と切り捨てる前に、もう一度見直し、その長所と短所を分析する作業こそ、今日に最も不可欠であると私は考えている。それは当然、作品にも当てはまる。モダニズムの作品だから見ない、モダニズムの傑作だから必ず凄い、だから考察しないでは芸術の本質にたどり着かない、さまざまに目を向けるべきである。

美術史で重要視される戦後美術者も現代の大学生も、若いときに衝撃を受けた作品が制作の根底となっている。戦時中に雑誌で見たデューラーも、現代にインスタグラムで見た無名の創造者による作品も、実は等価なのだ。戦中戦後に美術史が重要視され、現代ではされないだけの問題なので、「イマドキの大学生は美術史を知らない」と憤ってはいけない。現代の情報の流れはあまりにも速く、村上隆（一九六二年〜）でも川俣正（一九五三年〜）でも、ネットのニュースに出てこなければ瞬く間に忘れ去られてしまう。

決意する

私は何のために、だれのために作品を制作するのかを長々と述べてきた。これは近代という時代の困難さを含んでいたからである。近代の問題については、この後も章を設けてさらに追及していく。ここで私は宣言しよう。われわれは覚悟を決めなければならない。作品を制作することによって、これまでとこれからの人類を救うのだと。大丈夫、あなたたちは必要とされている。今は儲けるどころか生活することができないくらいお金が入ってこなくとも、人類の歴史で芸術は不可欠な存在であり、お金でははかり知れないことをしているのだ。

自己紹介の大切さ

これからの展開のためにさらに重要な事項を一つ追加しておく。それは自己紹介する際に、この決意をどのように伝えるかにある。大学の志望動機、大学院の研究計画書、作品を発表や就職活動で使うポートフォリオ（見本帖）に記すステートメント（作家としての主張）にこの決意を記す必要がある。同時にポートフォリオには過去を、研究計画書には現在を、新作のアイデアには未来を込めるように、自己紹介とは、現在、過去、未来を必ず盛り込む必要がある。これからの時代に過去が必要なくなることを後に書くが、それでもこの基本を押えておいてほしい。

自己紹介を甘く見てはならない。すでに大学や大学院を修了し、創造者として活動している方々も、ぜひ、ポートフォリオの自己紹介に欠陥や洩れがないか見直してほしい。自己紹介は英語なり中国語なり外国語に翻訳しておくことが望ましい。情報はウェブを通じて世界中を回ることができる。実際に多くの人々と会って自己紹介する機会を多く作ってほしい。自己紹介は大学の教授になっても会社の社長になっても不可欠である。創造者に定年はない。死ぬまで制作を続けるのだから、発表する際に自己紹介は重要になる。

自己紹介がうまくいけば、自己の作品に大きな誤解が生まれなくなるだろう。自分の意図と異なっても、好意的に見てくれれば仲間が広がる。仲間が広がれば、それだけ知られるチャンスも増えるし、発表する場所が拡大するかも知れない。仲間からのアドヴァイスと真摯に向き合い、仲間の作品から刺激を受けて、更なる作品を制作する機運がもたらされる。今日はウェブの力で世界中に仲間を広げることができる。そして、実際に作品を携えて会いにいけばいい。向こうがやってくるかもしれない。世界を広げ、仲間を増やすのだ。

四　創造者の社会的役割と場所

作品を制作することによって、これまでとこれからの人類を救う決意は固まった。しかし具体的にはどうすればいいのか。少しずつ解きほぐしていきながら答えていくように私は努める。私は以下のように論じてきた。作品の本質とは人間の複雑な感情である。われわれは人類が豊かになるために、作品を制作する。われわれは今生きている、人種を超えたあらゆる人類だけではなく、これまでのすべての人類のために制作する。芸術の役割はわかるが、話が大き過ぎないか。もっと具体的なことを知りたい。そのとおりである。

今と過去を知る、自己と他者を知る

創作を始める前に、私たちはまた前提を確認しなければならない。過去と未来のすべての人類が豊かになるために、まずは今いる人類を知らなければならない。そのためには、「今とは何か」を確認しなければならない。そして人類のために制作するということは、未だ人類が実現していない世界を構築することだという前提を深く掘り下げて考えていかなければならない。これも時空から逃れるべきである、過去と未来を考える、学問とオカルトのバランスなど、さまざまな話をしてきたが、まだまだ確認は必要なのである。

後にも言及する重要な事項であるが、芸術、デザイン、広告と分類されたとしても、制作とは、これまで人類がなさなかった世界を構築しなければならない。それは現実に対してアンチを浴びせかけるのではなく、創造とは人類のだれもがまったく知らない世界でなければならないのだ。現実に満足しているからこそ、現実を超えなければならない。そのために人類がこれまで制作してきた作品を知らなければならない。期限が過ぎれば捨てられる広告でも同様である。現実の解決を第一にするデザインでも同じことだ。

だれも知らない世界を構築すると、答えは見つからない。つまり、それがいいか悪いかといった安直な定義で芸術を語ることはできない。答えがない代わり、芸術は問いを発し続けることになる。答えなき問いの連続によって、人類は未知の世界へ旅立つ準備が可能となる。問えばだれかが手を挙げて答えてくれる。問わなければだれも何も言ってくれない。問わなくていい芸術はいくつもある。権威主義的な芸術である。権威はそれだけで権威になる。しかし、そのような芸術に対して問うことは今のところ、その人の自由なのである。

人類がこれまで制作してきた作品のすべてを知ることなど、不可能である。しかし、知ろうとする努力をすることはだれにでもできる。手近なところから始めればいい。友人や先生の作品、美術館、図書館、劇場、映画館、デパート、電車の中の広告と、至るところに作品はひしめいている。その作品を意識して見るだけで、これまで漫然と見ていた雰囲気がガラリと変わるはずだ。すると、作品に対する興味が湧いてくる。さまざまな作品を見たくなる。ここから始めればいい。自ずと歴史を知りたくなってくる。

歴史を知りたくなれば、場所も問題になってくる。それならば、実際にその場所へ行ってみるのが一番いい。思い立ったら行動だ。お金を貯めて、世界を回るがいい。急がないと、入国が不可能になる土地も出てくる。もしかしたら、国が消滅する場合もある。ウェブではなく、実際に自分の目で確認することが重要だ。それは、今いる人類を知ることにつながる。人類のすべてを知る必要はない。君主制から抜け出し、すべての人間が尊重される、百人百様がある意味すべて平等に存在していることを確認できればそれでいい。「平等」というのもまた、近代が産み出した弊害でもある。今日の日本で特にこの言葉は誤解されている。平等であり人権が保障されているのはそのとおりであろう。しかし平等である義務を果たさず権利だけを主張しては意味をなさない。フランス人が平等を標榜しながらもベトナムを搾取していたことは有名な話だ。平等であるということは、まったく異なる立場の人間に対しても、それぞれの価値を認め合い、尊重することにある。金、地位、権威が価値でもいいだろう。しかし人生とはそれだけははかれない価値観が存在する。

学問としての社会的地位

今のところ芸術には社会的地位がある。総合大学でも専門大学でも芸術は学問として認知されている。ダンスや演劇、ジュエリーデザイン等を学ぶ学部は限られてはいるが、社会的に役割を果たすことは認められている。学問として認知されていても、産業としては認められていない、あるいは、芸術に対して産業がどのように対処すればいいのかが判別できない。商品として生産され換金されるモノと、現実と異なる世界を構築する芸術はあまりにかけ離れている。

百人百様を尊重するためには、どうすればいいだろうか。まずは、自分の位置を確認することから始めればいい。あなたが日本大学芸術学部の写真学科の学生であるとしよう。まずは、他の専攻を確認しよう。写真学科、映画学科、美術学科、音楽学科、文芸学科、演劇学科、放送学科、デザイン学科。修士は文芸学、映像芸術、造形芸術、音楽芸術、舞台芸術、博士は芸術専攻。他の学部に対して、どれだけの興味を持つことができるだろうか。そして、ここにない学部を探すことができるだろうか。

次に、芸術学部が日本大学の中でどこに位置するのかを見てみよう。広大な日本大学で学べる学問は、大きく分ければ法学、経済学、国際関係、スポーツ、医学であろう。この広い世界の中で生きていることを忘れてはならない。芸術だけをわかってもらおうとしてはならない。そのためには、この広い世界を知らなければならないのだ。自分だけの理解を求めるのではなく、他者を理解することが自分への理解につながることが前提なのだ。

総合大学として、国立大学の京都大学と日本大学を比較してみる。国立大学は省庁につながる。「省庁」で調べると、省庁と大学の学部編成は連動しているように思える。また、日本十進分類法を調べてみよう。九九項目ある。ここには学問だけではなく、日常生活の知恵も分類されている。もちろんあくまで分類であるが、分類されているからこそ、別の分野から自己の答えを求める必要が生じてくるのだ。

分類できないすべての事項

最近の読書を例に取る。下北沢の古本屋に入って見渡していると、リチャード・ドーキンズ『利己的な遺伝子』(一九七六年、日高敏隆他訳、紀伊国屋書店、一九九一年)が目に入った。帯に「出版四十周年記念」と書いてあった気がする。凄く有名な本であるらしいが、私は全然知らなかった。書名だけメモして、図書館で借りて読んでいた。そのとき、行動生物学者の友人とたまたま会ったのでこの本のことを聞いてみると、「懐かしい本だね。しかしもう無効だよ」と言われてしまった。

読み進めていくと、以前読んだ本のような気がする。具体的に労働、生産、利潤などの単語は出てこないのだが、この行動生物学の書物はマルクス経済学がベースになっているのではないかと感じた。また遺伝子レベルの内容にも関わらず、優勢/選民思想がバックボーンとなっているため、やはり生殖の問題と切り離せない。「大半の魚類は交尾をせず、その代わりに単に生殖細胞を水中に放出する手段をとる。(中略)父親による子の保護がなぜ水中では普通に見られて」いるのかを説明している（二四八〜二五〇頁）。

今度は三鷹の古本屋でマーティン・デイリー&マーゴ・ウィルソン『人が人を殺すとき』（一九八八年、長谷川眞理子・長谷川寿一訳、新思索社、一九九九年）を見つけた。値段が高かったので、図書館で借りることにした。『利己的な遺伝子』が古典的なダーウィニズムから出発しているので、進化生物学の視点から「殺人」を論じるこの本は魅力的であった。私は四年ほど前、学会発表のため沖縄を訪れ家族と共にバスで沖縄を巡っている際に、埋葬と殺人について瞑想していたことがあったので、やはり殺人に対しては気になっていたのだ。

横浜市の図書館でこの本を探すと、科学の分野にあると思いきや、図書分類三六八、すなわち「社会病理」であることに驚いた。せっかく図書館に来たのだから、普段読まないし購入もしないような本を借りていこうと考えていたのだが、時間がなかったのでこの時の興味の科学の方へ行かず、近場に目を投じると三六七が「家族問題」で、性の問題を取り扱った新書があったので、二冊借りていった。ちなみに三六〇番台は「社会」の区切りであるのだが、三六一のような厳密な社会学ではなく社会を考察する方法もあることを私は学んだ。『人が人を殺すとき』は私が思っていたような本ではなかったが、よく勉強になった。ここでまず重要なのは親殺し子殺しで、次に配偶者、そして他人である。殺人は嫉妬や報復、性にも深く関わっている。殺すためには誕生させる性交にルーツがあると私は感じた。性的嫉妬による殺人は、人類の根源であると言うことも可能ではないだろうか。それならば人工授精をして生まれた人間はどうなるのであろう。人工授精が当たり前となった現在、問題は多岐にわたっていくのであろう。その一端を垣間見た。

図書分類三六七の新書の一冊目、北村邦夫（一九五一年〜）の『セックス嫌いな若者たち』（メディアファクトリー、二〇一一年）を読んだ。ここでは若者が主題であるが、外国の研究者は、現代日本人四〇代以上の女性過半数の性交に対する嫌悪感や無関心に驚愕しているようだ。「セックスとは、それだけのお金が必要となる」（七〇頁）ので、不況の今日に若者の目が向かなくなると解説している。またはメディアの発達、価値の多様性も指摘している。それは大人も同じことで、われわれは何のために性交するのかが不明瞭となる。

新書の二冊目、村瀬幸浩（一九四一年〜）の『性のこと、わが子と話せますか？』（集英社新書、二〇〇七年）に私はとても感銘を受けた。子どもに「セックスしたの？」と聞かれた場合、以下のように答えるとよいという。「したわよ、当たり前じゃないの。だって花子ちゃんのような子どもが欲しかったし、お父さんのこと大好きだったし。大好きな男の人と女の人がね、大人になって「赤ちゃんが欲しいね」って話し合ったりするようになると、みんなセックスするんだよ。知らなかった？」（六七頁）。

著者は「子どもが知りたいのは、いのちの成り立ちとの関連についてですから、まずその事実を伝えましょう。そしてもう一つ、性と人間関係、性交と「大好き」という気持ちをきちんと結びつけてイメージさせたいという狙い」（六八頁）と述べる。私は性について考えるとき、科学と宗教、倫理、道徳、教養などという学問では語りつくせないと感じていた。先に引いたマックス・ウェーバーほど厳密な発想でも定義できない「伝統的社会的行為」＝習慣に近いと感じていた。その答えが、この一言にあるのだ。

村瀬はさらに「受精」を説明する際に体の「中」と「外」で行なわれることを指摘する。そう、ドーキンズ同様、魚について言及しているのだ（六三〜六四頁）。ここに、このまったく関係ないと思われていた四冊が結びつく。村瀬は肩書を「保健体育科教諭」とはしているものの、教育学の立場から薀蓄を垂れているわけでは決してない。むしろ教育者の影響量が少ないことを本書の最初で述べている（八頁）。つまり、自らのカウンセリングの経験によって、この書物は編まれているということができるのではないだろうか。

セックスってね、自分のプライバシーを相手の人に明け渡すことでもあり、いのちを預けることでもあるのよ。だからつらいことや悲しいこと、楽しいことや生きがいを分かちあって一緒にいきていこうとする二

人になって、ようやくセックスが意味をもつのだと思う。　（二〇九頁）

相手との関係性を深めるために自分はどうしたらいいのかを考えはじめることで、性は再び個人化、内面化します。この内面化こそが「人格」に反映していくのではないでしょうか。だからこそ、性を学ぶことは欠かせないのです。　（二一五頁）

「性」という文字は「りっしんべんに生きる」と書きます。「性は生」であり、思春期までは「いのち、からだ、健康」の問題なのです。「私はどこから生まれてきたの？」「僕はどうやってできたの？」という子どもの問いに答えることは、いのちの成り立ちをどうわかりやすく伝えるかという点につきると思います。いのちの成り立ちの正しい理解は自分の存在を肯定し、自信をもって生きる基礎となります。　（二三〇頁）

このような村瀬の言葉に啓蒙や上から目線を感じない。子どもだけではなく、親に伝えたいような感じである。

性に関して、「社会人として世の中を生きていける人間」とはどういう存在かといえば、

・性をひわい、わいせつな問題としてではなく、生きるうえでの重要課題の一つとして、人間と人間の関係のあり方を問うものとして考えることができる

・自らの意思や感情を侵害する性的言動に対して、毅然とした態度がとれる

・「相手の意思に反したり感情を傷つけるふるまいをしない」という考えをもち、性を人権として尊重し、実際にそのように行動することができる

以上三点を最低限クリアできる人間。　（一四四〜五頁）

ここで村瀬が言う「社会人」とは、現代日本を「生き残るため」ではなく、人権尊重が前提であることが理解できるとおり、近代民主主義が根底となっている。自らの意思や感情の侵害に徹底的に闘えというのは、先

にみたルソーとニイルの「自分も侵害されないが、相手に侵害しないからこそ自由がある」という思想にもつながるし、何よりも「生きるうえでの重要課題」として問い、「人間と人間の関係のあり方を問う」のは後に述べるハンナ・アレントの態度と重なってくるまでの、近代人としてだけではなく、人間の普遍的なあり方であろう。

「性を学ぶとは、失敗しないいため、問題を起こさないため、つまりマイナスをもたらさないためばかりではなく、人生にプラスを重ねる意味があるのです。もっと素敵な人間関係、性関係、より充実した人生を生きるためのものなのですから。子どもたちにとっても、大人たちにとっても」（二三一〜二頁）と、村瀬はこの本を締めている。ここにある「性」という言葉を「芸術」に置き換えることもできるし、「勉強」でも「スポーツ」でも構わないと思う。ここに啓蒙はない。われわれはこのような「充実した人生」とは何かを考えるべきだ。

進化論と性教育が結びついているとは、私も考えてもみなかった。性という避けられない問題を、決して普遍的な問いという小さなカテゴリーに収めてはならない。なぜならば一つの問題を、多角的に考えることができなくなってしまうからだ。子どもが人殺しをすれば教育が悪い＝教育学、社会が悪い＝法学、親が悪い＝社会学、時代が悪い＝歴史学などに落とし込まれ、その分野で研究すればこと足りると思われがちであろう。一つの問題は、さまざまに考察されなければならない。芸術もまた同様であろう。

このように分野にかかわらず、普段考えている点が、さまざまな見解によって線として結びつき、大きな面を形成して広く深く物事を考える力が必要になってきているのである。後に見るように、現代とは「考えないでいい」時代になってきている。点すらを穿つことが困難な時代へ移行している。それでもわれわれは人間として生まれたのだから、人類の歴史を背負っている。過去の事実を見ることはできないし、死者も含めれば何百億ではきかない大量の人間たちの間に、たった一つの真実などあるはずがないが、本質は探していきたい。

芸術の種類

今度は芸術に限定してみよう。日本大学芸術学部と東京芸術大学を比較してみると芸術と呼ばれる学問の広さが理解できる。東京芸術大学は先端芸術やアニメーションなど、新しい芸術の形を模索している。日大芸術学部は文学、演劇、放送といった総合的な芸術に根ざしているとも言える。多様な芸術に対する解釈が存在することを確認したい。

ここまで自己の立ち位置を知るために、近代の分類法と分類できない場面を記してきた。自己の場所を知るということは、他者の場所を知ることでもある。百人百様の他者を知ることこそが、自己の発見につながる。場所だけでは定義し切れないことも記した。「作品とは人間そのものだ」と私は書いた。現代の我々は複雑を極めている。さまざまな顔を持つ。その襞にまで心を寄せ、自己と他者を知るのである。

あなたが、日芸の写真学科の学生であると仮定した。写真という分野の中でも、広告、芸術、ブツ撮り（静物撮影）、舞台撮影、スタジオ、野外、カメラのテクニック、レタッチの方法など、細分化されていることであろう。そのすべてを学ぶことなどできない。ましてや写真以外の他の分野など無理だ！と思うかも知れない。確かにそのとおりだ。一度にいっぺんにできるわけがない。何十年も時間をかければいい。他の分野を知りたい！そう願うと必ず実現の方向へ向かっていくはずだ。少しでも知ろうとすることが大切である。

しかし少なくとも大学生時代に、かじるだけでも他の分野に触れることは大切だ。さまざまな世界の古美術―現代芸術に眼を向けよう。文学、演劇、音楽（アカデミック、ロック、ジャズ、民俗、アヴァンギャルド）、美術（絵画、版画、彫刻、インスタレーション、コンセプチュアル、パフォーマンス、ランドアート）、工芸、建築、ダンス（コンテンポラリー、モダン、芸能、ジャズ、民族）、舞踏、映像、写真、アニメーション、漫画、デザイン、書、活け花、人形劇等々。ほら、興味がある分野があるはずだ。そこから手をつけてみよう。

むろん、学生だけではなく歳を取ってしまっていても問題はない。思い立った今から、やってみよう。お金がなければ図書館へ行けば、映像も音楽もタダでレンタルできる。自己のスタイルを崩す必要など、一切ない。これまで培ってきたことを大切にしながら、新しい世界を垣間見ればいい。取り込んで自己の世界を強化する場合もあるし、批判してさらに自己の世界を深めることもできる。歳を取ると時間がない気がする。それは錯覚だ。年配の方々こそ、時間の使い方をよくご存知のはず。チャレンジしていただきたい。

職業としての社会的地位

先に見たとおり、「今は儲けるどころか生活することができないくらいお金が入ってこなくとも、人類の歴史で芸術は不可欠な存在であり、お金ではかり知れないことをしている」、「学問として認知されていても、産業としては認められていないのかも知れない。認められていないと言うよりも、芸術に対して産業がどのように対処すればいいのかが判別できないと言い換えるべきであろう。商品として生産され換金されるモノと、現実と異なる世界を構築する芸術はあまりに懸け離れている」と記してきた。それでは納得できないだろう。

価値観の変動

しかしこれが事実なのである。基本的に富裕層と貧困層に分かれたのは、近代である。それまで王様か平民しかいなかったであろうことなど、ちょっと考えればすぐにわかることだ。作品を金銭で取引するようになったことも、同時期であろう。それどころか、芸術という定義ができたのも近代である。それまで宗教儀礼の什器であった仏像を彫刻に、壁画を絵画にすり替えたのが近代なのである。確かに近代以前、宗教儀礼の什器は金などを使用したが「金額」というより、その民族の「魂」であった。

だから金銭で取引されることなど考えもつかなかったし、「魂」であるからこそ戦利品であったり略奪されたり破壊されたりしたのである。芸術は金銭で売買されるのではなく、一度このような存在に立ち返ったほうがいいのではないかとさえ私は思う。とある日本のコレクターが、「ゴッホの作品は自分と一緒に燃やしてくれ」と発言して炎上したのは、金銭で取引して個人が所有したことに対する怒りであろう。最近まで芸術作品は人類共通の宝であると考えられたが、この考えにも現在では変化が訪れそうだ。

いずれにせよ、世の中の価値観などコロコロ変わっていく。価値観どころか、常識、倫理、教義、因習は常に変動する。約七〇年前には、戦争をしていることが常識だった。贅沢は敵だという論理だった。約一五年前のことを思い出してほしい。韓流ブームであった。それが今ではどうだろう。日本と韓国は敵対しあい、それどころか当時まったく少なかった中国からの留学生や観光客が日本中に訪れている。一九九五年に発生した阪神・淡路大震災の後に生まれた子どもは今、二五歳である。一〇年後はどうなるかを考えるべきなのだ。

今の生活が「当たり前」で「今後さらによくなる」保証など、たった一つもない。また戻ってしまうかもしれない。さらに悪くなってしまうかも知れない。かつての日本の家屋は、母屋があってトイレは離れであった。そのため、トイレに行くには雨に濡れるのが当たり前だった。今や、マンションの部屋の中にトイレがあることにだれが疑問を呈しようか。広い一軒家よりも掃除が楽で豪華な高層マンションのほうが今日、人気がある。これから格差が広がり、貧乏人はトイレで食事が当たり前になるのかもしれない。

すると、創造者になると決意したわれわれは、死ぬまで創り続けなければならない。その間に、価値観は何度も変化する。しかし、作品は変化しない。自己の作品を振り返ることによって、自ずと新しい作品の制作意欲が生じる。デザイナーは、学校で教わったことなどわずかで、働きながら自ら学んでいくことが普通である。

写真のみ学んできても、グラフィックをやらなければならない状況に追い込まれて学ぶこともあろうし、手描きのイラストレーターでもコンピュータをマスターしなければならないこともあった。

そのつど、多くの者たちは乗り越えてきた。いくつになっても、機器はますます発展する。使いかたが単純化されればされるほど考える必要がなくなるので、よけいに警戒が必要である。技術だけではなく思想を持つことが大切だ。われわれは時代の変容から逃れることはできない。でも、せめて自己が生まれた時代に対して屈するのではなく、わずかであっても自己の意志を貫き通すこともできるのではないだろうか。ほんのわずかで充分だ。それが、「希望を持つ」ことにつながるのではないだろうか。

財　産

価値観と同様、金銭面もすぐに変化してしまう。一〇年前に九八円だったキャベツが二〇〇円程度に上がり、さらに消費税があがっていく。これからいくらになるのだろうか。賃金と物価の上昇によって、格差は広がっていくだろう。それはこれまでの中流階級と富裕層との線引きなどとは桁違いになることは間違いない。生きるために膨大な金額の金銭が必要となり、何のために働いているのかわからなくなる。働くことに生き甲斐など感じる暇もなく、ただ追い立てられるように労働をするしかなくなるのである。

そのような状況下で、ノンキに芸術の制作など許されるわけがない。芸術もまた労働の一つに組み込まれ、「売れる」作品だけが生き残る時代になるだろう。今日でもそのような傾向を感じることがある。今は貸しスペースで支払いさえすれば自分の自由に展示することが可能であるが、これからはそのような自由は剝奪されるかも知れない。スペースが激変し、法律による検閲が施される。税率を変えればひとたまりもない。かわりに後に説明する「新世界秩序アート」のみが生き残っていく可能性を否定できない。

ここで悲観ばかりしてはいられない。常に「希望を持つ」のだ。あまり未来について憶測するのはやめよう。まずは、今日の動向で考えていこう。私は先に、「創造者になると決意したわれわれは、死ぬまで創り続けなければならない。その間に、価値観は何度も変化する。しかし、作品は変化しない」と書いた。つまり制作と金銭は、必ずしも、引き離して考えるべきではないと思うのだ。制作した作品を売って生活する。それが理想だろう。それならば、作品の値段とは何だろう。よくよく考えてみれば、社会一般に合わせた「値段」である。だれに向けて作品を売るのか。中流階級の友人、社会人になったばかりの若者、世界の作品を収集するコレクター。さまざまであろう。そのようにターゲットを絞るのも一つの手だが、「遮二無二制作する」でも書くが、創造者は社会に合わせるのではなく、自らの創造力と向き合い、格闘し、その果てに今の、これまでの、これからの人類のために制作するべきだから、金銭に換えられない、時代に流されない作品を制作すべきなのである。作品の値段など適度にまわりを見るだけで、本質を忘れないようにしてほしいと私は願うのだ。

高価な作品が優れているとはかぎらない。安価であっても、いいと思われなければ売れないのである。芸術作品が売れるという価値観は何だろう。同じ値段のものと比べて安い、お買い得、価値が高いなどというレベルでいいのであろうか。バブル期に芸術は一つの資産価値として換算された。これも実は法律の問題が深く関わっているのだが、それはここでは考察しない。私は他に換えることができるような作品は買わない。いくら出しても買えない価値があるものを、取り急ぎ金銭で手に入れるだけだ。

「作品は人間と同じ」と私は書いた。みなさんは友人を金で買うのだろうか。知り合って、いつの間にか仲良くなって、何度も会話して、喧嘩して、打ちとけ合う関係性に金銭は絡むのだろうか。交際費はかかる。意味を感じない「付き合い」のためであれば、小銭すら惜しくなる。しかしそれは、金銭が前提であればそうなってしまうことだ。私たちは常に金銭が前提となってしまっている。よくよく考えれば、何とつまらないことか。

先に見た「セックスとは、それだけのお金が必要となるかもしれない行為なのです」の続きを引用しよう。デート代、避妊費、出産費、中絶費を考察した上で、「アルバイトという、経済的に不安定な立場のK君がセックスに踏み切れないというのも、理由のない話ではありません。むしろ、セックスについてマジメに考えているからこそ、非正規雇用の若者はセックスができなくなってしまうのだともいえるでしょう」（北村邦夫『セックス嫌いな若者たち』）。非正規雇用者が人間扱いされないことにも眼を向けたい。

年収や社会的立場だけで人間は生きていない。そのように信じ込まされているだけであり、そうでない価値観の人間もたくさんいるはずだ。「AIに仕事が取られる」ことを心配している人々が多い。われわれは仕事だけをしているのだろうか。われわれの人生がAIに支配されるのであれば心配すべきであろう。しかし生活をするためにのみ仕事するのであれば、どのような仕事でもできるはずだ。

制作が新しい世界の構築であるからこそ、金額とは無縁でいられる。芸術家の「貧困」と「富裕」を語ること自体がナンセンスである。制作することと稼ぐことを結びつけてはいけない。最低賃金とは最低限生活できるという罠である。住居、衣服、食事、それぞれの価値観は人によって異なる。家庭で料理するほうが高くつくという考え方もある。手作りでなければ子育てをしている意味がないと思う人もいる。一キロ百円と千円の塩がある。高ければいいわけではない。いかに有効に使うのかが問題であろう。

金持ちは初めから金持ちであり、運用する資産が豊富にある。そのような人々のことをうらやんでも、そうではない家庭に生まれたのであれば仕方がない。金持ちになりたければ金を稼げばいい。「芸術家」が貧乏か富裕かなど問題にならない。作品で稼げるか、収益を上げられるか、生活ができるかなどといった邪心を抱く時間があるなら、制作に没頭したほうがいい。貧乏だからといって制作を諦める必要はない。作品とは原価計算する必要がないものだ。

何でも時給換算するのもやめたほうがいい。制作時間とは何か。着想して実際に制作を開始し、完成するまでの時間を計っている暇があるなら制作に集中するほうがいい。手間隙かけた家庭料理に値段などあるのだろうか。家事を時給換算するのは、なんと内閣政府が調査している。それがまた異様に安いこと……。自分で調べてみてほしい。これほど安いのであれば家事は他人に任せたり手を抜いたりして、自分は働きに出たほうがいい。女性の仕事は同じくらい時給が安い。他に価値観を見出せないか。

財産とは金銭だけではなく、土地や不動産などの経済的価値があるものを指す。しかし親から受け継いだ言葉、恩師に教わった考え方、子どもが書いてくれた絵、自分が幼い頃から大切に使っているコップなど、経済的価値に関わりなく本人にとってかけがえのない大切な財産が、本来あるのではないか。そのようなものが何かを見つめ直し、今もこれからも経済的価値に変動しない存在を再発見すべきではないだろうか。それは人間関係にも言える。繰り返すが、作品は人間に等しい。作品との出会いは何ものにも換えられない。

これまで出会えなかった人とやっと会えた、以前付き合いがあったが切れてしまった人と再会できた喜び。未知の人に会う不安。すぐ側にいたはずの人との突然の別れのやり切れなさ。ここにも時空が問題となる。作品との出会いと別れも同様である。それは所有者だけではない。創造者は自分の作品とたくさん別れれば別れるほど、新しい作品を生み出していくことができる。創造者にとっての財産とは多くの作品を制作し、発表して、いろいろな人たちの眼に触れ、実際に手元に置いてもらうことにあるのではないだろうか。

日本大学芸術学部でこの内容を元に、二〇一九年、まずは一、二年生を対象に授業を行なった。学生から、「親に、美大に入って就職できるか不安だと言われている」と多くの相談を受けた。私は以下のように答えた。「美術制作、発表をやり切れるということは、一つの仕事をやり切れる能力を身につけることだから、美大を出ている人間のほうが、より仕事の本質を理解し、さらにその先の創造を成し遂げることができるから心配ない」と。あらゆる仕事を行なうことには、作品の制作、発表をすぐに応用することが可能である。

ここで国が考える、これからの学力のあり方を挙げよう。奥村高明（一九五八年～）の『エグゼクティブは美術館に集う』（光村図書、二〇一五年）を読んでいてたまたま出てきた事項だ。「先頃、国立教育政策研究所というところから、これからの子どもたちに必要なのは、二一世紀型能力だと発表がありました」。「二一世紀型能力は、「基礎力」と「思考力」と「実践力」の三つの層で構成されています」。「基礎力」とは「読み書きや計算、言語、情報収集など」、「思考力」は基礎力を「手段として物事を考えたり、問題を見つけて解決したり」する能力。「実践力」とは「実際的な場面で何かを実現するためには、人間関係を調整したり、さまざまな人たちとコミュニケーションしたりする」ことだと定義されている。

図版では、基礎力は「言語、数量、情報スキル」。思考力は「問題解決、発見力、創造力」「論理的、批判的思考力」「メタ認知、適応的学習力」。実践力は「自律的活動力、人間関係形成力、社会参画力、持続可能な未来づくりへの責任」と記されている（七八～七九頁）。この内容が学習指導要領に記され、小学生から高校生までに求められているという。

「二一世紀型能力」とは、元々創造者には備わっているものだ。だから創造者が他の人たちに比べて「優れている」とまでは私は言わない。備わっていなければ、作品を制作し、発表することができないことが重要なのだ。それどころか創造者は、「二一世紀型能力」以上のことを求められる。現実の世界だけではなく異なる次元の世界、または人類の過去と未来をも担っているからだ。これを前提によくよく考えてみれば、すべての人間が「二一世紀型能力」＝創造者になるべきであることが明らかになるであろう。

また美大を出れば、他の仕事を選んだとしてもすぐに作品の制作、発表の方法をだれにでも教えることができる。子ども、大人、年配の方にも、制作と発表の仕方を伝授することができるのだ。むしろ仕事場でも積極的に制作と発表の重要さを伝えてもらいたい。多くの人々は、ドラえもんの落書きすらもできないのだ。落書きでも作品として成立する。作品を仕上げられる楽しみを知ると、仕事の達成感にもつながる。利益と関係しない価値観を持つことが、人生の中でどれだけかけがえのないことかを知ることがいかに重要であるかを伝えることができる。

さらに言えば実は人生の中で、金で買えることなどほとんどないことに気づいてほしい。健康に気遣ってマラソンをしても、だれもお金をくれない。豪華な食事は高いが、食べることが労働にはなり得ない。私たちは何にお金を払っているのであろうか。無駄なことに遣ってはいないだろうか。お金にならないことこそ、人生で最も大切なことであることを思い出してほしい。人生とお金とは、実は無縁なものであることをよく考えれば、芸術とは、生活とは、人生とはを、より深く考えられるようになるだろう。

芸術、デザイン、広告の違い

社会的立場として気になるのは、アーティストとデザイナーの違いであろう。アーティストは成功すれば莫大な富を得ることができるが、うまくいかなければ貧窮。デザイナーは安定した職として認知されている。このような誤解があってはならない。創造者が金銭や価値によって揺るがせられないことはすでに考察した。今日、デザイナーの世界も決して安定はしていない。DTPの普及によりだれでもポスターを創ることができるし、消費者はモニターに洗脳され、一九七〇年代のような手の込んだデザインを理解できない。

一九七〇年代のデザインと美術の動向で押えておきたいのは、谷川晃一（一九三八年〜）が興した「アール・ポップ」運動である。美術とデザインの垣根を超えた、「アール・ヌーボー、アール・デコにつぐ第3の波」（同書帯）に位置づけている。一九六〇年代中期に総合芸術として「エンバイラメント（環境）」芸術運動があった。裕福な未来を切り拓くためのエンバイラメントに比べて、アール・ポップはGHQ統治下を振り返り、アメリカ文化の移植とその現在形をさらに大衆の視線から考察した。

この時期のデザインはもはや、不要とされている。今日、私は駅や繁華街を歩いていて、この程度のデザインでいいのだろうかと一人憤慨することがある。私がいいと思うデザインは、失われてしまったのだ。今日、日本のデザインのあり方も大きく変化している。従来の分業的デザインは失われ、個人がすべてを行なう。それによって、天才デザイナーが誕生する。すでに一九五〇年代に芸術の世界で天才が排除されたことを顧みると、退行しているのではないだろうか。それとも、それほどまでにデザイナーの地位が低かったのか。

デザイナーの問題に深く立ち入る前に、デザインと芸術の違いについて明確にしたい。これは私がデザインの専門学校で教えていた際に、散々悩んだことである。自分が好きな作品を制作できるのが芸術で、社会のために活動するのがデザインだという定義は無効だ。デザイナーも根本的に自らが好きな作品を創らなければ続かないし、芸術の場合はクライアントではないがコレクターからの要請に応じて作品を制作する場合もある。芸術が社会の役に立つことは、ここまで読んでいただけた方々なら納得ずみであろう。

芸術とデザインをいくら比較しても、答えは出てこない。重要なのは「広告」なのである。芸術かデザインかではなく、芸術かデザインか広告か、を問うことによってこの答えは見えてくる。「この芸術は広告ですか？」と問えば、すぐに「違います。私は何も広告していません。現在とこれまでとこれからの人類のための作品ですが、人類のことや自分のことを広告していません」と答えることができるであろう。しかし、芸術も広告になる場合もある。どこの国でも、「その国を代表する作品」という広告として芸術は利用される。

戦時中などは、進んで広告的な芸術を制作する場面が多々あった。それは戦争画といった絵画という美術の世界だけではない。音楽、演劇、映画、文学……。芸術だけではない。ありとあらゆる分野が戦争協力を迫られ、応じた。このように、芸術も広告になる場合がある。しかしここまで読めば判断できるように、広告にならない芸術があるのと同様、広告ではないデザインもまた多く存在する。例えば瀬木愼一（一九三一〜二〇一一年）の『明日をつくるデザイナーたち』（誠文堂新光社、一九七三年）ではこの問題を多く取り上げている。

われわれは常に、広告に囲まれて生きている。欲しくもないのに、つい買ってしまうことがよくある。私は子どもの頃、広告に魅了されてばかりだった。その反省もあるのだが、今はデパートどころかコンビニですら目的の場所までしか見ていないので、広告には一切引っかからない。今のところ、よけいな買い物を一切しない。後に詳しく見るが、今日ではスマートフォンを開いてちょっと使うだけで動画の広告が飛び込んでくる。これが危険で仕方がない。広告はありとあらゆる手段で、われわれに芸術よりも深く語りかけてくるのだ。

ここで一度定義しよう。芸術＝われわれが人類であることとの問いを発し続けること。デザイン＝われわれ人類にある問題を解決すること。広告＝われわれ人類のある思想を他者に伝達すること。私はまだ勉強の途中なので、今後変化することがあるのかもしれない。しかし、しばらくはこの定義でいきたいと思う。芸術についてはこれまで書いてきたので、取り急ぎ了承いただけることだろう。デザインのこの言葉はよく言われるので、特に引用先は示さない。解決を形にして示すとも言い換えることができる。

例えば時計。現在、私たちが使用しているのは秒針、長針、短針が回る時計と、数字のみが記される時計の二種類である。元々時計は日時計であったろう。そのデザインを前提に、針が回る時計となったのではないだろうか。すると数字のみの時計を発明した人は、人類の歴史に新しい頁を開いたことになる。砂時計など他の時計も存在する。われわれはそれぞれの時計を使い分けて生活している。時計のデザインは、時を知るという問題を具体的な形で解決している。ここに、広告の役割は一切存在しない。

グラフィックやウェブ、写真、イラスト、ファッション、ジュエリー、建築、舞台空間、ランドスケープ、といった場合はデザインと広告を振り分けて考えなければならない。広告とデザインの写真やイラストは性質がまったく異なる。ファッションやジュエリーは機能性が重視されるが、高級品では最強の広告と化す。舞台空間、ランドスケープを含む建築もまた、広告の役割を果たすことがある。海外から飛行機で降りたとき、その空港が果たす役割は重要である。万里の長城、ピラミッドも一つの広告である。

エディトリアル、タイポグラフィ、プロダクト、インダストリアル、インテリア、メカニカルなどは、どちらかというと広告的ではなくきわめてデザイン的だと考えることができるのではないだろうか。パッケージデザインは、それだけで広告には成りえないであろう。広告の特徴は映像、音、視覚という複合性がある。「カステラの文明堂」のコマーシャルをネットで見てほしい。猫のぬいぐるみと歌と、カステラのパッケージはまったくリンクしない。それぞれ独立するのがデザインであると言い換えることもできる。

デザインに対して広告とは何だろう。天野祐吉（一九三三〜二〇一三年）の「大急ぎ「広告五千年史」」（『広告大入門』広告批評編、マドラ出版、一九九二年）が非常に参考になる。万里の長城、ピラミッドが広告であるとしたのはこの本であるし、ハンムラビ法典もイエスの奇蹟も天野は広告として数えている。近年重要なのは、政治広告であるともしている。広告がなく「商品はそこにあるだけでは、ただのモノに過ぎない」（三一頁）とし、「広告は企業と大衆の合作だ」と定義する。

私は、天野の発想を一歩進めて考えた。確かに広告は「宣伝」しているのだが、それだけだろうか。何を宣伝しているのか。広告の本質とは何か。あらゆる広告は、男性にとっては永遠の精力を、女性にとっては永遠の美貌を見せているのではないだろうか。すると人類にとって広告とは、不老不死の思想を示しているのではないか。それはピラミッドという歴史的建造物から、洗剤やスーパーのチラシといった卑近なものも含まれる。欲望や野心、情熱といった生やさしいものではない。もっと根源的だ。

私がなぜそう思ったのかというと、広告とデザインではなく、芸術との比較からであった。広告のコピーは人を振り向かせるために、ありとあらゆる工夫をする。それは人に夢を与える反面、ある程度は真実から離れなければならない。芸術では常に目前の事実しか伝えてはならない。特に批評などは、良し悪しを明確に分別することが求められる。広告が一度で人目を惹くことに対して、芸術は何度も見なければわからないことが多々ある。芸術はむき出しの人間を描くので、人間の綺麗なところだけではなく汚いところも示さなければならない。

芸術は、現在と過去と未来の人類の実存のために存在する。広告は見果てぬ不老不死の欲望を前提とする。ここでもまた、芸術と広告は区別される。芸術は今日の現状に対して、カウンターカルチャーとしてあるのではない。常に目の前にある現実に対して、別の世界を提案すべきである。それに対して、デザインは常に目の前のある現実を、解決するのである。だからデザインには規格が不可欠であるが、芸術は逆に規格外になるべきである。そのため「現代芸術」と規格を疑い、またそこに当てはまらないことをするべきなのである。

余談だが日本の動向を調べていくと、敗戦後や日米安全保障条約、東日本大震災発生時と、社会が不安定の時期には美術のアンデパンダン展が流行する。アンデパンダン展とは無鑑査で授賞がない、英語読みすればインディペンデント＝独立の自由な展覧会である。他方、経済が上向きのときにはデザインのコンペティションが興隆する。一九六〇年代中盤の日本宣伝美術会（日宣美）、八〇年代のＰＡＲＣＯ日本グラフィック展など。今日ではこの潮流が見られなくなってしまった。すべてが広告になってしまっている。

日本では、芸術とデザインの世界がとても乖離している。フランクフルトで見たジュエリーデザインのアーティストによる、デザインとまったく関係がないように見えるドローイングの展覧会に感動したことを憶えている。日本にデザインミュージアムがないことも、さらに考察しなければなるまい。よく芸術の創造者が「これではタダのデザインだよ。塗り絵だ。ペンキ絵だ」という悪口がある。悪口はたまには必要となるが、これからは「広告だ」というべきであろう。

確かに芸術の創造者からすれば、現実を整理しただけのデザインは芸術に含まれない。しかし今日の国際展などを見渡すと、何と説明的な作品が多いことか。ソーシャル・エンゲイジド・アートですら、私から見ると説明的に見える。説明的だと、そのような意図がなくとも、背後に「広告」が垣間見えてしまうのだ。芸術は現実を整理しわかりやすく「大衆」に伝達するだけではなく、創造力と想像力をかき立てなければならない。このように考える私を「古い」と思う人もいるであろう。

子どもの絵画は世界が狭いので、芸術の文脈には入らないという指摘がある。人間は技術的にも精神的にも経験を積み、広い視野で物事を考え、身近な親や兄弟のためではなく、多くの人々に芸術を伝えなければならないので、このような考え方もありであろう。同時に、皆本二三江の研究を読んで感じるとおり、子どもの頃の特徴は大人になっても変化しない、近代の美術史で認められた価値観がすべてではないという発想にも説得力がある。『絵が語る男女の性差』（東京書籍、一九八六年）あたりから入ると読みやすい。

男児は少ない色で乗り物を描き、女児は多くの色で楽園を描く。女児が好きな塗り絵は日本敗戦後教育で否定されるなどの指摘が生々しい。画廊を回ってつぶさに見ると、皆本が指摘するとおり、男女関わらず美術史で認められる男性的な作品はきわめて色数が少ない。男性で色数が多い創造者は本当に少ない。女性はやはり色数が格段に多い。人はなぜ描くのかとか、近代の分類を見直そうとすると、皆本の研究は非常に大きな意義が発生する。皆本は単に「男女は違う」ことを前提にしているだけで、性の優位性は説いていない。

皆本の発想を援用すると、私にとって塗り絵は人類の根底に作用する最高の芸術となる。すると、単に「あの作品は塗り絵だ」といえなくなる。近代の病を掘り起こさなければならない。または、「ペンキ絵」を最高の芸術だとして対象の詳細を撮影する飯村昭彦（一九五四年～）による『芸術状物質の謎』（雷鳥社、二〇〇九年）という考え方もある。飯村は年月によって剝がれたペンキそのものの姿も追う。銭湯の富士山絵を馬鹿にできないという姿勢も保つ。われわれが考えなければならない課題は無限にあることを、知らしめている。

広告そのものについての研究は、加島卓（かしまたかし）『〈広告制作者〉の歴史社会学』（せりか書房、二〇一四年）が非常に優れている。日本における「広告とはどのような仕組みか」を歴史的に、詳細に追っている。それは鹿島自らが記すように「広告を語ることがデザインを語ることにもなりえた秩序の誕生」と「秩序が細分化していくまでの過程」（四一〇頁）が記されている。加島が敢えて外した大東亜プロパガンダこそが、日本のこの時期の広告の頂点であった。これについて調べるだけで、一冊の本が書けてしまう。

例えば、小山栄三『戦時宣伝論』（三省堂、一九四二年）の目次を引用すると「第一章　宣伝の理論　第一節　宣伝の概念　第二節　宣伝の構造　第三節　宣伝の技術」「第二章　戦争と宣伝　第一節　戦時の宣伝工作　第二節　支那事変と宣伝」「第三章　宣伝と言論政策」「第四章　報道写真と宣伝」「第五章　ラジオと宣伝」「第六章　広告の時局的任務」「第七章　民族政策と宣伝」「第八章　文化宣伝としての観光政策」という、いたって興味深い内容の項目が並んでいる。これを詳しく読み解く必要はあるだろう。

また、『戦時宣伝論』の参考文献の和文のみを見ると「戦時宣伝関係著書」は一〇冊、「戦時宣伝に関する翻訳紹介書」が二五冊、「筆者宣伝関係論文」は二七本あることが判明する。ここから芋蔓式に、当時の宣伝の研究書が見つかっていくのであろう。後に「読書」の項でも説明するが、一冊の本を読んで、そこに書いてないことを見つけ、その疑問から自らの興味を膨らませ、そこから他の本を読んでみる行為をすべきなのである。

私は芸術が頂点、デザインがその次、広告が最低だと思っていない。むしろ明治維新の開国後からバブル経済崩壊前までは、広告は百人百様の民主主義を実現する最強の分野であるとまで考えている。明治、大正、昭和初期の広告の凄まじさは、例えば『歯磨きスモカ』を見ればよくわかる（天野）。図とコピーは関係があるようでなく、歯磨き粉の宣伝になっていなくとも、毎回新聞に掲載されているこの広告を見ることが日課となり、『スモカ』は著名な存在になっていく。その広告は抜群に優れているのだ。

『広告批評大会』（マドラ出版、一九八七年）を見れば、『広告批評』誌には、漫才時代のビートたけし、タモリ、とんねるずから俳優の研ナオコ、漫画家の谷岡ヤスジを経て浅田彰と加藤秀俊の対談まで掲載されていることがわかる。すべての記事のクオリティが高く、専門者でなくとも気軽に時事を語っている。普通は芸術ではこのような企画を立てること自体、不可能だ。芸術では専門者のみ、デザインは批評者がデザイナーなので、さらに話題が狭くなる。このような企画は、知名度と予算があるだけでは立てることは無理だろう。それだけ広告の世界観は広いと言えよう。

私は本書を読む創造者が、自分がどこに位置するのかを自覚していただきたいだけである。同時に創造しない方にも、このような考え方があると知ってほしいのである。芸術、デザイン、広告に優越は存在しない。私は、「制作とはこれまで人類がなさなかった世界を構築しなければならない」と前に書いた。芸術、デザイン、広告とどの立場であっても、この言葉に大きな違いは存在しない。制作を続けるのだ。そしてそれぞれの立場に対する理解を深めていければ、最高であろう。

この節を閉じるにあたって、関係なさそうでありそうなことを特記しておこう。われわれは普段から、何が広告で何が報道なのかを見極めなければならない。新聞には上の頁の脇に広告の場合は「広告」と書いてある。しかし大東亜戦争時代は、すべての報道が事実に反した政府の「広告」であったのだ。この内容は当たり前すぎるので、文献を引かない。先に、今日の広告は変化してきていると私は書いた。このような広告の変化に対して、広告を専攻しない者でも、常に鼻を利かせておく必要があることを書きとどめておく。

五　遮二無二制作する

　さて、ここまで長々と前提になることを書いてきた。われわれが時空から逃れられないこと、作品の本質、制作の根源、だれのための制作か、自分とは何か、魔術と狂気、現代美術の始まり、決意、社会的な役割、自分の立ち位置、芸術の種類、価値観の変動と、制作を始める前に自分で考えなければならないことの基礎を書いてきた。ここからやっと制作についてのポイントを記していくが、やはりここでも前提がある。それほどまでに今日は、時代が変容する過渡期であること認識しなければならない。

　まず考えなければならないのは、なぜ人は絵を描き、言葉を綴るのかという問題である。今、さまざまな種類の創造者にこの本を読んでいただいていると思うのだが、美術だけに限らずとも、ダンス、映像、建築、工芸、活け花等を創作している方々は、エスキースなりドローイングなりを描き、演劇、文学、書等の方々は言葉を記していくことであろうが、両方すると自己の制作を整理することができる。音楽の方は譜面を書いたり即興という言葉を発したりしていることであろう。なので、この問題は創造者のだれにでも関連する。

人類が絵を描き、言葉を綴る理由

　人はなぜ絵を描くのか、言葉を話し文字として書き残すのか。この問題も人類がどこから発生しどこへ向かっているのかと同じくらい、根源的な問題である。これまでも数多くの研究者が挑み、当然答えは見つかっていない。そのような大問題に対して、私はきわめて簡単に考えた答えを用意している。人間は、自己を他者や生きていないモノに投影できるからではないか。相手の気持ちがわかる。高いところから飛び降りたらと考えたら背筋が冷たくなる。このような想像力がもとになっているのではないだろうか。

絵に描いたり文字に書いたりしたら忘れてしまう、という経験はだれもがあると思う。自己を自己ではない他の場所へ移すことができる。描いたり書いたりしたのだから逆に体の中にしっかりと根を張る体験を、創造者は覚えているだろう。頭で思い浮かんだヴィジョンどころか言葉もどこかに記しておかないと、うっかり何を考えていたのかすら忘れてしまうことのほうが多いのではないだろうか。最近ではスマホで写真を撮ることをメモ代わりにしても、その写真の存在を忘れてしまう。やはり手を動かす必要がある。

極端な話を例に取ろう。あなたは夢の中で、大切な人に虐められている。汗だくで起きる。「ああ、夢でよかった」と思う。これは夢であって、自分の頭の中で創り上げているのだから事実ではないと確信する。しかしふと思う。「もしかしたら現実の、普段の生活もまた、相手がそう思っていなくとも自分に都合がいいように更新しているだけのかもしれない」と。どうすれば確認することができるのだろう。それはできない。確認しても安心できないのだ。すると、何が思い込みで何が真実かわからなくなり、ゾッとする。

このような、豊かな想像力を生み出しているのは何だろう。これこそが絵を描き、文字を書く理由だと私は考えている。そのために不可欠なのは、記憶であろう。私がこれまで書いてきた内容で、明確に「記憶」という語彙を使用して語ってはこなかった。だからといって、ここで伝家の宝刀として「記憶」を振りかざすわけではない。人間の記憶とは、機械が過去を記録することと明らかに異なる。人間は過去だけではなく、未来も知っている場合があるのだ。

その両方を考える方法が想像力で、この想像力の原動となっているのが記憶ではないかと私は考えているのだ。何とも根拠のない空想的な発想だが、これもまた私が生きてきた過程から導き出されたのである。私は臨死体験をしたり宇宙人と逢ったりしていない。なだらかに考えた末に、この答えに行き着いたのであった。その過程では、前述のベンヤミン、文化人類学者のカルロス・カスタネダ（一九二五〜一九九八年）、ゼロ次元の加藤好弘（一九三六〜二〇一八年）、現象学のオイゲン・フィンク（一九〇五〜一九七五年）から多大に影響された。

　ここで注記しておきたいことは、芸術だけではないが、一度書いた（描いた）ものはその途端に冥府に旅立ってしまうことである。自分で書いたたった一行の文章が、その後理解できなくなる。はて、どういう意味で書いたのであろうか。そのときを思い出せない。再解釈するしかなくなる。すると、書いたときとまったく異なる発想が浮かんでくるのである。

　美術なら主題、演劇なら台本、音楽なら譜面、暗黒舞踏なら舞踏譜、ダンスなら振付、映像ならストーリーボード、建築なら設計図と、創造者は綿密に計画を練り、これらの絵を残す。それなのに、創作者よりも他人のほうがうまく制作したり上演できたりする場合が多いのはどういうことであろうか。レッド・ツェッペリンのジミー・ペイジ（一九四四年〜）が、「自分の曲なのに描かれた内容以上にうまく演奏できないので、ライブで毎回繰り返し演奏してその曲の本質を探った」とどこかで述べていたことが私にとってヒントとなった。

　同じブリティッシュロックのロイ・ハーパー（一九四一年〜）は二〇〇一年に発表したライブアルバムで一九六六年のデビュー当時の曲を演奏しているのだが、まったく異なる解釈を与えている。それを私はロイが来日した二〇〇七年に薄々感じていたのだが、最近アルバムを聴いて理解した。最新のアルバムは二〇一三年だが、ここでの歌い方もこれまでにない展開である。ロイの全アルバムを繰り返し聞いてみると、このような微妙な変化は常に起こっていたことに気がついた。

　このような演奏は、ジャズではマイルス・デイビス（一九二六〜一九九一年）、クラシックではグスタフ・マーラー（一八六〇〜一九一一年）などでも確認できる。マイルスはアルバムに自分がほぼ演奏しない曲を収めるほどに、自己を客体化した。マーラーはシューマンの交響曲を再構成することによって、自分が生きた時代を知る。即興音楽のアーティストで自分が生み出した音をすぐに再構成できる人もいた。このような特性は繰り返し聴ける音楽だからこそ見出しやすいだけであって、他の芸術も同様である。

ここで簡単に注記を入れたいのが、暗黒舞踏の舞踏譜である。暗黒舞踏は、一九五〇年代末期に成立した日本独自の芸術で、今日に至っても小林嵯峨、上杉満代、相良ゆみなどが小さな舞台で踊り続けている。日本よりも海外で日本文化史の一環で研究が進んでいる。土方巽が記した舞踏譜に対する解釈は、舞踏者よりも研究者たちが進めている。

楽譜や台本、設計図といった書き記したものは現世ではない世界へ瞬く間に行ってしまって、二度と帰ってこない。制作した本人を含むわれわれは、書き記したものを「解釈」して再演しなければならない。再演のため、さまざまな解釈が生まれ、多様化する。ベートーヴェンの『第五交響曲』など一体何千通りの解釈があり、記録されているのだろう。それだけ無限であるからこそ、人間は豊かになれるのではないだろうか。むろんこの「解釈」の問題は、芸術に限ったことではない。日常会話でもわれわれは無意識になしている。

私は建築の本を読んでいるとき、茶の世界に「茶譜」というものがあることに気づいた。書き記したものは、どこへ行ってしまうのか。人類はそれを「冥府」と名付けたのではないか。各国の神話を見ればわかる。ギリシャ神話のハーデースと、古代バビロニアのイシュタールの「冥府降り」、ダンテの「地獄巡り」を筆頭に、東西問わず、われわれは冥府に憧れる。もしかしたら書き記したものとはわれわれが生み出したのではなく冥府で生まれ、冥府へ還っていくだけなのかもしれない。するとわれわれは死んで冥府や地獄、天国へ行くのではなく、冥府へ戻っていくことになる。

しかし、実はわれわれは生きていることと死んでいることの区別がついていない。あなたの記憶の彼方に、幼少の友人の顔が浮かぶとしよう。時々、ふと思い出すことがある。元気だろうか。ある日、その友人はすでに亡くなっていることをあなたは知った。やるせない思いがする。しかしそれを忘れてしまい、またあなたはその友人が元気かなと考えてしまう。亡くなったことを思い出して、また悲しくなる。この繰り返しの経験はないだろうか。反対に、生きていて、再会するとまったく別人であることに驚くことがよくあるだろう。

死とは何だろう。本当に死んでしまえばそれで終わりだろうか。あなたの記憶の中に幼少の友人が生きていて、何の問題があろうか。あなたのことは私が覚えている。それでいいのではないだろうか。人間とはつながりによって存在の意味が生まれるのが、私は素敵だと思う。自分だけではなく、自分の兄弟、姉妹、親、親の兄弟、姉妹、親の親、つまり自分にとってのおじいちゃんおばあちゃん。そのつながりは果てしなく続いていく。肉親だけではない。配偶者、近所でお世話になった人、友人。人は一人で生きていない。

私は先祖を大切にしようと説法しているのではない。生者と死者を区別することとは、本当に難しいことなのだ。この問題はすでに考えられている。「生者と死者、あの世とこの世を区別し、分離するために種々の工夫がなされた。それは、本来この両者が、お互いに無関係に存在するのではなく、それゆえ、放っておけば、混交する危険性があったからである」(岡田明憲『死後の世界』講談社現代新書、一九九二年、五二頁)。岡田はインド・イラン学の学者である。主にゾロアスター教と芸術について研究している。

同書を続けて引用する。「あの世とこの世の混交は、未開人に独特な思考法に関係する。この思考法を、フランスの社会学者レヴィ・ブリュルは「融即の論理」と呼んだ。そこでは、生と死の矛盾が問題とならず、一切は未分化のまま受け入れられる」。実際に和訳されているレヴィの著作を読むと、このような例が満ち溢れている(レヰブリュル『原始神話学』一九三五年、古野清人・浅見篤訳、創元社、一九四六年、L・ブリュル『未開社会の思惟』一九一〇年、山田吉彦訳、岩波文庫、一九五三年)。

レヴィ・ブリュル(一八五七〜一九三九年)は忘れ去られた存在であろう。しかし、このように社会学として重要な研究を残している。丸山圭三郎も重要視している。丸山は「非合理的なもの」を説明するにあたって、レヴィを以下のように引用している。「たとえばレヴィ＝ブリュール(ママ)にとって、ヨーロッパ文明以外の文化はすべて〈未開〉であり、その論理は〈前(プレ)‐論理的(ロジーク)〉なものであった」(『言葉と無意識』講談社現代新書、一九八七年、一五〇頁)。生者と死者の問題はオカルトだけではなく、このように学問上でも俎上(そじょう)に載せられていたのだ。

人はなぜ絵を描き、文章を綴るのか。それは、自己を他者や生きていないモノに投影できるからではないか。これまでとこれからを想像する力を支えているのが、記憶である。書き記したものは冥府へ旅立ち、二度と戻ってこない。ただ、無限に再解釈するだけである。生者と死者の区別はつかない。私は、「三　創造者の決意」で、われわれは今生きている時空から逃れることができないと書いた。もはやわれわれに意思などなく、時空に描かされているのではないかとも感じる。

私は『沖縄タイムス』二〇一九年一月二十三日付に掲載された「与那覇大智個展」展評で、同じことを書いている。「我々は、自分たちが住んでいる時代から逃れることができない。(中略)時に絵描きは、特別な使命を帯びることがある。自己の思考とは別に、描かざるを得ない状況に追い込まれることがある」。そのような「時代の要求に対して抗い、挑戦し、拮抗するために与那覇は《HENOKO-INVICTUS》を描いたのではないかと私には感じる。芸術だけではない。人生とは、常に挑戦の連続だ」。

作品の内容＝思想と技術

作品は、思想と技術によって形成される。凄いテクニックを求めて、美術大学へ進学する人たちも多いことだろう。だれもできない緻密な作品を創って自慢したいという感情も芽生えよう。スポーツでも超人的な運動能力の選手に憧れる。しかし、本当に重要なのは技巧よりも思想だ。なぜ、だれに、どうして作品を見せたいのか。作品を見せることによって何を得たいのか。この心構えが大切なのではないだろうか。つまりどれほどまでに技術を身につけても、思想がなければ何の意味もなくなるのが現代の作品である。

言葉を返せば思想さえあれば、大した技術など必要としない。巧く描くための訓練を怠ることはないが、巧ければいいわけでは決してない。どこまで巧く描ければいいのかという問題も生じてくる。巧く描くことばかりに気を取られると、大切なものが描けなくなるのである。自分の思想を描き切るには、どのくらいの技術が必要かを計ることが大切である。やはり複雑な現代を表す芸術において、最も重要なのは思想である。多くの種類の本を読む、色々な分野の芸術を知り考える。その上で、自分が何をやるべきか考えぬく。

日本人は特に、作品へ思想を盛り込むことがへただ。草薙奈津子『日本画の歴史 近代編』（中公新書、二〇一八年）では、明治期に油彩が入ってきて「絵画」とは何かを考えなければならない時期についての考察がなされている。

　日本画近代化の一つとして絵画に思想を盛り込むことが要求されました。しかし、当時の日本人の多くがその意味を正しく理解できなかったのです。絵画に抽象的なものを盛り込むことができなかったのです。雅邦に「技より想」といわれても画学生たちにピンとこなかったのはそのためです。　（一一二〜三頁）

今ではどうだろう。

かつて岡本太郎が「絵はだれにでも描ける」と『今日の芸術』（光文社、一九五四年）で論じ、「それは太郎が描けるから言えることだろう」とその当時、大韓鼈を買った。近年、フェイスブックでだれかが佐藤忠良の、やはり一九五〇年代に「技術ではなく内容」と書いた文章をアップして、「巧く描くために美大を目指した」と批難している記事を見た。確かに絵をうまく描けるようになりたいと願うから、予備校に通いデッサン漬けで、入学すれば高いカネを出して憧れの美大へ行く。大学で描き続けるが、思想はなかなか教わらない。

ボールを投げるのがうまくなれば、だれもがプロ野球のピッチャーになれるわけでは決してない。英語を徹底的に喋れるように訓練して検定試験で満点に近くとも、英語で話す内容がなければ意味はない。自動車の免許を取得しても、用途が街を走るだけであるならそれで充分であり、さらに特訓してレーサーになる必要など一部の人々以外にはない。創造者は絵が卓越して巧い必要があるというのは、創造者の特権や権威を示そうとする場合に限られているのではないだろうか。

もちろん、美大を目指す者は、徹底的にデッサンを訓練する必要がある。寝る間も惜しんで描きまくれば、きっと受験のレベルには達することであろう。しかし、実際に創造者になると、予備校時代のデッサンが体に染みつきすぎてしまい、その癖から逃れることができずに苦労する場合も多々ある。何のためのデッサンかといえば、自己と世界の徹底的な客観視であり、一人よがりで他者がまったく理解できないものを描かないようにするためである。デッサンを学ぶ際にも、自分で目的を設置しなければならないのだ。

制作の欲求

つまり「自分はなぜ作品を制作したいのか」という根本的な動機を、自分に問う必要がある。最も重要なのは「制作せざるをえない」という自らの抑えがたい欲求であろう。この欲求を、抑える必要はない。しかし同時に「なぜこの欲求が生じたのか」という理由を冷静に考える必要があるし、「この欲求をどのように進めるべきか」を、自己を徹底的に引き離し、客観視するべきなのである。「お腹が空いたから何でもいいから食べる」は、母乳から離れた時点で人間はしない。

「なぜこの欲求が生じたのか」を考えるのは、制作の過程で何度も咀嚼すればいいだろう。手を動かしていれば、すぐに思い当たるものだ。「前の作品がうまくいったら」、「またやってみよう」でも「今度は違うことをしよう」と思っていたのかも知れない。「前の作品がうまくいかなかったから」、「もう一度やり直そう」か「違う方法を追求しよう」なのかもしれない。一つの作品を制作するのに、客観的な目標を持ち、完成後に次はどのように展開するのかといった心構えを持つことが必要だ。

むろん、先のことを考えすぎてはいけない。かといって、何も考えないのも問題である。このバランスがとても難しいが、動機、過程、完成の間で、ともかく考え続けることが必要なのである。常に心構えを更新し続けるのだ。何も考えず、一気に完成に導くこともある。熟考して、慎重に振り返りながら時間をかけて完成を待つことがなくなる場合もある。未来は知り得ないから未来なのだ。思った作品と別のものになることもある。すべてを受け止めるのだ。

失敗を恐れてはならない。途中、さまざまな雑念が入ってくる。「これではだれかに何か言われてしまうのではないだろうか」、「自己満足と思われてしまうかもしれない」、「もっとこうすれば、今の動向に合うから売れるのではないだろうか」、「本当はラフにいきたいが細かくすればカッコよくなって注目されるかも」、「ここは精密に制作すべきだが、時間がないので適当にするか」。これではダメだ。常に自己の動機＝欲求＝初心に立ち返るべきなのである。途中でその思いを変更すると、何をしているのかわからなくなる。

制作の動機

ここで注意すべきことは、制作の「動機」である。「動機」など、立派なものでなくても構わない。ここで何度も書いているように、人類に普遍的な価値観など存在しないのだ。今は素晴らしいと思われても、これからその価値が変わらないとは限らない。急につまらないもの扱いされてしまう場合もあるし、ちっぽけな「動機」であっても、突然評価されることもある。そのようなまわりの目を気にせずに、「自分はこれだ！」という気持ちを大切にすべきである。この欲求が「たいしたことではないな」と感じても、だ。

　これは学部の志望動機、大学院の研究計画書にも関わってくる。志望動機、研究計画書とは大学に入るために書くのではない。自分の人生をかけて書くのである。この動機を、あなたは一生かけて行っていく、研究していく、制作していくという決意を表明するために書くのだ。大学や教授に合わせて書いても無駄である。教授は受験生がどれだけ本気かしか見ていない。本気とは、どれだけ自己と向き合い、客観視し、自己を含むすべての世界を知ろうと努力し、これまで何をし、これから何をしようとしているのかということだ。

　確かに大学や教授に合わせた志望動機、研究計画書を書くと合格しやすいのかもしれない。しかし、受ける大学によって志望動機、研究計画書をいくつも用意すると、本当にやりたいことがぼやけてくる。それどころか、大学に入学するためのことしかできなくなり、自分を見失う可能性が高い。あなたは職場に合わせてコロコロ自分の作品の主題を変えていくのだろうか。そうなると仕事はあるかもしれないが、一生をかけての追求が不可能となり何をやっても中途半端、逆に自分のない人間と言われて不利になる。

　それは、大学を目指す者たちだけではない。実際に創造者として活動している者たちにも言える。思い当たる節はないだろうか。「発表しても虚しくなる」、「何を制作したらいいのかわからなくなってしまった」、「制作することに意義があるのだろうか」。このように考える時間があるということは、邪心に囚われている証拠である。そのようなことを考える暇はない。初心を大切にして、自己と向き合い、世界を知ろうとすれば、このような悩みなど発生することはない。自ずと手が動いていく。時間は有限だ。制作を続けるのだ。

「ここまで考えて描いてきたが、まだ考えが充分ではない。もっとよく考えて制作を見直してみよう。そのためには自己の世界に留まらずに、もっといろいろなことをいったん知ってから、制作を再開しよう」。このくらいの余裕が必要なのである。時間がない、と考えてしまうと、よけいに時間の無駄遣いにつながってしまう。大らかな気持ちになって、心に余裕を持ってみるといい。これまでもできた。これからも集中すれば、きっと何とか乗り切れる。だれでのためでもない。まずは自分の人生のためだ。がんばろう。そう思ってほしい。

自己の作品の「思想」を探る

私は「作品の本質と制作の根源。だれのための制作、自分とは」の項で「ドラえもんの似顔絵であっても、あなた以外そのようにだれも描けない。しかし、だれかが見て「タダの物真似ではないか」と言われたらどうするか。そう、ここで作品をよくしていく前に、だれのために作品を制作するのかが問題になってくる」と書いた。ここで、この続きを記す。まずなぜドラえもんを描こうと思ったのかを考えよう。「何となく」、「自分が好きだから」、「自分が知っているから」。もっと深く自分を問い詰めよう。「何となく」を「何度も描いているから」にしてみよう。動機が見つかった。「何度も描いているから」どうしたい？　また描けるか確認したいのか、前回はうまく描けなかったのか、前回よりもっとよく描けるようになりたいのか。さまざまに考えることが可能となる。「自分が好きだから」。ドラえもんの何が好きなのか自分に聞こう。ドラえもん本体の図像？　ドラえもんを通した猫？　ドラえもんのストーリー？　時代観？　いろいろと出てくる。それが何かを考えてみることがスタートになっていく。

「自分が知っているから」――本当にドラえもんのことをあなたは知っているのだろうか。ドラえもんの構想段階は。他の種類のドラえもんの可能性は。なぜ生まれたのか。時代背景は。その後人気が出た秘訣は。今日におけるドラえもんの意味と位置づけは。ドラえもん以外の類似するキャラクターは。知ることに終わりはない。いくらでも深めることができる。なぜ猫なのかといった、根本的な問題にもぶつかる。猫と人類の関係は、日本人との関係は、犬ではなぜだめか。問いは広がっていく。自分で「問い」を生み出すのだ。

次に、本当に自分が描くドラえもんはあなた以外にだれも描けないのだろうか。どこにその根拠があるのか。線か、画材の使い方か、オリジナル以上であるならドラえもんでなくなる。イメージの最大公約数とは何か。何をもって「これがドラえもんである」と定義できるのか。考えることは一杯ある。「自分とは何か」についてはすでに書いた。それと照らし合わせて、もう一度「自分とは何か」を問い直してほしい。すると自分でなければできないこと、自分でなくともできることが浮き彫りになっていくだろう。

または、これまで自分以外の、他者によるドラえもんの似顔絵を見たことがあるかを考えてみてほしい。隣の席の同級生、他のクラスの上級生、下級生が描いたドラえもん程度では少ない。プロと言われている美術者やイラストレーターも、ドラえもんを描いている。ドラえもんは日本では著名だが、外国人で描いている人はいないのだろうか。ドラえもんは一九六九年から発表されている。この五〇年間で、どれだけのドラえもんが何のために描かれてきたのだろうか。そこまで調べてほしい。きっと発見があるはずだ。

「だれかが見て「タダの物真似ではないか」と言われたらどうするか」。どうするの？「そうですよ。タダの似顔絵です。だから何です？」と開き直るか。「いえ、これまでのドラえもんの似顔絵をすべて調べたので、この点において私の独自性があります」と説明するのか。「今の私にとってドラえもんの似顔絵を描くことは、どういう理由で意義があります」と答えるのか。「ドラえもん以外の似顔絵を独特に描けます。お見せしましょうか」とイラストレーターのように答えられるか。「ドラえもんの似顔絵はそろそろ卒業します」とするか。

オリジナルとは何か。新しいこととは何か。先端の表現とは何か。われわれは箸やカトラリー、もしくは手で直接、食事をとっている。新しい表現とは、何かこれらに代わる新しい食物を口に持っていく道具を発明することであろうか。それを開発したとしても、食事の本質そのものを換えることが不可能であろう。確かにべートーヴェンの時代に、アンプで爆音を生み出すロックはなかった。それだけの大変革を遂げる何かを生み出すことが、不可欠であるか。もっと自然に、人間も芸術も変容を遂げるのではないだろうか。

すると、「なぜドラえもんの似顔絵を描いたのか」という漠然とした問題の本質が浮かび上がってくる。なぜ描きたかったのか。なぜ描かざるを得なかったのか。そのような思いを、動機を、初心を大切にすべきなのである。そうすれば次のステップが見えてくる。自分は何ができて何ができないのか。何をしたいけどなぜ進まないのか。進むためにはどうすればいいのか。自己の問題が明瞭になってくる。それに対して、今はできないけれどいずれこうなりたいという目標も立てられるし、すぐにできることは始めればいい。

道具という、タダの鉛筆一つを例に取ってみよう。自分がお気に入りの鉛筆があるのだが、ある日、友人の鉛筆を使ったらとても書きやすかったので、自分の馴染みと換えてみた。すると何となく絵の質が変わってしまったように感じるので戻すとやはりマンネリとなる。文房具屋でさまざまな鉛筆を試すと何がいいのかわからなくなって途方に暮れる。これは実は鉛筆だけの問題ではなく、自己の思想の不確定による、外部からの揺さぶりに戸惑うことなのである。

自己の作品の「思想」を探るとは、このように普段適当に考えていることを明確にすればいいことだけなのである。もちろん、ここに哲学的論考や社会学的論証、歴史学的考察などが含まれていくことが必要になってくるが、それら哲学や社会学、歴史学の根底になっているのは、このような小さな動機に過ぎない。このような視点を持って、これら学問や学問では測り知れないオカルトと呼ばれる動向にも目を向ける機運に自分を持っていくのである。繰り返すが「思想」に答えはない。問い続ける姿勢が最も重要なのである。

言葉を綴ること

描くためには技術と思想があり、技術に溺れず思想を育む重要性について論じた。次に書いておきたいのは、言葉を綴ることの重要性である。人間は思念すると同時に、衝動的に図版として描くことがある。絵と言葉、どちらが先でどちらが重要かといった議論こそ、人類が繰り返し行なってきた省察である。また、書き言葉と語り言葉の類似と相違なども、深く検討がなされてきた。これも当然、答えは見つかっていない。

私は二〇一八年夏、堀木勝富（一九二九年〜）という一九六九年からトリノに住む創造者の論文を書いて、長岡造形大学の紀要に投稿するために、ホメーロス（紀元前八世紀末）の『オデュッセイア』を何十年か振りに読み返した。オデュッセウスは、神様になれるのに家族のために帰国する。神に背いた幾多の試練が襲いかかってくるが、オデュッセウスは負けない。やがてオデュッセウスの思い描いた結論となる。この想像力、凄まじい。途中でなぜそうしたのかといった論理に矛盾があることがいい。人間はロジックでは動けない。ここでは神様ですらそうなのだ。

つまり文学は、合理的哲学では解決できない問題を語ることができる。だから文学という芸術はとても重要なのだ。文学をさらにシンプルにすると詩になる。詩をわかりやすくしたのが文学というほうが正確か。思いより先に言葉がポロリと溢れ、こぼれ落ちる。ここに、人間の感情や感性の深い部分が隠されている。だから言葉を大切にしたほうがいい。寡黙な創造者でも、心の中では言葉を漏らしているはずだ。その言葉を書き留めなければ、指の間から砂が落ちてしまうように忘れてしまう。些細なその一言が、今後莫大な力を発揮することもある。

私は、言葉では語りきれないからこそ言葉を用いて批評している。言葉こそまったくの非力で、思いを伝えることができないのではないかということを前提としている。書くこと、喋ること、常にこれで伝わっているのか、不安である。韓国大邱（テグ）へ行ったとき、飲み屋で呑んでいたら主人が私の酒を勝手に呑んで、ハングルで話しかけてくる。酔った私は日本語で感じたことを話す。このキャッチボールが続き、ハグして帰った。酒代はついていなかった。言葉は一つの道具であり、重要なのは、やはり気持ちを伝えることだろう。

私は新生児を相手にしても、まったく赤ちゃん言葉を使わず、大人と同様に話しかけている。大切なのは、目を見て笑顔で話すことだ。すると新生児は日本語がわからなくとも、私が何を伝えたいのかが理解できる。よくよく考えれば、大人にだって同じことをしている。話す内容ではなく気持ちを伝えるしかない。久しぶりにモーツァルトの交響曲を聴いたら、新生児の喃語（なんご）にそっくりであることを発見した。だからモーツァルトは国や世代を超えて人気があることを理解した。人間になる以前の音楽なのだ。

ふとこぼれ落ちる言葉は重要であるから、ぜひ書き留めてほしい。言葉は内容よりも気持ちであることを伝えたかったのである。文学の大切さと、詩の魅力について書いた。創造者でもそうでなくとも、この本を読んでいただいている読者のみなさんも、文章を書くといいと思う。詩なんて照れくさいと思うかも知れないが、トライしてほしい。何を書けばいいのかわからないのであれば、文学や詩の本を図書館であさってみるといい。きっと自分に合う本が見つかるはずだ。

文学、ロック、演劇、映画、書には言葉が表面に現れるものもあれば、インストルメンタル、無言劇、実験映像など、現れないものもある。美術、暗黒舞踏、ダンス、建築、デザイン、工芸、活け花には直接言葉は出てこない。しかし言葉が持つ「気持ち」は含まれている。英語がわからなくともロックの歌い方はカッコいい。外国の美術作品やデザイン、工芸と日本のそれは、やはり語彙の違いが浮かんでくる。実験映像は「詩的言語」にたとえられる。首くくり栲象（一九四七～二〇一八年）は「暗黒舞踏は日本語だ」と私に語った。ダンスの動きにも文法を読み取れる。活け花は言葉そのものに見えるときが多々ある。

建築ほど言葉に満ち溢れたものはない。西洋の建築はバベルの塔や超高層ビルのように垂直へ伸びるが、文字は横書きである。東洋の発想は万里の長城のように横へ広がるが、文字は縦書きである。建築とは、水平と垂直が入れ替わりながらも連動しているのではないか。デザインの文字組では基底線に揃えて文字を組まなければ可読は不可能となる。首くくり栲象は日本語の垂直性と舞踏を重ねたのではないだろうか。ジャック・ラカン（一九〇一〜八一年）の言う「エス（ＥＳ）」の中の言葉も同様、基底線があるのであろう。

綴った言葉や思いついた言葉を、恥ずかしいのであればだれもいないところで呟くのではなく、歌うように発音してみよう。カラオケくらいしか歌う機会がない今日、声を出して発散するとまた違う発見があるかもしれない。それができるようになれば、普段会話するときも大きな声ではなくはっきりした発音で話しかければ気持ちの伝わり方が異なるのだから、相手の答えもまた違ってくるはずだ。このように日常から変化させていけば、言葉や作品に対するアイデアも抜群に広がり深まるのではないだろうか。

言葉は、相手に理解されることが目的ではないことがわかっていただけただろうか。なにせ、自分でもよくわからない場合のほうが多いのだから。だからこそ言葉を綴り、自己が何を考えているのかを発見し、自分との対話を愉しんでほしい。そこに自己と他者の相違が発見できるのであろうし、自己を知るからこそ他者を知れるという喜びが待っている。自分のちっぽけな呟きに意味がないなど思わないでほしい。むしろ、大切にしていただきたいのだ。制作と同様なのである。

芸術の研究と方法の学問について

今日のわれわれが作品を制作してみたいと考えれば、美大やカルチャーセンターで習うことができるし、膨大に出ている教科書を用いて独学することも不可能ではない。そういったマニュアルはいつの時代に成立したのであろうか。制作の方法の研究と、芸術学の成立とはどのように関係があるのだろう。少しずつ調べていくと、何とも奇妙で、絶望的な思いがしてきたのである。

アダム・スミス(一七二三〜九〇年)の『国富論』(一七八六年)によると当時の学問とは人文学、法学、医学、神学であり、人文学は古代ローマの自由七学芸のことで文法・論理・修辞・算術・幾何・音楽・天文であり、美術はない(岩波文庫(四)一九頁)。つまり美術について考える学問とは、近代以前は存在しなかったことになる。制作も研究も、である。近代以前は、西洋も東洋も職業は生まれたときから決まっていた。もしくは奉公に出て弟子入りし、宗教の奇蹟を顕現すべくために制作した。

芸術を、直接研究するシステムもなかった。哲学の一分野である「美学」と、歴史学の一つである「美術史」が形成されたのも、きわめて近代になってからである。美学の領域のほとんどでは作品を直接分析しない。「美的感覚」の考察に終始する。その体系の確立を行なったのは、A・G・バウムガルテン(一七一四〜六二年)と言われている。バウムガルテンは『瞑想』(一七三五年)という論文中に学術用語として「美学」を初めて表わし、『美学第一部』(一七五〇年)、『第二部』(一七五八年)を上梓し完成を待たず死去した。

美術史のスタートはジョルジョ・ヴァザーリ(一五一一〜七四年)の『美術家列伝』(一五五〇年)と言われるが、歴史的発展を探っている。ヨハン・ヨアヒム・ヴィンケルマン(一七一七〜六八年)の『古代美術史』(一七六四年)は古代ギリシャ・ローマ美術を賛美した。これを手本にヤーコプ・ブルクハルト(一八一八〜九七年)が記した『チチェローネ』(一八五五年)は、実際の調査と文化史的視点、歴史的背景も考慮されており、『チチェローネ』が、その後の美術史の先駆的役割を果たした。美学は約二五〇年前、美術史は約一五〇年前、最近である。美学美術史の参考文献を記す。

大塚保治『美学及芸術論』（岩波書店、一九三三年）、大西昇『美学及美術史』（理想社、一九三五年）、木幡順三『美と芸術の理論』（勁草書房、一九八〇年）、岩城見一編『感性論』（晃洋書房、一九九七年）、徳川義寛『独墺の美術史家』（座右宝刊行会、一九四四年）。

私は二〇〇六年に科学系の学会「横幹連合総合シンポジウム」で「かたちの発生とその評価——美術史的見解から」と題して講演を行なった。その際に調べ、学会誌に掲載した論文からこの内容を引いている。

人類はおそらくその発生から「美」について考えていたにも関わらず、芸術の技術については民主主義が成立してから、研究については未だ独立した学問として成立していない。それではこれまでの人類に、美術は必要なかったのだろうか。新たにアニメーションなどが大学の科目として登録されているが、今日、国立大学では「美術」若しくは「美術教育」はなくなり、「地域創造科」に吸収されているらしい。では、これからの人類は芸術を必要としていかなくなるのだろうか。

第三章　制作

六　優れた作品

ここまで長い道のりをたどって、前提に前提を重ねながら、「遮二無二制作する」まで来た。ここからは、ではどのような作品が優れた作品なのだろうかを考える。「優れた作品とは」と優劣をつけるのではない。相対評価とは、とある集団内のどの位置にいるかによって個々の能力や成績を評価すること。絶対評価とは、あらかじめ決められた評価基準に基づいて個々の能力や成績を評価することなので、そのどちらにも当てはまらない。「宮田さんはどのような規準で作品を評価しているのですか?」とよく聞かれる。

ここまで読んでいただいた方々には、私が何を言いたいのかは先取りできるだろう。「優れた作品とは何か」といった問題は、自分の作品だけではなく、自分が他の作品を見るときにも当てはまる。それは、自己の作品を客観的に見る訓練にもなる。他の作品に自己の作品を重ね合わせ、自己の作品から他の作品を透けて見る。自分のオリジナルを大切にしたいことはわかる。しかし、他者の真似に陥ることを怖れて他の作品を見ることを避けてはならない。今日の問題を共有し、自己の力に溺れるのではなく他のアイデアを参照すべきだ。

美術、工芸、デザイン、建築、活け花、書など、直観的に見るときに私が最も見るところは、まずは創造者が自己と真剣に向き合っているかである。技術がないならないなりに、あるならあるなりに、今の自己の力をすべて出し切っているか。次に向かっての課題を見出し抱えているか。ここが最も大切なことだ。一枚の小さなドローイングであっても、全力で向き合わなければならない。野球選手は針の穴を通すコントロールを持っていても、本番で緊張して発揮できない。線を引くことはだれも見ていないが、奇跡的な線はなかなか引けない。

次に見るところは隅々までに意識が及んでいるか、丁寧に画面や立体を考えているかというところだ。画面や立体をはみ出したところにまで筆や意識が向かっているかを考えることから、創造者の集中力や本気度が透けて見えてくる。作品制作はだれかに命令されてつくらされているのではなく、自分が主体的に起こす行動である。集中力や本気度が見えるというときは、創造者が邪念を捨てて未来を構築しようとする姿が重なってくる。作品制作だけではなく掃除でも料理でも、細部にまで行き渡っていることは素晴らしいではないか。

ここでやっと作品との対話が始まる。作品との対話とは、作品の「思想」を読み取ることである。この作品は何のために生まれてきたのか。この世に出現してどのような役割を果たしているのか。どのくらいの規模の世界に対して発信しているのか。広ければ広いほど優れているわけではない。肩肘張って意気込みだけは世界を目指しても、充分な技術の訓練と思想の鍛錬が伴っていなければ、虚勢を張っているだけに過ぎなくなる。自分ができることをまずはじっくりやる。それが積み重なればいいだけなのである。

分野を超克しているか、ということも私はよく考える。そのためには、まずは自分の分野に対するこれまでの人類の研究と、これからの人類がすべき課題を考察しなければならない。たくさんの作品を見るべきだ。その上で、例えば絵画であれば映像のように、映像なのに立体のように、彫刻なのに演劇のように見える作品は優れていると私は感じる。近代が形成した小さな分野に自らの想像力と創造力をとどめる必要は一切ないのである。彫刻に映像を組み合わせる、音のなる絵画であればいいのではない。要は常識からはみ出すのだ。

そして、作品の背後に何を見るのかを最終的な問題とする。背後に権威や名誉、金銭が見える作品はそれでもいいだろう。私は、ちっぽけな人間が透けて見えるのが好きだ。鏡のように、お粗末な自分自身の自画像が見えるのもいい。ほんのささやかな、創造者の気持ちが温度(ぬくもり)として伝わるのも心地よい。先に書いたが、まずは自己と世界と時代に誠実な創造者の決意があれば、その後どのようになっても構わない。つまり私は作品に何が描かれているかとか、何を表現しているかは問題にしていない。創造者の決意を重要視する。

優れた作品はその場かぎりの、一過性の幸せを提供しない。人類のこれまでとこれからを、視野に入れている。時代の盛衰で揺り動かされない価値観を携えている。そのような作品は大きく広く、私たちは目のあたりにすると絶句する。すると、私たちが本当の「幸せ」とは何かを考える機運となる。その場限りや目前の目的しか持たない作品はそれでもいいのだが、やはり得るものは限りなく少ない。少なくとも自分より大きな作品と向き合い、学び、今後の目標とするくらいの気構えを見る者は持つべきであろう。

また、作品が強ければいいというわけでもない。全力で創っただけでも、足りない場合がある。力を抜いてでき上がった作品のほうが、評価されることがある。だれもが強いわけではないから強い作品と向き合うことができないという考え方もあるが、強気で制作した作品よりも自己の力が抜けて自然体で制作した作品のほうが共感できるというのは理解できる。優れた作品の定義はなかなか難しいからこそ、さまざまな作品と向き合って共に考えていきたいと思う。歴史に評価されていればいいのではない。価値観を見出すのだ。

優れた広告が消費者の注目を引き、その商品を手に取ってもらうだけではなく購入してもらうところにまで行き着くのは当然である。一瞬にして注目されながらも広告から目を離せない、注視しなければならない状況に追い込むことが重要だ。つまり、ぱっと見る、長く見るという両者の特性を備え、なおかつ消費者に考え込ませ、心の奥底にまで印象づけられる広告は消費を超える。もう一度見たいという広告は、だれにでもあるのではないだろうか。人の人生を超える広告の制作の心構えは、まさに「創造者」の使命である。

文学、演劇、音楽、暗黒舞踏、ダンスなど、時間をかけて最後まで見る作品を私はどのように見ているだろうか。まずはやはり技術に溺れていないか、という点が最も気になる。文章は文体がうまい、演劇はプロットがうまい、舞踏やダンスはメソッドが凄い、それはそれでいいのだが、やはり技術よりも伝えたい思想のほうが気になる。演劇、ダンスもそうなのだが、特に音楽は曲と演奏の両方を聴き分けていかなければならないから大変だ。大した曲ではないと思っていても、演奏の解釈がずば抜けている場合があるからだ。

次に問題となるのは、主題が一つかという点である。時間を背負う芸術は、さまざまに派生しないと観客が飽きてしまうのではないかというサービス精神が働きがちである。そのようなものは必要ない。私は芸術とショーを厳密に分けたりして、ショーは芸術に比べて低い地位にあるとは思わない。ショーは理解を求める点において、私が考える芸術と少し性質が異なるだけである。客が飽きようが、主題を複数にしたりぶれたりすると、せっかくの作品が台なしになってしまうと私は考える。主題が難解で客に伝わらなくていい場合もあるのだ。

見ていくうち、展開や集中力に目が行くのはだれでも同じことだろう。主題を明確に見定めることと、展開を工夫することはまったく異なることだ。ダダ、バウハウス、構成主義を経た今日では、起承転結を求める必要は特にない。もっと自由な形式を模索してもいいと私は思う。むろん、起承転結をしっかり経ながらも主題を明確にする方法でもいいだろう。奇を衒うと、見慣れている人にはすぐわかってしまう。これまでに奇抜な展開はいくらでもある。そこに力を注ぐのではなく、やはり自分の思想を正直に伝える努力をすべきだ。

集中力もとても大切である。あまりにも集中力が持続しすぎると、見慣れていない者にはしんどい。しかし、それならば見に来なくてもすむことであり、この集中力を楽しみにする人も少なくない。舞台は創造者と観客の熱狂により渦が巻き、奇跡的な作品が生まれることがある。テレビでスポーツを見て熱狂する場合もあるように、映像でもこの奇跡は起こる。集中力が持続するということは、舞台に緊迫感が漂い、だれも喋るのが許されない場面では決してない。創造者の真剣度であるに過ぎない。

むろん、すべてが終わった後、感動があることは不可欠であろう。暗黒舞踏は、何かオドロオドロしい印象があるが、優れた公演では生きている喜びを感じるのだ。ここに喜劇か悲劇などは問題にならない。創造者が全力を尽くした作品は人間すべてが投入されるから、内容問わず深い感動が生まれる。言葉の問題同様、内容ではなく人間の気持ちや感情を伝えるようにすればいいだけのことだ。無理に「ここで感動してくれ！」というようなシーンを作ると、かえって白らけてしまうことが多々あるので、自己に忠実に制作してほしい。

やはりまわりの目や邪念を捨て「遮二無二制作」し、自己を問うことが人類を問うことにつながる作品が素晴らしいと私は感じている。若い創造者はけっして「完成」がすべてだと思ってはいけない。むしろ未完成であり次につながる作品であることが素晴らしいことを学ぶべきだ。作品が「完成」してしまえば、創造をする必要はなく死ぬしかない。世界の美術館で作品が展示され、莫大な金額で作品が売れても、創造に決して終わりなど存在しないのだ。目標を達成しても、あなたは死ぬまで制作するだろう。

ここまでは、主に創造者の立場からの作品を述べてきた。ここからは、創造者でも創造者でもなくとも他者の作品と向き合い、どうしてもわからない場合について考えてみよう。まず問題となるのは、なぜあなたはその作品が「わからない」のかを考えてみる必要がある。日本画を描いているから、演劇はさっぱり「知らない」からわからないのか、「興味がない」からか、純粋に「見たことがないから」なのか。このように色々な理由があるだろう。それを解きほぐして、一つひとつ解決していくしかない。

まずは「知らない」世界だからこそ、よく見てみよう。冷静に考えれば、自分の作品との共通項を見出せるはずだ。次に、自分の知らない世界に「興味」を持とう。素通りするのではなく、これを機会に、作品を制作した創造者や、その場所を管理している企画者に素朴な疑問をぶつけてみよう。「知らない」ことはいいことである。私も「知らない」ことがあったら、その場ですぐに聞いてしまうし、帰り道にスマホで調べたり、帰ってから本を探して少しでも近づこうとしたり努力する。知らないことがあるとうれしい。

「知る」ということは、作品を認めることだ。作品を認めるということは、百人百様の人間の存在を認めることにつながる。あなたが認知されることでもある。そして繰り返すが、時代や場所に左右されずに、芸術の本質を考えるべきだ。宗教、ナショナリズム、市場を凌駕する芸術の根底とは、芸術が人間そのものであることにある。だから優れた作品とは自分だけではなく世界を知っていること、場所と時間に挑戦し、問いを発していることにある。自己主張ではない。共存の思想が不可欠なのである。

一通り知ったら、知識に惑わされず自分の見解を大切にしたほうがいい。例えば映画を見て感動した、そして映画についての見解を知った、その文脈に沿うべきか。そのようなことは決してない。あなたがもし彫刻を専門にしているのであれば、そこからの視点で、自分に引き寄せて独自の見解を示してもいいのである。専門が特化し過ぎている今日では、作品の見方が細分化し、先細りしている。無理に独自の見解を粗捜しするのではなく、素直に自己が感じたことを文章に残すといいのではないだろうか。

自信が「ない」のであれば、その文章をSNSにでも掲載して世に問えばいい。私は批評者であるからよく自分の文章を公開しているが、その理由は、自分の文章に自信が「あって」ひけらかしているのではなく、ある意味自信が「ない」からこそSNSに掲載して、どのような意見が出るのかを知りたいのである。私は一応、百戦錬磨のつもりではあるが、私が想像もしなかった意見がでると本当に勉強になる。みなさんもこのように、SNSを利用することを私はオススメする。攻撃されることなど滅多にない。そのチェックにもなる。

ここまでいくと、作品を見ることが作品を「解釈」するどころか「制作」していることを理解していただけると思う。一九八〇年代のニューアカデミズムを代表とする、脱構築の思想は「テクストを編み直す」だけであり、まだ受け手の状態に留まっていたと私には感じられる。私の方法論ではそれをさらに一歩推し進めて、作品を見ること、読むことが作品を創ること、語ることにまで踏み込んでいく。これは私のオリジナルの方法ではなく、すでにキュレーターや哲学者などは気づいていたのだと思う。

私は三年間くらい、厳密な西洋旋律を受け付けることができず、ニキル・バネルジーやクシャル・ダースといったCD一枚に一曲のラーガしか入っていないインド音楽しか聴くことができなくなっていた。ある日モーツァルトに目覚め、その後ベートーヴェンの交響曲を聴いたらレッド・ツェッペリンのフレーズにしか聴こえない。古典インド音楽、クラシック、ロックという概念を捨て、音楽どころか芸術として向き合うと、場所も時代も異なる芸術に、共通項を見出したのであった。やはり既存の「イメージ」を壊し、乗り越えたい。

そこまでする必要はないのではないか。俺は純粋に絵画を描きたい、あたしは好きな曲を演奏しているだけで楽しいから邪魔をしないで、と考える方々もいらっしゃるであろう。しかしダダ、バウハウス、構成主義を経た現代芸術が前提となり、複製を何度も再生する今日では、分野に留まることは不可能なのである。むしろ分野に留まることを推奨される時代になっていく。「お前はこれしかできないのだからこれだけやっていろ」という「命令」である。芸術は自由でなければならない。このような命令と闘う必要が生じてくるのだ。

七　優れた作品発表

私にとって何が優れた作品かを、何となくわかっていただけたと思う。優れた作品はそのまま眠っているわけにはいかない。優れた発表をしなければならない。優れた発表の仕方には色々あるけれど、優れた場所で発表すべきであろう。つまり優れた発表とは、発表の「仕方」と「場所」があるということを理解していただきたいのだ。ここでは美術に限定できないので、美術館、画廊だけではなく、ダンスや映像も発表できるオルタナティヴスペースを視野に入れなければならない。デザイナーも積極的に発表すべきであろう。

まずは、発表の仕方はメジャーとマイナーがあることを前提としよう。著名なアイドルグループがコンサートを行なう場合、音響設備が整った音楽ホールではなく多少粗雑であっても人数の収容が優先され、東京ドームなり野外ステージであったりする場合が多い。つまり、「場所」の質は問われない。芸術を大切にしてこだわるマイナーな発表は「場所」が限定されるし、限定された場所とそこを選んだ創造者には広報を打つ財力はない。新聞広告、テレビコマーシャルを打つには莫大な予算が必要となる。

先に芸術とデザインと広告を振り分けたように、メジャーとマイナーの区分が必要である。これは私の発想だから、先行研究はない。ここではメジャーを金銭的利潤が生じるもの、マイナーはそれが生じないものと大雑把に定義しておく。時には作品が売れたり入場料に大入り袋が発生したりするのは、利益が生じたと考えよう。利益には「役に立つ」という意味があるそうだ。次の制作の役に立つことは必要だが、利潤を求めるために作品を発表すると、本末転倒になると私は考える。そこには生活費さえ含まれると思う。

美術館の展覧会と展評

「美術を理解するためにはどのような展覧会に行くべきですか」とよく聞かれる。ここから簡単に説明したい。美術館とは収集、調査研究、保存修復、成果の公開という流れが一九五〇年代からあったが、今の日本の美術館は集客が求められていて、漫画やアイドルの展覧会が当たり前になってきた。集客よりも客観的な成果の公開が面白いと感じるようになってほしい。

新聞広告やテレビコマーシャルで宣伝される、海外の名作が見られる展覧会を、私はほとんど見に行かない。確かに名作は名作だ。見たい。しかし発表の「仕方」がメジャーである。これら名作は、ヨーロッパの美術館へ行くとひっそりと自然に壁に掛かっている。「え？　この名作がこれほど近くでゆっくりと向き合うことができるのか」とビックリする。これこそが名作の展示の「仕方」であり、並ぶだけで疲れ、制限された人数が押し込められ、止まることが許されず遠目で作品を見るなら行かないほうがマシだと考えてしまう。

かといって、年中海外へ行けるわけではない。一生で一回しかこの名作に逢えないかもしれない。それでもこのような展覧会は国内を巡回するから、各美術館の特性を活かす暇などないので、展示の「仕方」が工夫されることなど滅多にない。かといって、切り捨てることもできない。学芸員がさまざまな制約という網の目をぬって、素晴らしい展示の「仕方」を考えてくれる場合もあるからだ。しかし残念ながらたいていの場合、美術館の特徴は無視される。そのような悲惨な状況を見たくないということもある。

そしてこのような展覧会は、やはり見どころが少ないことが多い。一枚の名作のみで、他の作品はあってもなくてもいいような扱いを受けている。このような「扱い」が、私にとって許せないのだ。すべての作品に意味がある。だれにでも生きている意義があるように。それをぞんざいにする、または利潤のためにぞんざいにしてしまう状況に追い込むことは、展覧会の意図と離れている。このような展覧会は判断がとても難しいので、慎重に考えるべきだ。金をかけた魅力的な広告は、私にとってなおさら引いてしまう原因にもなっている。

客観的な成果を公開する展覧会は、自ずと地味になる。地味な展覧会は本当に地味だ。今日ではこのような展覧会には予算がかけられないため、満足な広告も打てない。電車内のポスターすらもない状況に陥ってしまう。私は神奈川県の小さな新聞『週刊新聞 新かながわ』の月一度の展覧会評を、二〇〇六年から担当している。当初から、他のマスコミが展評を書かないような、地味な研究成果を公開する展覧会を積極的に取り上げてきた。数は急激に少なくなってきたが、内容の濃い展覧会が月一度はあるのがうれしい。

大手新聞の展評で、読むべきものが少なくなってきた。海外の名作が見られる展覧会が大きく取り上げられることは多いが、そのほとんどがプレビュー（開催前の紹介）であり、レビュー（展覧会を実際に見た批評）は数えるほどだ。美術館としても集客数という実績を作るためには、先に見たとおり本当のことを書く批評よりも、広告のほうがありがたいのであろう。この事実を私は否定しない。このような状況の中でも、私は客観的な成果を公開する展覧会を追い続けていく。

小さな新聞で展評の枠を辛うじて保っている。特にダンスを取り上げる媒体が、私には失われてしまった。私が関わっていた雑誌や新聞が、読者が少ないので廃刊になってしまったのだ。商業映画は『新かながわ』に枠を持っているが現在、多忙のため休止中。実験映像は日本映像学会で研究発表している。そもそも演劇、音楽、建築、デザイン、工芸、活け花、書などは批評媒体すらもないので、発表できない。私は編集者とやり取りして意見交換して発表することに意味を見出していたが、あまりにないのでSNSで発信している。

私は海外の名作が見られる展覧会を攻撃しているわけではないことを、読者のみなさんにはわかっていただけるであろう。まず問題にしたいのは、その場所の特性を活かした作品の発表の「仕方」なのである。そこで行なわれる展覧会であれば、作品のよさが最大限に引き出されるので必ずいい、という展覧会と美術館であるべきだろう。神奈川県立近代美術館がいい例だ。

日展、院展、二科、自由美術、独立などの公募団体展は、二段掛け、三段掛けが伝統となっているのだから、それを否定はしない。近年は公募であろうがフリーであろうが、「モダンアート」として闇に葬り去ろうとする風潮に気がつき、展示を工夫する団体展が増していることはうれしいことだ。単なる習慣ではなく、今日の動向に鋭く目を向けている。日本アンデパンダン展、国立新美術館や東京都美術館をレンタルで借りている公募団体展でもこの傾向が顕著である。その美術館の特性を活かして、作品を最大限によく見せる工夫は重要だ。

画廊

それは画廊にも言えることだ。日本の画廊はとにかく狭い。お隣の韓国は現代美術が盛んで、どの街へ行っても現代美術館がある。画廊も日本の小さな美術館くらいに広いものが多い。それはニューヨークでもフランクフルトでも同様だ。もちろん狭い画廊もあるが、日本にはほとんどが狭い画廊だ。だが、現代美術は作品が大きければよいわけではなく、逆に小さくて細部に注意を払うという世界観も重要だ。そのような作品を大きな画廊で見る必要はなく、小さな画廊にはその役割がある。

いい展覧会はオーナーの展示の「仕方」が優れている。私はできるだけすべてのギャラリーを回りたいのだが、あまりにも数が多く、時間も限られているため、果たせることができずに、各ギャラリーに本当に申し訳ないと思っている。私が回るギャラリーは、オーナーの人格が優れ、オーナーの人柄に集うアーティストが展覧会を行う場所だ。すべては書き切れないが、代表的な画廊とオーナーの名前を挙げておく。

【新橋から銀座へ】アートギャラリー閑々居の北條さん。ヴァニラ画廊の大沼さんと田口さん、高輪画廊の三岸さん、横田茂ギャラリーの横田さん、中和ギャラリーと三越前アートモールの久保さん。愛でるギャラリー祝の髙野さん、十一月画廊の金井さん、うしお画廊の牛尾さん、画廊宮坂の宮坂さん、秀友画廊の浅野さん、ギャルリー志門の深井さん、画廊るたんの中島さん、アーチストスペースの宮本さん、ギャラリー暁の室町さん、ギャラリーせいほうの田中さん。【東銀座】ギャルリープスの市川さん、コバヤシ画廊の小林さん、ギャルリーヴィヴァンの緒方さん、ギャラリーナユタの佐藤さん、南平さん、巷房の東崎さん、ギャラリーカメリアの原田さん、G2の狩野さん、銀座中央ギャラリーの中村さん。K'sギャラリーの増田さん、ゆう画廊の志田さん。【銀座】ステップスギャラリーの吉岡さん、枝香庵の荒井さん、ギャラリーGKの星野さん、Oギャラリーの大野さん、藍画廊の倉品さん、ガルリ・ソルの箕作さん、柴田悦子ギャラリーの柴田さん、ギャラリーなつかのなつかさん、彩鳳堂の本庄さん、ギャラリー椿の椿原さん、ギャラリー川船の川船さん、ギャラリーゴトウの後藤さん、ギャラリーシアカの大木さん、藤屋画廊の濱田さん、ギャラリーアートポイントの渡部さん、ギャラリーシロタの白田さん。【京橋】ギャラリーモーツァルトの杉山さん、ギャルリーユマニテの土倉さん、ＡＳＫ?の木邑さん、ギャラリー羅針盤の岡崎さん、ギャラリイＫの宇留野さん、ギャルリーフロレゾンの岩本さん、ギャラリー檜の髙木さん、ギャラリー麟の阪本さん、スパンアートギャラリーの種村さん。【新富町】ギャラリーレッドアンドブルーの角張さん。ＪＩＮＥＮギャラリーのかんのさん。【日本橋】好文画廊の齋藤さん、ＳＰＣギャラリーの永倉さん、ギャラリー砂翁の横島さん、不忍画廊の荒井さん。【茅場町】コンテンポラリーＨＥＩＳの平山さん。【三越前】スペース２＋３の車さん、yuki-sis の寺嶋さん。【東日本橋】Ｓａｎ-ａｉギャラリーの佐野さん、ギャラリーＴＫ２の小林さん、Kiyoyuki Kuwabara Accounting Gallery の桑原さん。【清澄白河】art lab Melt Meri のあくびさん。【上野】桜木画廊の桜木さん、羽黒洞の木村さん。【日暮里】ヒグレの小沢さん。【浅草】ＮＵＡＧＥの厚川さん。【浅草橋】Art Lab Tokyo の森下さん、ギャラリーアビアントの磯貝さん。【お茶の水】８８４の佐野さん。【成城学園前】アトリエ第Ｑ芸術の早川さん。

【六本木】ｓ＋ａｒｔの山本さん。ストライプハウスギャラリーの塚原さん、art gallery closet の新井さん。【外苑前】トキアートスペースのトキさん、かわかみ画廊のかわかみさん。【表参道】始弘画廊の平山さん、表参道画廊の里井さん、新生堂の畑中さん、ギャラリーストークスの鈴木さん、ギャルリー４１２の渡部さん。【渋谷】ギャラリートムの村山さん。【新宿】ギャラリー絵夢の増田さん、フジギャラリー新宿の佐久間さん、√k Contemporary の加島さん、バー十月のくぼたさん。【池袋】B-gallery の長さん。【四谷】アートコンプレックス東京の式田さん。【神保町】ギャラリー２５１１の朴さん、UCHIGO and SHIZIMI Gallery の横山さん、ｌｅｇｉ ｏｎの三上さん。【お茶の水】アートギャラリー８８４の佐野さん。【祖師谷】ギャラリータガ２の田賀さん。【早稲田】ドラードギャラリーの小原さん。【洗足池】ハルキの佐藤さん。【雪谷大塚】こじまびじゅつ室の小島さん。【新江古田】ノハコの捧さん。【中央線沿線】ポルトリブレの平井さん、蚕堂の小沢さん、フェイス・トゥ・フェイスの山本さん、数寄和の岸田さん、双ギャラリーの塚本さん、ギャラリー由芽の久保さん、ギャラリーテムズの野崎さん、ギャラリーカジオの新井さん、宇フォーラム美術館の平松さん、コート・ギャラリー国立の八木さん、調布画廊の重岡さん、ギャラリードードーの荒瀬さん。

【神奈川】ＦＥＩギャラリーの高宮さん、ギャルリーパリの森田さん、ギャラリーしみずの清水さん、ギャラリーＦＵの鈴木さん、アトリエＫの中村さん、爾麗美術の鈴木さん。鎌倉ギャラリーポラリスの十倉さん、鎌倉ドローウィングギャラリーの瀧口さん、カスヤの森現代美術館の若江さん。成瀬、ギャルリー成瀬１７の成澤さん、なるせ美術座の村田さん。古淵、ギャルリーヴェルジェの市野さん。【相模原】誠文堂の中澤さん。【鎌倉】ジ・アースの若山さん。【京都】ギャラリーｃｒａｔｅ洛の高嶋さん、イムラアートの藤澤さん、ギャラリー16の井上さん。【千葉】ギャラリー陸の伊藤さん。【埼玉】ペピンの小林さん、ギャラリーＫの小柳さん。【宇都宮】ギャラリーイン・ザ・ブルーの青木さん。【茨城】ギャラリーしえるの佐藤さん。【宮城】ターンアラウンドの関本さん。【軽井沢】アート泉の里の阿部さん。【名古屋】K.Art Studio の加藤さん、フィナルテの福田さん、名古屋画廊の中山さん。【奈良】ギャラリーデンの手島さん。【三重】OKUISE WORK の谷籐さん、ボルボックスの油田さん。【大阪】ＷＫＳの片山さん、プラスワイギャラリーの小谷さん。【山口】アーティストでもある岡本さん。【高知】すさきまちかどギャラリーの川鍋さん。【福岡】アートスペース貘の小田さん、アートスペース千代福の坂井さん。【大牟田】西部学園の働さん。【熊本】なかお画廊の中尾さん。【フリー】浪川さん、カサードの風戸さん、報美社の竹山さん。

具体的な創造者について言及しなければならない。膨大な数の創造者がいる。優れた作品は現在だけではなく過去や未来にあると論考しているので、今、生きている創造者の作品だけを取り上げるのは矛盾が生じる。順位をつけることも否定しているので、ここで取り上げた創造者が特に優れていることになり、取り上げなければ大したことがないと思われてはならない。特に総合的な創造者をできるだけ最小限で論ずることにする。

八　今日、活動する創造者たち

ここで急いで註釈したいことは、舞台の写真でも作品の複写でも、そこには常に優れた写真者がいることである。ここでも単なる記録としてではなく、一つの作品として写真を見ていただきたい。写真が苦手な人は、特に参考にしてほしい。本書で具体的な批評が掲載されるのはこれだけだ。

写真者について、簡単に記しておく。高島史於（一九四八年〜）は長く広く舞台を撮影している。加藤英弘（一九四二年〜）もまたあらゆる舞台を得意とするが、及川廣信の写真を多く撮っている。玉内公一（一九五〇年〜）は、撮影だけではなく照明、音響、テクニカルもこなす。小野塚誠（一九五一年〜）は土方巽（一九二八〜一九八六年）に見出された若きベテランだ。飯村昭彦（一九五四年〜）は超芸術トマソンと深く関わり、美術作品複写の腕も凄い。宮田絢子（一九八三年〜）は私の妻でこの時期、撮影していた。大杉謙治（一九六七年〜）は建築、演劇、美術、ダンスの見識があり、自ら「素人」と言いながらも写真家が撮れない写真を撮影する。写真は単なる複製ではなく、一つの作品である。舞台、作品、音楽、コラボレーションいずれも、ビデオの場合でも、ここに留意し見ていただきたい。なお、各記事末の（　）内は活動する劇場、画廊や所属する団体などを示す。

【コラボレーション】《ある、これ、いま、ここ》及川廣信&大野慶人&ヒグマ春夫&ネクロミスト、二〇一七年九月二一日、キッド・アイラック・アート・ホール、撮影：高島史於

　大野慶人（一九三八〜二〇二〇年）は父の一雄、及川、土方巽（一九二八〜八六年）に師事し、自らの舞踏を探求しつつも数多くの後人を輩出した。自らが生み出した宇宙空間を漂う魂のような舞踏は他に類をみない。見る者の心が慶人に吸い込まれるのか、彼の心を我々が奪っているのかがわからないところこそ、慶人の舞踏の最大の特徴だと感じている。（大野一雄&慶人舞踏研究所）

　ヒグマ春夫（一九四七年〜）はインスタレーションとパフォーマンスが主体となっており、映像はその一部分に過ぎない。数々のダンサー、舞踏者、ミュージシャンとのコラボレーションを企画し実現してきた。自然光の中やプロジェクションマッピングまでのありとあらゆる実験と創造を繰り返している。音楽のネクロミストは、元藤燁子に学んだ破壊者だ。（アトリエ第Q芸術、他）

【コラボレーション】《遠心と拮抗》及川廣信＋横尾龍彦、二〇一五年十一月十一日〜十五日、キッド・アイラック・アート・ホール、撮影：加藤英弘

　及川廣信（一九二五〜二〇一九年）は今日最も重要な創造者である。及川は舞踊家だと思われているが、古今東西の思想を探り、振付を行い、舞台のプロデュースを務め、雑誌を編纂して発行し、自らも文章を綴っている。つまり芸術を志す者がやらなければならないことを、すべて行っているのである。特に重要なのは思想であり、学問とそこからはみ出すものも満遍なく研究している。総合芸術としてパフォーマンスに注目し、一九八四年から数年にわたって開催した「桧枝岐パフォーマンス・フェスティバル」は今日でも意味がある。

　ウェブでも及川の思想について読むことができる（「スコル

ピオ　及川廣信」で検索）。文章を読めばわかるが、私以上にオカルトである。及川と私は徒弟制度を嫌う。及川が研究しているのは、「我々はなぜ存在して、何をしなければならないのか」といった、至ってシンプルな問題である。それを解き明かすのが芸術の役割であるとする。哲学、社会学、経済学などのあらゆる学問を追い、「人間」の本質を見極めようとしている。及川は特に東洋哲学と医学に長けているので、その前提を知ることも大変だ。（アルトー館）

横尾龍彦（一九二八〜二〇一五年）は、池田龍雄と異なった姿で総合的な作品を制作した。悪魔にも天使にも見える具象画と、即興による抽象画を多く残した。ライブペインティングと言うよりも、禅とキリスト教を融合した思想を即興絵画として公開制作した。横尾の「目にみえない世界にこそ真実がある」という思想は及川とも共通し、戦争によって変化した人類を救おうと努力した点は、池田とも共感し合っていた。長くドイツで活動していたため、日本ではあまり知られていない。これから横尾の時代がやってくる。（アートスペース羅針盤、他）

【コラボレーション】《宇宙から海を見る》深谷正子＋玉内集子＋川崎久美子＋竹田賢一、二〇一九年六月八日、ストライプハウス美術M、Bフロア、撮影：玉内公一

モダンダンスの素地を拭い去ろうとしても拭い去れないことに気づいた深谷正子（一九四七年〜）は、素地をそのまま、まったく異なる方向へ転換していった。深谷はダンスの「規格」から大きく逸脱することを選んだのだ。そのため深谷のダンスは、パフォーマンスにもない領域に到達している。深谷が振付をする作品は、まさに演者が己を振り返り、自己へ還っていく感動がある。これは、実は舞踏が本来やるべきことである。しかし、深谷と舞踏の違いは、舞踏が個と全、深谷は個の喪失であるのだ。（ストライプハウスギャラリー、他）

玉内集子（一九七九年〜）は、深谷と玉内公一を両親に持つ。幼少から踊り、写真も撮影する。その柔軟な発想は、ダンスにも明確に表れている。それだけではなく、踊ることの意義を探る内面の動きもまた、作品の一つの主題となっているように感じられる。集子はさまざまなコンペティションにも応募し、常にアウェイへ出かけていく。このような姿勢もまた、「ダンスとは何か」に対する追及の一つである。それを集子が恐れないところに敬意を払

っている。

川崎久美子（一九五六年〜）は五〇歳で大学の通信制染織コースを卒業、制作を続けている。この姿勢こそ、多くの者が学ぶべきであろう。染織の領域にとどまらず、日展だけではなく世界を視野に入れている。川崎から突然、メッセージを拝受し、作品を実見せずに展覧会を決めた。それほどまでに川崎は熱意があり、作品は画像でも勢いがあり、何よりも展覧会のテーマを「宇宙」としたことに感服した。東京の初展示どころか、初コラボレーション、トークショーも経験した。

竹田賢一（一九四八年〜）といえば、ミュージシャンとしてはベテラン中のベテランである。常に、空気のない宇宙からの音楽のような、未知の音を繰り広げている。川崎と深谷のコラボレーションを決定していた私は、たまたま竹田と演劇のコラボレーションに立会い、竹田の綜合演出の力も思い知って、声を掛けた。竹田はこの時、十分に力を発揮したが、もっと竹田に注目が集まり、竹田の実力が全開になる場が開かれることを楽しみにするばかりだ。音楽は芸術に広がり、芸術は音楽に深まるべきである。

【コラボレーション】「戦後美術の現在形　池田龍雄展―楕円幻想」池田龍雄＋小林嵯峨、二〇一八年五月十八日、練馬区立美術館、撮影：小野塚誠

池田龍雄（一九二八年〜）は岡本太郎を凌駕するほどに、日本戦後美術を代表する存在と化した。池田は絵画、彫刻、インスタレーション、パフォーマンス、ランドアート、映像を実践し、広告のデザイン、子ども向けの絵本、演劇の舞台美術、ポスターも制作し、建築、舞踏、その他芸術に関わるすべてについて批評を書いている。池田が岡本を凌駕したのは、今日に至っても自らが生きる時代に拮抗し、闘争を続けている点にある。練馬区立美術館の展覧会が開催されたばかりだ。（彩鳳堂、他）

土方巽の系列といえば、もはや小林嵯峨（一九四五年〜）が筆頭であるといっても過言ではない。それは、小林が土方の舞踏を大切にしながらも、自らの経験から導き出してきていることこそ、徒弟ではなく私淑を特徴とする暗黒舞踏の真髄であると解釈することができる。近年の小林は土方の教えを振り返り、さらに次の段階へ向かっている。暗黒舞踏がやるべきことを牽引するのを小林は自覚していないが、小林の舞踏がこれからの舞踏界だけでは

なく芸術を切り拓いていくはずだ。（ノスリ）

【コラボレーション】《人間》上條陽子＋相良ゆみ、二〇一八年六月三日、FEI ART MUSEUM YOKOHAMA、撮影：飯村昭彦

上條陽子（一九三七年〜）は女性初の安井賞を受賞、絵画の王道を行くのかと思いきや、キャンバスに油彩ではなく、色彩をなくした黒と白の紙によるインスタレーションに転じた。一九九九年にパレスチナを訪れ、その悲惨さに激怒、パレスチナで絵画を教える活動を開始した。二〇一九年には、二パーセントの確率と言われながらも、パレスチナのアーティストの日本招聘を実現した。このような思いと活動こそ、まさに創造者の仕事ではないだろうか。不可能を可能にしたのだ。（アトリエK、等）

相良ゆみ（一九七〇年〜）は他のダンサーを寄せつけない。美術者内海信彦と知遇があり、幼少からバレエを学び、エイコ＆コマ、大野一雄・慶人、及川廣信に師事し、あらゆるダンスを修練し、演劇、美術、映像、文学、音楽に通じ、ダンスホール、画廊、美術館、演劇、野外で舞い、あらゆるコラボレーションに挑戦している。相良は舞踏でもコンテンポラリーダンスでもない、独自の舞踊を生み出している。相良の踊りの広さと鋭さは、人間の感情の探求から導き出されている点にある。（ホワイト・ダイス）

【コラボレーション】相良ゆみ＋フランシス・シンゴ、二〇一一年八月二一日、新港ピア、撮影：宮田絢子

サム・フランシスを父に出光真子を母に持つフランシス・シンゴ（一九六九年〜）は、芸術の探求が運命づけられていた。その葛藤にシンゴは打ち勝ち、独特のスタイルを打ち出した。それでも、サムの最後の探求から始めていることを忘れてはならない。シンゴの作品が持つ水中から、空中から、地上からの視点は、想像力によって宇宙へと飛び立っている。宇宙を

漂うこととは地中奥深くの鉱山、溶岩にさえも至ることと同様だ。時間、空間を乗り越えるシンゴの作品は美しいが、優れたコラボレーションに向いている。（ギャラリーパリ、他）

【コラボレーション】《時空の基軸》間島秀徳＋上杉満代、二〇一二年七月九日、キッド・アイラック・アート・ホール、撮影：小野塚誠。

間島秀徳（一九六〇年〜）は日本画と現代美術の領域で語られてきたが、それ以上の活動を展開している。それを描くこと、生きることの追求であると述べたら、あまりにも短絡的ではあるのだが、それ以上言えないほどに、シンプルかつ複雑な思想を携え、古今東西あらゆる芸術の動向に眼を向けながらも、それらにはない芸術の形を見出そうとしている。活動は美術、パフォーマンス、コラボレーションに限定されない。（アートギャラリー閑々居、他）

上杉満代（一九五〇年〜）も、大野一雄の血脈を引き継ぎながらも自らの舞踏を生み出している。海外のコンテンポラリーダンサーとも共演し、舞踏を世界のダンスの領域に引き上げた。その上で孤高の活動を国内で続けているが、元々バレエと共に絵画が得意であり、その絵画的世界を支えているのが古今東西の哲学思想である。そのため上杉は、コラボレーションにも長けている。（テルプシコール、他）

【コラボレーション】《時空の基軸》間島秀徳＋長谷川六、二〇一二年七月一〇日、キッド・アイラック・アート・ホール、撮影：飯村昭彦

長谷川六（一九三五年〜）はダンス研究者、雑誌編集者、ライターだけではなく自らもパフォーマンスを行っている。建築設計を仕事とし、写真を撮り、絵を描き、公演の企画も行う、総合的な活動ができる創造者である。『ダンスワーク』誌は、休刊中の世界中

のモダン、コンテンポラリー、舞踏だけではなく、パフォーマンス、バレエ、ジャズ、エンタメまでおよそダンスと呼ばれる表現を網羅している。長谷川のパフォーマンスも訓練されたダンスに基づいている。（ストライプハウスギャラリー、他）

【美術】楠本正明《空間の存在》河口湖ミューズ館、二〇一九年九月一三日～二〇二〇年三月一日、撮影：宮田徹也

楠本正明（一九三三年～）はニューヨークへ渡って、抽象表現主義の研鑽を積んだ。日本では本格的なアメリカ抽象表現主義は発達しなかったので、楠本は貴重な存在である。楠本のベースは日本画なので、特異な空間を絵画の中に封じ込め展開する。単色に見える色彩は、実は多層的でさまざまな色彩が込められ、現実では存在しない「真実」が展開されている。楠本は自らが見る空間を描く。それはモネと同じようで違う。美術史の視線で見てはいけない。楠本を軸に美術史を組み換える必要がある。（彩鳳堂、他）

【美術】彦坂尚嘉《無題》三連作、ベニヤ、アクリル、九〇〇×一八〇〇×三ミリ、二〇一九年、写真提供：彦坂尚嘉

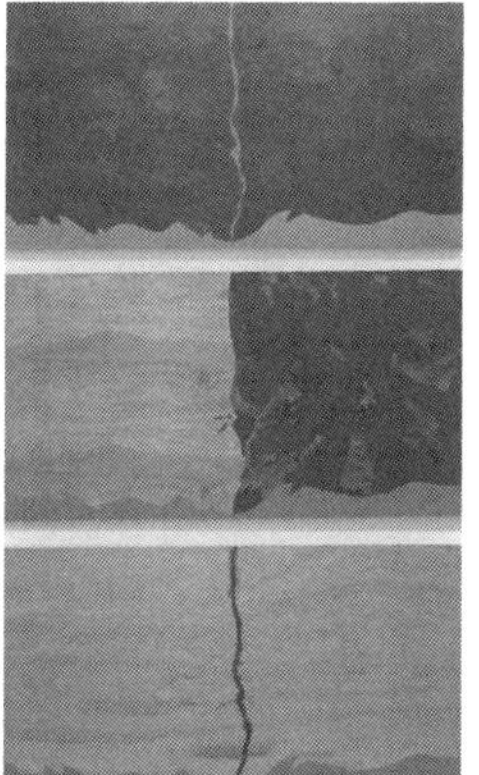

彦坂尚嘉（一九四六年～）は世界で評価されながらも、日本の評価がまったく足りない。もちろん海外で評価されればいいわけではない。彦坂の作品は、「時代に描かされていない」が、それを無意識に行っている点にある。彦坂は音楽を奏で、ダンスに挑戦し、さまざまな作品と事象について分析を繰り返し、文章を綴っている。日々の生活から革命を起こそうと、毎日努力している姿をＳＮＳで確認できる。

彦坂の作品は多様に展開しているように見えるが、実は水平な天井を垂直にしたウッドペインティングと、絵画として見える垂直の状態をフロア・イヴェントという水平へ転化した二つの作品を制作している。この二つが一つとして展示されたとき、

初めて彦坂が何をしようとしているのか、総合的に判断できるのである。絵画、インスタレーション、パフォーマンスという総合的な芸術を行っているのだ。彦坂は自己が生きる時代の世界的なアートに対して、自らの創造力を保ちながら挑戦を続けている。（むこうかいてん、他）

【写真】塚原琢哉《パキスタン》「塚原琢哉写真展　変わらない日常――一九七〇」二〇二〇年三月七日～一六日、写真提供：ストライプハウスギャラリー

塚原琢哉（一九三七年～）は旅をする。そこで撮影された写真の凄みは、塚原の視線を含みながらも、写真に立ち現れるのは、そこにいる人の視点なのである。我々を含めたそこにいる人とは、自分が何をいつも見ているのか自覚がない。この自己が知らないでいる姿を、塚原はえぐり出しているのだ。空が果てしなく続く。人が生きている。塚原の写真では、これらが普遍的なテーマとなるのではなく、逆にもっと身近なものにこそ普遍が隠され、我々はそれと向き合って生きていることを、知らしめてくれるのだ。

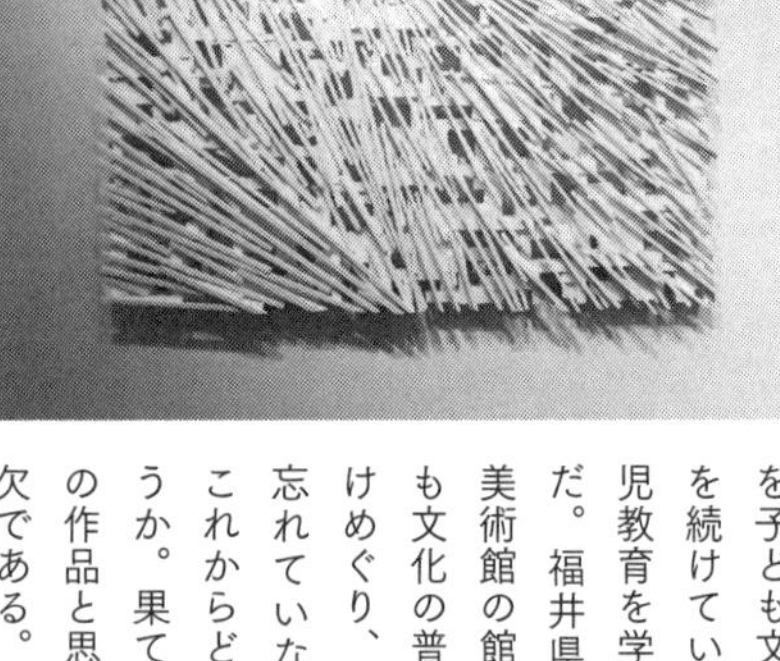

【美術】長谷光城《箱体―不定形J》木、塗料、七〇×一六〇センチ、二〇一九年、写真提供：若狭美術館

長谷光城（一九四三年～）は現代美術のすべてを知り尽くし、その上で現代美術ではない作品こそ現代美術であることを自覚し、実践した。長谷はそこに留まることなく、現代美術の根底を子ども文化と結びつけ、研究を続けている。それもまた、幼児教育を学び尽くした上での話だ。福井県の若狭を大切にし、美術館の館長もしている。子どもも文化の普及のため日本中を駆けめぐり、自らの制作の追求も忘れていない。長谷の活動は、これからどうなっていくのだろうか。果てしなく広く深い長谷の作品と思想を探ることは不可欠である。（若狭美術館、他）

【パフォーマンス】池田一《ポストアート序曲》池田一＋空観無為：永井清治（Electronics）、河合孝治（Crossing Sensor Play）、小森俊明（piano）、織田理史（Multimedhia-Installation）、二〇二〇年二月九日、アトリエ第Q藝術、撮影：大杉謙治

海外で最大限に評価され、日本で無名なのは池田一（一九四三年〜）もそうである。池田は壮大なランドアートとインスタレーションが有名だが、それにはパフォーマンスが前提にあることを忘れてはならない。池田の作品は公約数が広いのではなく、だれもが問題にしている内容なので、各地で理解されている。なおかつ、池田はアジア的、日本的、大阪的という身近な動機を大切にしている。これを日本の専門家が理解できないという皮肉が生じている。池田の作品は、自然と融合するその姿を確認できる。空観無為の音楽は、クラシック、ジャズ、ロック、楽譜、即興の古今東西すべてが内在化する。

【美術】淀井彩子《近景 二〇二〇》生成りカンヴァス、アクリル、油絵の具、一八五一×一五〇三ミリ、二〇二〇年、撮影：森岡純

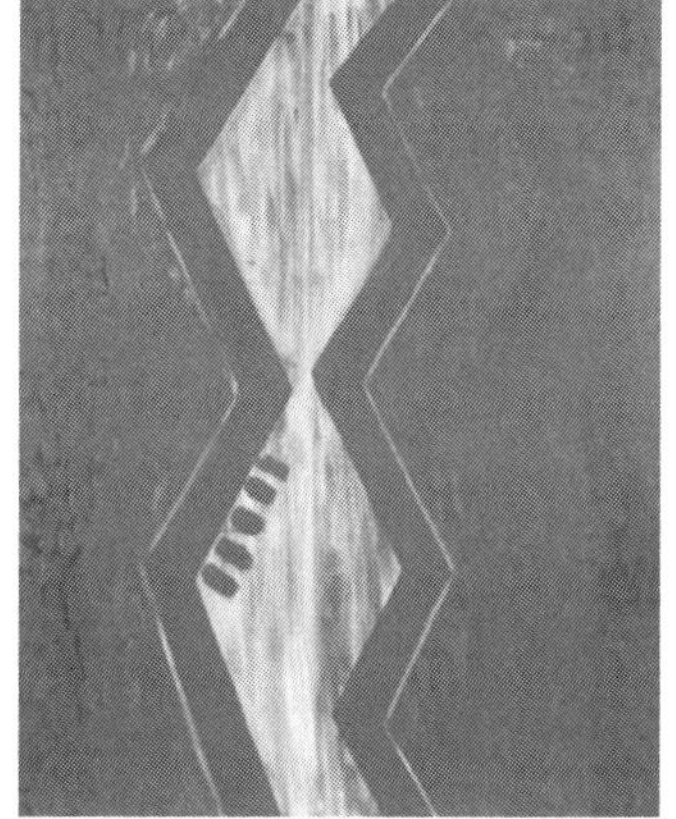

淀井彩子（一九四三年〜）のような才能に満ち溢れ、なおかつそれに溺れず努力している人間の作品を見るたびに、そのような人間は、決っている運命を受け入れた上で抗い、闘っているのだと感じてしまう。そのためか、淀井は常に満足していない。同じことを繰り返さない。いつも新しい自分と過去の自分と向き合い、闘争している。そのような淀井の姿勢から生み出される作品に、いつも感動してしまうのだ。淀井に最後の一枚など存在しないだろう。淀井の作品は、既に時空を超えて存在

している。（うしお画廊、他）

【糸あやつり】結城一糸（江戸糸あやつり人形座）《アルトー24時＋＋再び》二〇一四年五月二九日〜六月一日、東京芸術劇場（シアターイースト）、撮影：小野塚誠

　結城一糸（一九四八年〜）は、江戸・寛永年間から続く結城座の血を引いている。糸あやつり人形の歴史をさらに遡るであろう傀儡子の特徴は、人形遣いだけではなく、「旅」をする点にある。旅と言っても一糸の場合、精神の「旅」を行っている。結城座から独立した事務所の名前は「アセファル」（無頭人）、バタイユの思想である。一糸は人間の「悪」の方向を探求している。最大の特徴は、「悪」に陥るのではなく「悪」を知り、認めた上でさらにその先へ行くのである。その先とは、善悪の彼岸の超克である。（ＫＡＡＴ：神奈川芸術劇場、他）

【美術】山中宣明《An anonym》ミクストメディア、Ｆ三〇〇号、二〇一一年、撮影：ニューカラー印刷

　山中のコメントを引用する。「震災の年から五年間南相馬市に行き、児童の絵画制作の義援活動をしました。現場で生死の境界線を目の当たりにし、境界を隠れたテーマに描いた作品です。私はメッセージを絵に盛り込まない考えですが、このときばかりは境界のイメージが浮かんでしまった」

　山中宣明（一九五二年〜）の作品は、クールなのに熱い抽象である。それをアンフォルメルと比較するのではなく、今日、なぜ抽象を描くのかといった根底的な問いから、答えが導き出されるのかもしれないと感じている。巨大であり最小であり、遠い存在でありながらも、山中の作品は常に身近にある。団体

展かフリーランスかといった卑近な問題に対して、山中の活動は重要な役割を果たしている。山中は独自の理論を構築して、美術雑誌などでも発表している。それは、多くの人々の心に響く必要があるのだ。（二科展、ギャルリーパリ、他）

【活け花】 大塚理司《彗》竹、薔薇、四五〇〇×五〇〇〇×四三〇〇㎜、二〇一八年、撮影：伊奈英次

大塚理司（一九五五年〜）は、古流かたばみ会活け花の師ではあるのだが、さまざまな展覧会に出品し、新しい活け花の姿を探求し、自らヒグマ春夫と共にパフォーマンスを行ったこともある。大塚は、古流と前衛両方の作品を制作し、発表している。細部まで意識は行き届き、形式は古流と前衛であろうと、その内容は実は同様ではないかと感じることさえある。それほどまでに大塚の作品は、活け花の枠を超える。もしかしたら活け花の本質とは、その枠に留まってはいけないのかもしれない。

【美術】 宇野和幸《Landscape of vestiges》和紙・ミクストメディア（シンナープリント、墨、アクリル他）九八〇×三六五〇ミリ、二〇二〇年、写真提供：宇野和幸

宇野和幸（一九六〇年〜）ほど「ミクスト・メディア」という言葉が合う創造者はいない。それは素材の使用だけではなく、素材と技法が持つ思想を脱構築しつつも、脱構築では表せない新しい世界の実現である。宇野の作品には、絵画、写真、版画、映像、パフォーマンスの素材と技法のみならず、さらなる素材と技法が渦巻いている。その「風景」もまた絵画の普遍的動機であるが、宇野の場合、それは「場所」という概念を乗り越えて、見る者に迫ってくるのである。（ステップスギャラリー、他）

【美術】笹井祐子《Bosque—森—》（アマテ紙にリノリウム、二〇〇×三〇〇センチ、二〇一九年）撮影：桜井ただひさ

笹井祐子（一九六六年〜）の作品は、版画という枠に最大限にとどまりつつも、最大限に超えている。それは技術だけの問題ではなく、豊かな発想、大胆な手法により、だれもが考えそうで考えつかない意表を突く作品を発表して、まわりをあっと驚かせる。だが、実は版画の基本を外すことなく、むしろ忠実に行なっているのだから、さらに驚かされる。そのような笹井の作品は、ぱっと見てはっと気づく性質を携えている。すると我々は「版画だから」といった「〜だから」という固定概念を、いかに捨てなければならないかを自覚するのだ。（アトリエK、他）

【美術】小松原洋生《宙》19'-02a、CG／インクジェットプリント、七二〇〇×二五〇〇ミリ、二〇一九年、撮影：小松原洋生

小松原洋生（一九六七年〜）は油彩を描いていたが、大学で学生にデジタルを教えるうちに、油彩とデジタルの違いをなくす作品を描くことを思いつき、実践している。確かにデジタルアート黎明期にさまざまな実験がなされていたが、その成果は時代と共に押し流されてしまった。「油彩は古い」など、だれが言うだろうか。それと同様に、小松原の作品の追求は、とても深い意義を持つ。小松原はこれからも変容を遂げていくだろう。そこに折り重なる歴史の襞を探っていくことに、我々は新しい発見を見出すことになろう。（モダンアート展）

第四章　知る／学ぶ

九　現代を知る

ここまで制作する者、立ち会う者の区別なく、創造者の決意、創造者の社会的役割と場所、制作の秘訣、優れた作品や展覧会の見分け方、今日に活動する創造者たちを考えてきた。ここからは振り出しに戻り、今、われわれが生きているこの「時代」を見つめて絶望し、なぜこのような時代になってしまったのかと近代を再考し、その上で「学ぶ」ことの重要性を考察する。私がまず論じるのは、現代とは「学んではいけない」時代に突入してしまっていることだ。これまで考察してきたことと真逆の方向に現代がある事実を、確認する。

この項を読むにあたって、まず読者のみなさんに覚えていただきたい言葉は、「新世界秩序」と「新右派連合」である。私は現代がなぜこのような悲惨な時代になってしまったのかを探っていて、やっとこの二つの言葉が結び付いていることに気づいたのだった。われわれが本を読まなくなった理由、パソコンやスマートフォンの画面だけではなく駅や車内にまでいきわたった、モニターによる広告の脅威などを、私はこれまで説明することができなかったが、この二つの言葉が結びついたとき、やっと理解することができたのであった。

新世界秩序

私が「新世界秩序」という言葉に触れたのは、乱読したときに巡り合った加藤朗『現代戦争論』（中公新書、一九九三年）であった。加藤朗は一九五一（昭和二十六）年生まれ、国際政治学、安全保障論を専門とする。私がまったく知らない分野である。

現在、危機に瀕しているのは、一つの小さな国家だけではない。それは大きな理想―新世界秩序である。

一九九一年一月、湾岸戦争開戦二週間後にブッシュ米大統領は年頭の一般教書演説でこう述べ、イラクの不法なクウェート侵略に対する反撃を内外に呼びかけた。

その後一カ月にわたる多国籍軍の「砂漠に嵐」作戦によって「一つの小さな国家」は救われた。しかし「大きな理想―新世界秩序」は終戦後まもなく「危機に瀕し」、結局日の目を見ることなく歴史の闇に溶暗した。なぜか。それは、米国がまさにLIC（Low-Intensity Conflict の略で低強度紛争の意。リックと発音）に対応できなかったからである。（三頁）

「新世界秩序」は失敗したかに思われた。しかし二〇〇一年九月十一日、アメリカは同時多発テロを受ける。これを契機に、「新世界秩序」は復活どころかより強力に作用する。

国際政治専攻の藤原帰一はこの事態を重く見て、テロ後すぐに『テロ後 世界はどう変わったか』（岩波新書、二〇〇二年）を編纂した。特に重要なのは思想文化論の西谷修論文「これは「戦争」ではない」である。西谷は、ここでは「新世界秩序」を「世界新秩序」としている。「世界に背を向けつつあったブッシュ政権は、しかしこの事件（「9・11」註・引用者）で、かつて父親の政権の敷いた「世界新秩序」の路線に表向き立ち戻ることになった」。「唖然とさせられるのは、驚くべき「満場一致」が西欧諸国とその周辺に広がっているということだ」。それは「「自由」や「民主主義」などではなく、アメリカを盟主とする冷戦後の「世界新秩序」と言われるものの枠組だろう。湾岸戦争によって作られたこの構造は、「文明の秩序」とそれに従わない「無法者」とを恒常的に対置させる」。「この秩序そのものが、実は「テロリスト」を構造的に生み出している」（三二〜三三頁）。「自由」や「民主主義」の発想は死に絶えてしまったのであった。なぜそうなったのかは、新自由主義から連なる、時代の要請でもあった。強者がより強者となるのが人類の流れでもある。

このような現状をフランスの経済学者であるジャック・アタリ（一九四三年〜）は『新世界秩序』（二〇一七

年、山本規雄訳、作品社、二〇一八年）で以下のように要約する。

アメリカは、冷戦後の世界を「新世界秩序」として語るようになる。（二〇八頁）

最初は宗教帝国だったものが、軍事帝国に引き継がれ、そして市場帝国となる。（中略）ついに帝国は、きわめて複雑な一つの世界秩序を人類に授けたのだった。（二一七頁）

新世界秩序は一過性の現象ではなく、太古から中世までの宗教、近代の軍事、世界大戦後の市場と同様の人類の重要な転換であることがわかる。アメリカが世界の中心である新世界秩序に終わりはないであろう。湾岸戦争を皮切りに、二〇〇一年のアメリカ同時多発テロを経て今日に至るまで、たとえトランプ大統領が「世界の警察を続けられない」（東京新聞ウェブ、二〇一八年十二月二十八日朝刊）と発言しても、今後もアメリカが世界を牽引することとなる。もはや近代や現代は失われて、「新世界秩序」の時代に突入してしまったのだ。われわれは引き返すことができなくなった。「新世界秩序」はこれまでの人類が経験したことのない、不気味な管理社会である。

私は普段の生活の感覚的で「アメリカナイズ」されている以上の、何らかの違和感があった。敗戦後の日本は特にアメリカに対する憧れが強いが、中国、台湾、韓国の人々を見ると何かしら異なる。ニューヨーク以上に東京がアメリカ的に感じる。アメリカの会社が日本に数多く存在し、ファストフード、コーヒーといった食料品から衣服、果ては保険までに至っている。このような傾向は日本だけではないだろう。どの国へ行ってもアメリカの企業を見かける。世界中がアメリカ化しているような雰囲気だ。

パソコンも、ソフトも、アプリもアメリカ製である。世界中のどこにいても東京＝アメリカと同じ生活ができる。イラク戦争が終結し、アメリカ人は「イラクには電気が引かれていない、服もない、生活ができない。アメリカのようになれば便利なのに」と、どこの国もアメリカ化するのが美徳であると思っている。日本人もまた、同じような発想を持っている。今日の生活と価値観こそがグローバルで「正しく」、その国固有の文化など過去の遺物で、全世界が同じであることを望んでいるように私には思われる。

新世界秩序をウィキペディアで検索すると、次のように説明されている。

国際政治学の用語としては、ポスト冷戦体制の国際秩序を指す。また陰謀論として、将来的に現在の主権独立国家体制を取り替えるとされている、世界政府のパワーエリートをトップとする、地球レベルでの政治・経済・金融・社会政策の統一、究極的には末端の個人レベルでの思想や行動の統制・制御を目的とする管理社会の実現を指すものとしても使われる。

これまで世界を支配していた神、軍事、金以上の管理がなされる可能性がある。

新世界秩序を、第二次世界大戦後すぐに予言した哲学者がいる。ハンナ・アレント（一九〇六〜七五年）である。ドイツ出身でユダヤ人のアレントは大学時代、マルティン・ハイデガー（一八八九〜一九七六年）の哲学に没頭する。一九三三年にフランスへ、四一年にはアメリカへ亡命する。自らの国がなぜ自らの人種であるユダヤ人を大量殺戮したのか、アレントは冷静に分析し、『全体主義の起原』（一九五三年）、『イエルサレムのアイヒマン』（一九六三年）など、衝撃的な論考を発表した。

私がアレントの文章で感銘を受けたのは、まず『人間の条件』（一九五八年、志水速雄訳、ちくま学芸文庫、一九九四年）である。「一九五七年、人間が作った地球生まれのある物体が宇宙めがけて打ち上げられた」という記述から始まる。人類史上最悪の戦争を経験し、生き逃れて哲学を続け、深く思索を行なった作品はオイゲン・フィンク（一九〇五〜七五年）の『存在と人間─存在論的経験の本質について』（一九七七年）、モーリス・メルロ＝ポンティ（一九〇八〜六一年）の『知覚の現象学』（一九四五年）と数えるほどしかない。

『人間の条件』は「人間の条件」「公的領域と私的領域」「労働」「仕事」「活動」「〈活動的生活〉と近代」と

いう章を用意し、「活動的であることの経験だけが、また純粋な活動力の尺度だけが〈活動的生活〉内部のさまざまな活動力に用いられるものであるとするならば、思考は当然それらの活動力よりすぐれていることであろう」(五〇三~五〇四頁)と、「思考」することの重要性を結論づける。アレントは「考えてはならない時代」がやがて来ることを読み取り、「思考」することこそ人間の条件であるとしたのであろう。

アレントやフィンクは第二次世界大戦が不幸な形で終焉し、人間の叡智である哲学が無効になっても、その本来の姿を発揮する思考を繰り返した。その姿に、私は感動したのである。アレントにとって第二次世界大戦を振り返ることは、血の滲むような苦しみであったに違いない。それでもアレントは現在と過去、未来の人類のために思索を深めたのである。『人間の条件』は英語で書かれながらも、アレントはドイツ語でも思考していたのであろう。とても平坦な言葉で書かれているので、和訳でいいので一読を勧める。

私はアレントの著作を読み続けた。『全体主義の起原』一~三(一九五一~六八年、大久保和郎訳、みすず書房、一九七二年)ほど私がこれまでの人生で読むことが辛く、困難な書物はなかった。ユダヤ人排除の歴史、植民地支配の動向、そして全体主義の脅威。それを過去の話ではなく、私がこの書物を読んでいる電車内のほうがよほど酷いという現実を突きつけられているような気がしたのである。むろん、今の日本人が酷いという話には留まらない。この酷い人間に私も含まれていることに絶望したのであった。

それでも『全体主義の起原』を何とか読み終え、ハンナ・アレント、ジェローム・コーン編『政治の約束』(二〇〇五年、高橋勇夫訳、筑摩書房、二〇〇八年)へ読み進めていったのであった。ここでの落雷に体が貫かれたようなショックを私は忘れることができない。

ギリシアの哲学がほんとうに始まったのはプラトンとアリストテレスが出現してからにすぎず、しかも彼らが活動したときポリスとギリシアの歴史的栄光は終焉を迎えていた。(三五頁)

私は哲学とは第二次世界大戦時に死んだと思っていたのだが、すでに終わっていたのだ。ポリスとギリシアの歴史的栄光の終焉とは何か。

> ソクラテスが彼自身のドグサ（引用者註・意見）をアテナイ市民の無責任な意見による検討に委ね、そして多数決によって敗北するという場面を見せつけられて、プラトンは意見を軽蔑し、絶対的標準（スタンダーズ）を渇望するようになった。（三八頁）

ソクラテスは対話を重視する哲学を展開した。しかし、アテナイの市民はそれを拒み、「民主主義的」な「多数決」を選んだことに、プラトンは絶望したのであった。この一文から、われわれは何を考えればいいのだろうか。民主主義とは何だろうか。そのような私の疑問と共に、アレントは重要な論考を示す。

> 現代の政治に対する私たちの偏見の底には希望と恐怖が横たわっている。すなわち人類（ヒューマニティ）が政治と今や政治の思いどおりになる暴力（フォース）手段によって、自らを滅ぼすかもしれない恐怖と、その恐怖につながっているのだが、人類は正気に返って世界から政治――人類ではなく――を一掃してしまうだろうという希望のことである。政治を一掃しうるのはある種の世界政府だろう。それは国家を行政機構に変えて政治紛争を官僚的に解決し、軍隊を警察部隊（police forces）に切り替えるだろう。もし政治をありきたりに定義して支配者と被支配者の関係とするなら、もちろんこの希望はまったくの夢物語である。そうした観点で言えば、私たちが最後に手にするのは政治の廃棄ではなく、膨大な範囲の独裁主義（ディスポイズム）になるだろうし、そのもとでは、支配者と被支配者を分かつ溝はとてつもなく深くて、被支配者が支配者を制御する形態など何一つとして考えられないだけではなく、いかなる種類の反逆ももはや不可能になるだろう。（一一八頁）

「序文」によると、本書は「一九五〇年代にかなり綿密に計画され、しかもその綿密さの度合いは日ごとに増していたというのに、その後破棄された」（七頁）原稿だという。つまりアレントは一九五〇年代、すでに現在のアメリカの姿、新世界秩序を予言していたことになる。これを驚異だという以外、何があろうか。哲学の真髄だとも言えよう。「いかなる種類の反逆ももはや不可能」になった今日、われわれはアレントから何を学ぶべきか。否、われわれはアレントから学ぶよりも、自分たちで考え、模索していかなければならない。

新自由主義

新世界秩序の発端はアメリカなので、冷戦後のアメリカの動向に注意を払えばどうにかなるのか。私はそのように考えていたのだが、それほど甘くはなかった。日本はアメリカに逆らえないのに、またアメリカに戦争を仕掛けようとしているという噂をよく聞く。江戸後期に開国を迫られ屈し、太平洋戦争にも敗北した恨みは根強いという説がある。どうなっているのだろうか。この疑問に答えてくれたのが、『右傾化する日本政治』(岩波新書、二〇一五年)であった。著者の中野晃一(一九七〇年〜)は、国際的な政治研究者である。

中野は日本の今日に至る状況を、端的に説明する。中野が注意を払うべき事項とは、世界的な動向である「新右派」と国内的な傾向である「国家主義」であると指摘する。

「新右派」すなわちNew Right(ニュー・ライト)という言葉は、一九七九年にイギリスで政権についたマーガレット・サッチャーや一九八一年にアメリカ大統領に就任したロナルド・レーガンら、日本の中曾根と同じく一九八〇年代の冷戦末期を率いた新しいタイプの保守政治家を指して使われた。(八頁)

すでに四〇年前から、この潮流は存在していた。

一九八〇年代の本、例えば前述の『広告批評大会』を読むと、「中曾根は酷い奴だ、だが愛嬌がある」という記述が多く見られる。圧巻なのが編集部編の「不沈総理の人気の秘密」(三七七〜三九二頁)である。七つのコピーによる解説の中で「五、中曾根サンは〝脱・石炭時代〟の政治家である」「六、中曾根サンはマスコミが作ったヒット商品である」が象徴的だ。今日の安倍総理に対する批難が殺到している状態に対して、当時の国民は緩やかに感じている。中曾根首相の動向が、今日の新自由主義とつながるとは夢にも考えられなかったのであろう。

中野に戻る。「日本における新右派転換は」「「新自由主義（ネオリベラリズム）」と「国家主義（ナショナリズム）」の組み合わせによって形成されている」。「「新自由主義」は「個人や企業の経済活動の自由を掲げ、そのために政府や社会、労働組合などによる介入や制約を排した自由市場や自由貿易を推奨した、いわゆる「小さな政府」論である」（一一頁）。「総理大臣と内閣官房（いわゆる首相官邸）への権力集中もまたきわめて重要である」（一二頁）。個人や企業は政府や社会、労働組合に制約されず自由に利益を追求することができる。

国家主義と呼ぶのは、ナショナリズムの一形態であることは間違いないとしても、国民（ネーション）の統合、主権、自由よりも、国家（ステート）の権威や権力の強化が優先する傾向が顕著であるからである。国家権力を内外で強大なものとすることを目的に、国民意識や感情（ナショナリズム）を煽る政治手法が手段として用いられる。（一四頁）

国民不在で日本が他国に負けないために一致団結する。個人や企業は自由であるからこそ、「小さな政府」として日本のために尽くさなければならない。

中野は、新自由主義と国家主義をキーワードで図式化する（一八頁）。この件は箇条書きではわかりにくいので、ぜひともこの本を入手して確認してほしい。まずは新自由主義である。「〔グローバル企業〕都市無党派層、金融業、エコノミスト、メディア、新エリート官僚。〔市場経済〕小さな政府、規制緩和、民営化、競争原理、勝者総取り」。国が国民のために経営する事業は消滅し、民営化された鉄道や郵便局は日本のためにその利益追求に没頭する。ここに民主主義や弱者を守る制度は見当たらない。強い者がより強くなるシステムだ。

国家主義はどうだろう。「〈国家（国柄）〉「日本固有の」伝統・道徳・文化、「正しい」歴史認識、愛国心、憲法改正、軍事力の増強、領土・拉致問題、「伝統的」な家庭／ジェンダー感。〈日本人〉右翼知識人・著名人・メディア、日本会議・宗教右翼、ネット右翼」。「美しい国日本」、南京虐殺はなかった、戦後憲法はアメリカが創った、自国を自衛しなければならない、ネトウヨ、ヘイトスピーチ。新聞、雑誌、ネットニュースを見なくとも、日常に感じる事項で一杯だ。われわれは、このような状況に生きていることに慣れている。

ここで見逃してならない事項は、「「正しい」歴史認識」である。抽象的な事例を挙げるのではなく、明確に表記すれば「歴史修正主義」であるということができよう。アジア諸国と大東亜の時代の記述について教科書問題で揉めるだけではなく、拉致事件もうやむやのまま、海外で殺害された日本人がいても「自己責任」と問題がすり替えられ、すでに記憶に残っていない日本人が大半ではないだろうか。日本では「過去を忘れる」ことが一つの美徳のような雰囲気があるが、それに輪をかけて歴史修正主義が横行していると私は思う。

ここで注釈として、社会学者、桜井哲夫（一九四九年〜）の指摘を引用する。

資本主義社会の究極の理想は、「無家族」です。家族という、システムにとって非効率な中間領域を解体して、バラバラの個人そのものを管理するほうがずっと楽だからです。（中略）

家族のさまざまな機能（しつけ、教育、介護、生産活動）などはしだいに外部の制度に譲り渡されてきました。外の社会の価値観が家族のなかに浸透し始めました。

『〈自己責任〉とは何か』講談社現代新書、一九九八年、二九頁

国がよくなるためには、家族という最も重要な共同体ですら解体されていく。家族でやるべきことが「外注」され、家庭の中に世間のさまざまなシステムが入り込んでいく。われわれは何のために生き、何のために生活しているのかわからなくなる。世間では終活として人生の片付けを自分ですることが美徳とされる。常識

が移り変わっていく。このような動向をつぶさに観察し続けなければならないだろう。われわれの生きる本質がずれ込まれ、すり替えられ、まったく違うものにさせられてはならないのだ。

新右派連合

中野が定義する新右派連合の特徴を、同様の箇所から引用する。この項目は最重要であり、詳しく検討する必要がある。

・悲観的（リアリスト）な社会観
・反共産主義（反中国）
・反「戦後民主主義（戦後レジーム）」
・「『改革』のレトリック」

（一八頁）

悲観的な社会観

まず検討するのは「悲観的な社会観」である。ニュースを見ても悲観的で、希望が持てない。ヘイトスピーチはだれが行なっているのだろうか。本当に一部の右翼のみなのか。政府の言うことは脅迫ではないのだろうか。それほど、われわれは悲惨な時代を生きているのか。生活は清潔で、スマートフォンがあり、飢え死にすることはほとんどない。それなのに、われわれは必死に働かないと食っていけないと煽られているではないか。自分は大丈夫、富裕層、相手は駄目、貧困層だと思い込みたくて仕方がないのではないか。

これだけ裕福な時代に生きているのに、なぜこのような感触を受けるのだろう。敗戦後は国全体が貧乏であっても人間味があって温かった。駅にエレベータやエスカレータがない時代に、階段を上り下りするお年寄りの荷物を持ったりしなかったか。このような戦後民主主義を否定する流れもここには含まれているとしても、われわれはどうすれば幸せなのか。お金や物がなくとも、幸せでいてはいけないのか。いけないのである。われわれは常に脅迫され、脅え、仲間外れにならないように、身を縮めながら死を待つように生きている。

だれがわれわれを脅迫するのか。私はアレントの『全体主義の起原』で、それはわれわれ自身でもあることを学んだ。だれもが「自分は正しい」と信じている。新幹線の中で肉まんを食べるのは非常識である、禁止されていないのだから自由ではないか。スーパーでスマートフォンを見ながらベビーカーを通路に展開するのは邪魔だ、こちらは子育てを一生懸命やっているのに理解がない。年寄りが道路の横断に時間がかかるので事故が多発する、自分は若者よりも長く生きているのだから偉い。権利とは、義務を果たした上で成り立つはずだ。

われわれ同士の諍いだけではすまされない。スマートフォンを見ると常に広告が押し寄せてくる。これを買わないと時代に乗り遅れる、こうすればさらに生活が向上する、今買わなければ得をしないといった従来の広告戦略だけではない。あなたの不幸はこうすれば解決できる、あなたが幸せでないのはこの占いが解決する、あなたは気づいてないだけで損をしているといった、心の隙間を突かれ、思わずクリックしてしまう場合もあるのではないか。それが「動画」という形で来るのだから、われわれは眼も心も奪われてしまう。

私はこういった広告に無反応であるから思っているのだが、例えばセルフPRのために有効な役割を果たすSNSそのものもまた、広告なのである。LINE、Instagram、Facebook、Twitter、Gメール。アプリを開くとそのロゴを何秒か見させられる。これこそこのアプリを使用している充実感を感じさせるための広告なのである。私はSNSのヘビーユーザーであるにも関わらず、この広告＝脅迫に耐えられず常に目を背けている。それならばSNSは悪か。そうとも言い切れない。「使い分ける」必要がある。

私はいくら批評を書いても、媒体がウェブであるとすぐに批評性が消滅し、単なる広告に陥ってしまうことに疑問を呈していた。その答えが明らかになった。理由は二つあり、一つは「小さな政府」で、後述する。もう一つは、モニターで見る情報がすべて広告になることだ。夜道でスマートフォンを見ている人を観察するといい。物凄い光が顔全体に浴びせられている。今日ではあまり見かけないが、敗戦後、ネオン広告が重要な役割を果たした。あの莫大な点滅する光を個人が浴びていることを、忘れてはならない。

　点滅する光は視覚だけではなく脳にも相当の影響を与えていることは、いちいち研究事例を挙げる必要はあるまい。音で言えば警告音をヘッドフォンで聞かされ続けているようなものだ。それが四六時中行なわれているとすれば、五感、脳だけではなく心が壊れてしまうことなどだれにでも想像がつくだろう。残念なことに、われわれはすでに心が壊れてしまっているのである。モニターで情報を拾い上げることが当たり前になっている。それどころか、駅や車内の広告が紙ではなくモニターに入れ替わっていく。動画が当たり前となる。

　われわれは古代人に還ることはできない。しかし、人間として生まれたのだから、いくら能力が低下したとしても、人間の器官が大きく変化することはない。ふさがれていない耳＝聴覚は、目に見えない遠くの変化や攻撃を捉えることができる。それでも視覚は結構遠くを見渡すことができるから、ヤバイことになったら一目散に逃げる判断がつく。触覚とは触れて理解することではない。感じることである。しかし足の裏や背中など、鈍感な箇所もある。嗅覚、味覚は毒が体内に入らないようにする、究極の感覚である。

　それが今日ではどうか。耳をヘッドフォンでふさぎ、眼の前にモニターをかざし、聴覚と視覚が麻痺しているため触覚に気づかず、嗅覚と味覚はファストフードとインスタント食品という「新世界秩序」的な味に慣らされ、判断がつかなくなっている。このような感覚から、われわれは一歩でも抜け出る努力をしなければならないのではないだろうか。それができなければ「敵」がやってきたことに気づかず、食い物にされたり奴隷以下の扱いを受けたりすることになるであろう。ゆくゆくは、命すらもとられる破目になるかも知れない。

このように書く私は決して聖人ではない。むしろウォークマン世代であり、スマートフォンも駆使しているし、三〇歳くらいまで食事にまったく興味がなかった。憧れの冷暖房を二五歳くらいで手に入れた頃は真夏でも真冬にして湯豆腐を食べていたものだ。徹底的に酷い生活をしていたからこそ、このような発想に至ったに過ぎない。だからヘッドフォンやモニターなど「間違っている」とは言い切れない。ただ「気がついてやめたほうが人生を考えることができる」に過ぎないことを注記しておく。

よくよく考えればこのような状況は、日本では敗戦後、すぐに始められていることに今さら気づく。戦後民主主義は確かに利便を求めた。それでも魚屋にはハエ取りテープがぶら下がっているのが当たり前だったし、ラーメン屋に入れば顔と好みを覚えていてくれて各人の味を微妙に変えていたし、「サービス！」と言って大盛にしてくれる店もあった。今でも私のまわりには辛うじて存在する。飲食店だけでなくとも町の中で、人とのつながりで、それこそ芸術の世界ではまだ満ち溢れている。画一化したら大変なことになる。

そうはいえども、やはり画一化は進んでいる。今日、魚屋を探すのも大変で、あったとしてもハエが飛んでいたらアウトであろう。横浜の専門学校で教えていたとき、生徒が原宿に初めて行って、イタリアンレストランのチェーン店を見つけて「安心」したそうである。大人もそうであろう。私などは東京以外の場所に行けばそこでしか食べられないものを探すが、多くの友人は海外に行ってもチェーン店のほうが好きと言う。いつでもどこでも同じであることを否定はしないが、これこそ新世界秩序であろう。

画一化といえば、この本の最初のほうの「時空の超克」で私は「ポスターや絵画とは、実は世界中の美術館を巡回してもその場所でなければ効力を発揮しない」と、いくらウェブでポスターや絵画を見ても効果が上がらないという意味で書いたが、新世界秩序と新右派連合が蔓延すれば、画一化が進み、絶大な有効性を帯びる可能性を否定できなくなる。その頃とは人間すべてが画一化され、みな同じ服を着て職種によって同じ行動をし、AIに仕事を取られるどころか人間がAIに化している姿が想定される。それでいいのか。

悲観的な社会、脅迫的広告、スマートフォンと五感の関係性、判断がつかない感覚による画一化と話題がスライドしたが、いずれにせよ、われわれの身に覚えがあることである。中野晃一の考察が犀利であることをよくわかっていただけると思う。創造者もまた、見えないプレッシャーに怯えて制作している。それは発表場所の管理者、コレクターや立ち会う者、マスコミ、批評者、生徒も先生も、芸術に関わるすべての人間に当てはまる動向であることを理解していただけたと思う。それならばどうするか。

反共産主義

「反共産主義（反中国）」に関していえば、日本は以前から反共の要素があるし、今日留学生、観光客が日本を目指してくることに対しての「単一民族」的戸惑いは連日のニュースや日常生活の中で見えるので、その複雑な構造を私は解読することができない。もっと深いところに何かがあるのかもしれない。前出のジャック・アタリは、中国が力をつけるには人口が多すぎるのでまだまだ時間がかかると述べていたが、私はもっと早く中国に実力がつくような気がする。それでもアタリの指摘どおり、世界のリーダーになることはないだろう。

それよりも気がかりなのは、日本が未だ外交に力を注いでいない点にある。選挙になると常に年金、医療、保険と国民は身近な事象に敏感で心配をしているので、そのような政治を行なうと立候補者は公約する。外交がスムーズにいくことを挙げている例を、私が勉強不足からかもしれないが、聞いたことがない。ニュースを見れば、やはり外交が苦手であることが露出する。今のうちから英語を勉強しないとビジネスどころかこれからの世界に生き残れないと「恐喝」されている気がして、外交の本質に迫ることはなかなかない。

そして私が一番気にすることは、反中の方々は中国人の知り合いがいるのだろうかという点にある。身近に中国の人がいて、話してみて本当に嫌な奴であったのであれば致し方ない。まったく知り合いがなく、会ったこともないのにそういう「イメージ」ではかっているのであれば、それこそ問題だと思う。個人ではなく人種で判断することとは、ナチズムのユダヤ人排除について悪く言えないのではないだろうか。中国、韓国、台湾、北朝鮮の人というだけで差別することもまた、「悲観的」な見解に過ぎないのではないだろうか。

アレントは前出『政治の約束』の中で、次のような考察を行なっている。

> 神は人間を創造したのではなく「神は男と女を創造した」と語る『創世記』の言葉に示されている人間の複数性は、政治的領域を構成するものだ。（中略）人間それ自体などという代物は存在せず、絶対的差異性において同一（the same）である、すなわち人間的である、男と女しか存在しないのだ。（九〇～九一頁）

それにも関わらず「私たちは、人間（ヒューマン・ビーイング）を生み出す代わりに、自分自身の姿に似せて人間一般（マン）を創り出そうとするのである」（一二四頁）。人間一般など存在しない。人間は男と女の差異を見出すことによって、年齢、人種、生活、地域、生活、習慣等、同じ人間など存在しないことをわれわれは理解する。一人ひとりの個人を尊重することにしか、第二次世界大戦後の世界に希望は見出せない。アレントは「人間と人間の間の空間」にこそ「あらゆる人間的事象が営まれる」（一三八頁）ことを指摘する。そして「政治の目的は『人間』というよりも、人間と人間の間に生起して人間を越えて持続する『世界』」（二〇七頁）であることに勇気を見出す。

反「戦後民主主義」

アレントは『全体主義の起原』の最後でも「始まりとは実は一人ひとりの人間なのだ」（三巻、三二四頁）ということを明記する。どのような人種でも身分でも性別も関係ない。それぞれがそれぞれを認め、自らの尊厳を守る世界。それこそ、民主主義のはずではなかったか。新右派連合は、敗戦後の「民主主義が間違っていた」として、戦後民主主義を「なかった」ことにしようとしている。ここで作用するのが「歴史修正主義」である。過去の人類の歴史を自分たちの都合のよいように改竄し、知らん顔するのである。

それどころではない。歴史修正主義に慣れてしまっているわれわれは、歴史を知る本来の意味を忘れてしまったり、学習されなくなってしまったりしているのである。確かに小、中、高で「歴史」の授業はあった。しかし、そこで学んだ歴史はまるでモニターの彼方にあるような「架空」の歴史に感じてしまっているのではないだろうか。その歴史の積み上げによって、われわれは現在の姿を留めているというリアリティを喪失しているのではないか。

例えば美大に入ってきた学生が、東山魁夷（かいい）どころか岡本太郎すら知らない現状に呆れる場合が多く見受けられる。自分が好きなアーティストがいて、憧れて、その周辺を自分で調べて、その上で絵描きを志し、大学に入る。そのような必然性はもうなくなっている。ＳＮＳで見た作品が好き。このように描きたい。それが若者のリアリズムなのである。池田龍雄や加納光於（みつお）が戦時中に雑誌のグラビアで見たヨーロッパの作品に憧れたように、今日の若者にとっての憧憬は、歴史のないＳＮＳの中にあることはかわりがない。

われわれのようないい大人も、すっかり歴史修正主義に馴らされてしまっている。ちょっと前までは、大切な人からの手紙などは、大切に保管していた。その癖が抜けず、パソコンが登場した頃にはメールを丹念にフロッピーディスクへ残していた。ところが馴れてくると、パソコンなどすぐにクラッシュしてしまい、保存する暇もなくメールなど簡単に失われる。いつの間にかメールそのものの重要性がなくなり、人とのやりとりも適当になる。やりとりが適当であるということは、関係性という歴史を顧みなくなる。

つまりわれわれが自ら歴史修正主義者に陥っていて、そのことに気がついていないことがわかる。大東亜戦争どころか、北朝鮮拉致、ＩＳによる日本人殺害と「自己責任」、アジア慰安婦、阪神大震災、オウムサリン事件、東日本大震災と福島第一原子力発電所崩壊など、挙げても切りがない。われわれは「ああ、そういうことがあったな」くらいの認識しか持ち合わせていないどころか、すっかり「忘れて」しまっている可能性が高い。ドイツのダッハウ強制収容所を訪れた際、教師が教え小学生が熱心に聞いていたことが忘れられない。

つまり大人も子どもも縦横のつながりを持つことができず、ぽつりと孤独にその場しのぎの生活を繰り返していることになる。過去から学ぶこともなく、連続して未来に思いを馳せることもなく、未来に希望を持つことさえ知らない。すべてが一過性に過ぎ去っていき、その過程に身を置いていることに疑問を持たない。大学卒業者が企業に就職するようになったのは、闘争の季節が過ぎた一九七〇年頃であった。一九八〇年代には労働組合が解体され、ウェブの時代に家族すら崩壊している。

ここでもまたウェブが問題になってくる。SNSはこれまでの新聞やラジオ、テレビの一方的な報道に比べてこちらからも発信が可能となり、相互関係が結びやすくなった反面、発信者は言いたい放題、受信者は自分の都合のよい情報しか見ないし時には信用すらしないという、人間関係が瓦解している状態にある。常にいつ襲ってくるかわからない「不景気」「失業」「仲間外れ」に脅えている状態にある。そこに「悲観的」な報道が押し寄せ、「反共反中」でストレスを解消するという状態が繰り返される。

「小さな政府」は、責任転嫁を助長する。今日の日本人の大学進学率は、ベビーブームが過ぎ去り子どもがいないというのに五三％程度らしい。大学は高校を、高校は中学校を、中学は小学校に対して「何を教えてきたのか」と問い、教師は親を、親は教師に責任を押し付ける。私は同時期にさまざまな友人と話した。二〇代後半の事務職員は「上が何も教えてくれない」と、四〇代後半のサラリーマンは「下が何もできない」と、六〇代前半の経営者は「下はすべてよくわからないが働いてくれればそれでいい」と話していた。

だれもが、自分のこと以外に興味を失いかけている。自分の努力が報われることは決してないので、それ以上のことをしない。自分のことすらしないのだから、人がどうなろうと関係がない。革命など、知らない。このような状況の中で唯一の救いが、「改革」だ。国がわれわれを救ってくれるのに、責任は取らない。すべてが自己責任である。この状況下を立て直すには個人では無力であり、国が根底から変えてくれなければ何もならない。このような発想は日本だけではなく、アメリカを筆頭に、世界各地に蔓延している。

「「改革」のレトリック」に移る前に「反「戦後民主主義」」を端的に示す事項として、神奈川県立近代美術館鎌倉本館（以下、本館）が消滅した事実を、簡単に指摘しよう。本館は美術館の財政難でも、土地の所有者の鶴岡八幡宮との契約が切れたためでもなく、神奈川県が県緊急財政対策として「神奈川臨調」を発令したことによってなくなったことを忘れないようにする必要がある。この点に関して、具体的な報道がなされることはなかった。なぜこのような事態に陥ったのか、理解できなかった方々は多いであろう。

神奈川臨調とは二〇一二年三月に設置された県緊急財政対策本部（本部長・黒岩祐治知事）に助言する外部有識者調査会。「県が現下の厳しい財政状況を踏まえ、法令や制度など行政のあり方そのものに踏み込んだ抜本的な見直しを行い、中長期的な展望の下に今後の政策課題に着実に対応できる行財政基盤の確保を図るための検討を行なうにあたり、意見を述べる」としている。呼称については「大改革を成し遂げた起爆剤となる強い思いを込め、かつて国鉄民営化などを進めた土光臨調になぞらえたものだ」と黒岩知事が発言した。

（中略）

「二〇一二年五月二七日開催の第二回会合で県立図書館、神奈川県立近代美術館など県民利用施設一〇七ヵ所、保健福祉事務所など一三二の出先機関、十五の社会福祉施設（学校と警察を除く）を対象に「三年間で原則全廃する」方向を打ち出した。団体補助金については、一九八八年以前に制度化された補助金や少額のケースは全額廃止、それ以外のすべてをいったん凍結し、「ゼロベースから新たな補助制度を作る」とした。

『オピニオン 神奈川臨調を考える』新かながわ社、二〇一三年四月

県立図書館は内部の司書たちが図書館やウェブを通じて県民にアンケートを実施、保留となった。神奈川県立近代美術館に対しては二〇一三年二月十八日知事会見「緊急財政対策の取組状況」で、「鎌倉本館を廃止し、葉山館及び鎌倉別館へ集約化」とされ二〇一六年三月末日、実際にそうなった。報道では坂倉準三による「近代の歴史的建造物」が強調されたが、そうであるなら移築という選択肢もあったはずだ。私と『新かながわ』は報道を続けたが多くの人に届かなかった。

私はこの頃、一九五一年に開館した、国内初の公立の近代美術館を潰すことによって他県の自治体が前例として従い、日本の公立と近代美術館が消滅するのではないかと考察していた。なぜ美術館を潰すのか。世界的動向を見ても、アメリカのニューヨーク近代美術館、パリのポンピドゥーセンター、イギリスのテイトモダンと、一国に大型美術館が一つあればこと足りる近年の状況が前提となっているのではないかと考えた。それはそれで間違っていなくとも「新右派連合」が前提になっているとは勉強不足で知らなかった。

ダニエル・ビュランが一九八一年か八二年に来日した際、一九七〇年に比べて、「日本は、美術館はあちこち増えて、画廊も増えて、現代美術は、これからますます前途洋々だという講演をしたわけです。そのあとのパーティで、あなたの言ったことは、全然違うんだ。美術館が増えても、ピカソとかミロとか同じようなコレクションをしているし、死んだ作家しか扱わないし、受け手のほうは、文化的飽食というか、情報過多で、食べる前から腹一杯になったような感じで、あまり見に行かない。むしろ同時代の作家が何をやってるか、全然知らない。知ろうとしない困った状況なんだという話をしたんだ。なるほど、それは困るねと言うんだけれども、僕は、その話をしながら、パリへ行くと、今度は、アングルのこういう解釈の展覧会がグランパレで開かれている。新しい資料が出てきて、君は見たか、ということをあちこちのカフェで言って、文

化的飽食じゃないいんだよね。

針生一郎「一九八九・発言・討論　文化的飽食」、榎本了壱監修『アーバナートメモリアル』（ＰＡＲＣＯ、二〇〇〇年、一六七頁）

この八〇年代前半の針生（はりう）の所感は、今日とはまた異なる見解ではある。今日では飽食が当たり前となり、あっても食べない、という感覚に陥ってしまっている。ただ、パリと比較した部分に関しては、この傾向は今日の日本でも続いているということはできよう。しかし重要なのは、今日では「われわれ」が選択するのではなく「政府」が選択を迫っていることの違いである。それは八〇年代どころかそれ以前からそうなのかも知れないが、今日の動向は、あまりに顕著であることは少なくとも理解できるのだと私は思う。

今から見れば「新右派連合」の力によって、本館が「集約」されてしまったと見ることができる。劇場法、ライブハウスの位置付け、体育教育におけるダンスと武道など、これからもさまざまな方面で法律が改変され、新たな流れへと向かっていくのであろう。このようなとき、われわれは本質を見抜き、自己の意志を貫き、人類のこれまでとこれからのために仕事をしなければならない。絶望しているだけでは駄目だ。もっと大きな視野の裾野を拡げなければなるまい。それができなくとも、できることを信じることから始めよう。

「改革」のレトリック

夢のない今日において、われわれはもはや政府による「改革」のみを信じて生きていくしか手段がないことは、先に記した。これまでも国鉄からＪＲ、郵政民営化、国立美術館の独立行政法人化、美術館や劇場の指定管理者制度、特に神奈川県立近代美術館葉山のＰＦＩ（民間資金・サービス活用）など、さまざまな改革が成し遂げられてきた。それにより人が集まるようになった、サービスがよくなった、暗い印象から明るくなったので行きやすくなって「よかった」という話を聞くことがある。物事にはいい面悪い面があるのだから、どのようにも考えられる。

私がここで考えたいのは「小さな政府」である。中野晃一を再度、引用する。「個人や企業の経済活動の自由を掲げ、そのために政府や社会、労働組合などによる介入や制約を排した自由市場や自由貿易を推奨した、いわゆる『小さな政府』論である」（一一頁）。「国民（ネーション）の統合、主権、自由よりも、国家（ステート）の権威や権力の強化が優先する傾向が顕著であるからである」（一四頁）。個人や企業は自由であるが、国民のためではなく国家のために奉仕する。それが、「小さな政府」なのである。

われわれは言論の自由のために、国家や企業に頼ることなく自由に情報を発信し、発言し、受信するシステムとしてSNSを使っていると思い込んでいるが、実は、SNSこそ「小さな政府」に最も加担していることになる。SNSは端末さえ持っていれば、世界中のどこの場所にいても同じように情報の送受信が可能である。それは、世界のどこへ行ってもアメリカの企業があり、同じ味のものを口にするのとも等しい。自分のためが、結局は国家の手中を抜け出せないどころか、国の宣伝をしている。

このことに気がついたのは、学生の研究計画書をチェックしている際である。学生は研究計画書に、以下の文献を引用した。「津久井（二〇一八）は原研哉とのインタビューにおいて原から「グローバル化すればするほど逆にローカルな固有文化の価値への注目が集まり、移動しながら文化の多様性を享受することが豊かさになっていく」とのコメントを引き出している」。元文献は津久井悠太「1泊50万円以上払える海外富裕層を取り込め—デザイナー・原研哉氏が語る日本の潜在力」（日経ビジネス、二〇一八年）。

学生は「ローカルな固有文化の価値への注目」を強調したが、私は「移動しながら」に注意した。「移動しながら」、つまり、飛行機の中でSNSを見て、その場に行くことなく「文化の多様性を享受する」。SNSの写真を見るだけで、その文化がわかったことになってしまう。このような事例と似た感覚を、われわれは日々、感じていないだろうか。一九八〇年代の「ふるさと創生」やジャン・ボードリヤールの『シュミラークルとシミュレーション』（一九八一年）のようなメディア論を遥かに凌駕する制御がなされていることに気づくべきであろう。

このようなSNSの、世界の一部を切り取り都合よく解釈する方法論に、私は限りなく「小さな政府」を感じてしまう。SNSだけではなく、ウェブ検索エンジンに対しても、警戒しなければならないと感じている。私は研究の一環で、例えば一九四五年以降の新聞文献の調査の際には図書館でマイクロフィルムを一枚ずつ見て、小さな展覧会評などの記事を探す場合がある。目も疲れるし、とてもシンドイ作業ではあるのだが、周辺の記事を読むことによって、その時代の細かい事実と触れ合うことができる。

今日の新聞文献調査では、キーワードを入れれば瞬時に検索結果が出てきて、とても便利である。さらに、モニター上に、該当箇所がアップで出てくるので、マウスをクリックすればその場所だけのコピーが可能となっている。確かに便利ではあるのだが、それしか情報を得ることができないことについて、何か納得がいかない。自分が知りたいことだけ知れればいいのか。かといって、すべての事項について知りえるわけがない。限度はある。新聞に目を通しても、自分に興味があるところしか実は見ていない。この矛盾をどう考えるべきか。

このように具体的な調査対象があればいいが、抽象的なことをウェブ検索することは、実は至難の業である。キーワードを知っていれば便利だが、知らなければどう頑張ってもその事項に到達することができない。例えばピカソのことを知りたいとする。しかしピカソの名前や「西洋近代絵画」というキーワードを知らなければ「変な顔」「目がホッペについている絵」などと検索してみても、絶対にピカソに到達することができない。キーワード検索は無限のようで、実は最小限に限られ、管理されてしまっている。

無名な創造者を検索して出てくるかと思ったら、自分の記事だけであったりする場合が多々ある。このように考えると、やはりウェブとは広告の感触が強いのである。私が先に「いくら批評を書いても、媒体がウェブであるとすぐに批評性が消滅し、単なる広告に陥ってしまうことに疑問を呈していた。その答えが明らかになった。理由は二つあり、一つは「小さな政府」で、後述する」と書いた理由がこれである。もっと拡張して言えば、ウェブは「小さな政府」と深く関わって存在している。それを前提に、使うべきだ。

「新世界秩序」と「新右派連合」まとめ

まとめてみよう。まずは世界中の衣食住すべてが画一化される危険性を孕む「新世界秩序」の時代がやってきて、世界中がこの潮流に逆らうことができない。日本の場合、世界的な「新自由主義」と国内的な「国家主義」が融合した「新右派連合」が力を持っている。「新右派連合」の特徴は「悲観的（リアリスト）な社会観」「反共産主義（反中国）」「反「戦後民主主義（戦後レジーム）」」「「改革」のレトリック」と四つあるが、特に注意を払わなければならないのは、「小さな政府」と「歴史修正主義」である。

「小さな政府」と「歴史修正主義」のためにわれわれは「考えてはいけない」ので、過去を知らず、現在と未来に夢を持てず、責任を果たさず、追い立てられるように暮らすしかなくなっている。私は二〇一一年の横浜トリエンナーレ展評の見出しを「ユートピア以後の世界」とした。すべてが実現し、満足し、これから何がやってくるのであろう。私はこの頃、「新世界秩序」も「新右派連合」も知らなかった。今日から振り返ると、すでにこの頃には近現代は終わっていたのだと気がつくのであった。

私のこの論考自体、「反「戦後民主主義」」の流れからすれば抹殺すべき内容なのであろう。私は近代がよかった、戻りたい、戻るべきだと顧みたり、「新世界秩序」と「新右派連合」は危険だと警告を鳴らしたりしているつもりはあまりない。むしろこの現状を明確に自覚し、事実として受け入れた上で、これからどのようにすればいいのかを考えていくことを、「考えてはいけない」時代に提案しているのである。思い出してほしい。「いい時代」など、人類の歴史上、ありえないことを。

確かに第二次世界大戦以後の民主主義の時代は、衛生面も向上し、機械も発達して人間の寿命が延び、幸せな時代だったのかも知れない。しかしそれは戦勝国が特に有利であり、敗戦国の日本、ドイツ、イタリアなどは相当の苦労が耐えなかった。戦勝国のイギリスであってもドイツに対して「辛うじて」の勝利であり、アントニー・ビーヴァー『ベルリン陥落 一九四五』（二〇〇二年、川上洸訳、白水社、二〇〇四年）を読めば、焼け野原のロンドンの様子が詳細に描かれている。戦勝国も敗戦国も、平和を願って活動した。

そのような活動を経て出てきたのが、「新世界秩序」と「新右派連合」である。人間は限りなく愚かであり、第二次世界大戦以上の苦しみを生み出そうとしている。人間の愚かさは今日に始まったことではない。旧約聖書の『ノアの箱舟』を思い出そう。神は人間を産み出したが、あまりに愚かなためにノアと動物たち以外は洪水で流してしまった。そのように考えれば、第二次世界大戦後のわずかな時間が本当によかったのかも再検討しなければならなくなる。いずれにせよ、近現代が終焉したことは認めなければならない。

私がこの点に気づいたのは、乱読だけではない。他の学問に注意を払ったからである。新聞を読んでも政治経済は知りえない。現代美術館へ行けば現代美術についてわかるわけではない。それ以外の場所から、事物事象の本質を探る必要があるのだ。そのためには、特に講演を聞くこと、次に本を読むこと、そして自らが考えることが不可欠となってくる。私は「新自由主義」という政治用語を聞くだけで耳を塞いでしまったのが、つい最近の話である。それではいけないと気がついたのは、考えた末である。今からでも遅くない。

今道友信（一九二二～二〇一二年）

この原稿を書きながらも、私は毎日、読書を繰り返している。集中して書いているからこそ、読む本と運命的な出会いを果たしてしまう。運命的に出会ってしまうからこそ、これまで怖くて読んでこなかった本を読む。それが今のところ、今道友信、佐伯啓思、ヨハン・ホイジンガ、オルテガ・イ・ガセットである。原稿が終わるまでに、さらに増えてしまうかも知れない。本だけではなく、それは美術、舞台、音楽なのかも知れない。いずれにせよ、順序が前後しても最新の情報をここに反映していくつもりだ。日々、学ぶしかない。

今道友信は、一九二二（大正十一）年生まれ。東京大学文学部教授、美学芸術学担当。アリストテレスの全集の翻訳と註釈をするくらい西洋哲学の本質を学びながらも、東洋美学についても探究した。私は創造者、横尾龍彦（一九二八～二〇一五年）の展覧会記録集をこの原稿を書く前に編纂した。横尾は今道と通じていたらしく、気になっていくつかの本を読んで愕然とした。今道は二〇一二年に亡くなっていて私は会ったことがない。

例えば小川英晴編著『芸術の誕生』（彩流社、二〇〇三年）である。詩人の小川がさまざまな分野の専門家と対話している。その中の一人が今道だ。私は本書を分野の横断として読んだので、今道を意識していなかった。今道はここで衝撃発言を繰り返している。

考えると我々のこれからの世界でも見えないものは二つあるような気がします。つまり、遠くてあるいは亡びてしまって見えないものと、本質的に見えないもの。神様とかそういう絶対的存在。詩はそういう見えないものにも関わっているのではないか。

（五七頁）

いきなりのオカルト発言である。「見えないもの」との対話を重要視するのは、横尾龍彦であり総合芸術の及川廣信である。この三者が深くつながっていることに気がついたのだが、三者共にもうこの世にいない。しかし、横尾の絵画と今道の書物を探れば、そのヒントは必ず読み取ることができるのではないかと私は感じている。その成果を、及川と共に深めることができればと願っているのである。科学万能の時代だからこそ「目にみえないもの」を追求する必要が生じているのではないだろうか。

美という言葉自体、漢字で言うと羊が大きいとなります。これには深い意味があってね、犠牲が大きくないと出てこないものが美だというような気がしてなりませんね。描いた人たちや詩を作った人たちは大変な苦しみを自覚して、その苦しみに打ち勝とうとして作っているのではないでしょうか。美は僕にとってクリエーションの最大の目標のような気がするんです。（七一頁）

美は超越です。（八四頁）

この言葉に触れると、第二次世界大戦がある意味正しかったのではないかさえ考えてしまう。どうすればいいのだろう。

死はね、実際の死体などは汚いものなんですけれど、死自体は非常に美しいテーマになっていて、死が美であるという考え方は芸術には多いのではないでしょうかね。（一二〇頁）

今道が耽美主義に陥っているのではない。前記の発言を視野に入れると、もっと深い地点を目指しているのではないかと感じる。人間が生きることとは何か。死とはその結果ではなくまた更なる通過地点であるのか。「目に見えないもの」に人間はなってしまうのか。さまざまに考えなければならない課題が増えていく。

また、今道は日本の根底的な芸術観についても発言している。

『古事記』ではたった四つの色しか出てないんですよ。黒白青赤。（九四頁）

赤はね、『古事記』に出てきている限りでは、やまたの大蛇の目が赤いほおずきの色で、おなかが赤でね、血が出ているでしょ。凶が黒だとすると凶に近づく時の色なの。危険の色になっている。それから青は青垣山とか青沼とかの自然の色、自然がみんな青。そして湖の色、緑と一緒になって青山というのがありますから。白はそれこそあなたの好きな生命力ですよね。あるいは神様。終わりのほうにね、八咫(やた)烏が出てくる時だけ黒い鳥がでてきますけれど、それは人の世界になってからで、それまではみな白は息吹きの山の猪も白いですし、白い鹿の使い、それから倭建命(ヤマトタケルノミコト)は白い鳥になって飛んでいくとか神様の使いなどはみんな中身は白。だから太陽は白いわけです。

（一一一頁）

日本の色彩に注目しているのは、及川廣信も同様である。些細なことのように見えて見落としがちであるが、このような色彩の意義や色彩の裏側に隠されている世界を理解した上で使用し、考える必要が生じてくる。

この今道の発言にぎょっとして私は実家の本棚を漁ってみると、『美について』（講談社現代新書、一九七三年）が出てきた。これは高校生の頃の乱読で見た記憶はあり、今道の本はこれ以外読んだ記憶がない。大学院時代、美学を追及したことがあったが、今道のことは何となく避けていた気がする。非常にお堅い印象が強かったのだ。それは結局誤解であったのだろう。さまざまな芸術に触れて、今、やっと今道が考えていることの一端に近づいているだけなのだろうと私は感じる。そこで、急いで『美について』に目を通した。いくつか引用する。

ある時点の現象の模倣的描写が、むしろ芸術としては未完成の状態であり、そのような写実を手がかりにしながら、時や所の限定を捨て去って、永遠に妥当する存在の核を象徴的に暗示し、それによって全宇宙の生命を喚起すること、それこそが芸術の意義である。

（九一頁）

時や所の限定を捨てて、存在の核を暗示することによって全宇宙の生命を呼び覚ます。なんと壮大な存在であろうか。

芸術上の天才はほとんど狂人との差がないような場合がある。（一二二頁）
すべての大傑作というものは、時代を超越して人々の心に訴えるものを持っている。（一三二頁）
芸術とは、ありとあらゆる事象に潜んでいるよい物を、光を、希望を、作品の中に表わすことによって、存在するすべてのものを完全にする技なのではなかろうか。（一三四頁）
人間は生命の進化の頂点に立つ以上、宇宙の全生命の代表として、現代科学技術でとらえたすべての生命を表現する義務を引き受けてゆくべきであろう。（一五七頁）
芸術は帰するところ、個人個人の人格の、科学で完成さすことのできない真の完成を、その本来的な目的とするものということができる。ということは、芸術の美も力も、人間の精神の美しさを究極目的としていることになるのではないか。（一六〇〜一頁）
美は人生の希望であり、人格の光りであると録さねばならない。（二三五頁）

今道のこれらの言葉は決して古くはないのではないだろうか。むしろわれわれが忘れてしまっている大切な発想なのではないだろうか。

『美について』と、同時期に同じ出版社から出ているのが『愛について』（講談社現代新書、一九七二年）である。私はこの本を古本屋で探したのだが見つけることができず、ネットで注文した。一円であった。大切なことが書いてある本こそ見向きもされない。何ともサモシイ時代である。今道ははじめに「現代とはどういう時代か」を考察する。今道の時代は、産業革命以後の機械の時代であった。

我々の名前はすべて登録され、われわれの収入とか支出のような個人的な生活の面までもすべては書類の上で統括されていて、しかもその書類的な総括もコンピューターのような機械で技術連関の中に組み込まれている。（二一〇頁）

この見解は、よくよく考えてみると今日の私たちと大差はない。今道はこの時代よりも遥か以前の十八世紀という近代に、人間が機械によって管理され始めてしまっていることをここで明らかにしようとしたのではないかと私には感じる。それが今日では、当たり前になっている。

今道はプラスティック製品とか、使い捨ての紙コップの存在に対して嘆く。

先祖代々の大事な道具とか、あるいは物とかを大切に保存して使うという考え方の中には、知らず知らずに存在する物に対する愛着とかあるいは懐しみとかという形で、子供の時から物は存在するという限りにおいて愛の対象になるのだという考え方が養われるものなのであるが、今われわれの置かれている時代は、そういう時代ではない。（二一二頁）

今日を生きるすべての人間にこの発想が損なわれてしまってはいないだろうが、全滅危機であることは確かだ。物を大切にしない。ボタン操作だけが頼りになる。

もしこのことが、あまりにも無反省に行われていくのであれば、当然愛は危機に瀕するのではなかろうか。どうしてかというと、愛は本来実体の機能への執着にのみよるのではなくて、存在としての実体そのものへの愛着とか尊敬とか同情とかというものに、より深く関係するからなのである。（二一三頁）

残酷な言葉に聞こえるかもしれないが、ほんとうに愛は人間の力であるはずなのに、われわれの愛の何割かは機械の力になっているのではないか。（四三頁）

今道は決して「昔はよかった」と回顧的になっているのではない。今道のいう「昔」とは近代以前をさすことでもあるし、この文章が書かれた時代も、この文章を読んでいる今日の私たちにも共通する、人間が本来やらなければならない事項について綴っているのではないかと私は思う。本来の愛を知らずにそのまま死んでしまう人間が、何と多くなっていくことであろうか。ではあなたは本当の愛を知っているのかと問う者もいるであろう。本当の愛はやってこない、自ら求めるしかないのではないだろうか。
今道は、個人的な愛についてのみ論究しているのではない。

> 人間生活の共同の場である以上、そこには何らかの掟が必要であろう。（中略）人間社会が成立するのは、お互いがお互いを助け合うという、いわばもっとも広い愛の存在を前提とするし、掟が作られているのも、実はお互いがお互いを損（そこな）い合うことなく生きてゆくためではなかろうか。
> （四五〜四六頁）

> 人間が愛の相関者として平等である。
> （二一五頁）

社会学や歴史学を追うのではなく、人間社会の中での平等性について今道は以下のように定義する。

> 一つは、人間は何らかの意味で、自己の存在を他者に負うという事実である。ということは、自己自身が真の意味で自立的存在ではないという事実である。次に、人間はすべて死ぬという事実である。このことは、人間が人間である以上、平等に絶対的存在ではないということの証しである。三番目に、それゆえ人間は、自分だけでは完成できない、したがって、相互に愛し合うことが必要な存在であるという、この三点において、人間は真の意味で平等なのである。
> （二一五〜二一六頁）

人間は独りではないのだ。

今道は、共同体の本来のあり方についても言及する。民主主義は、「日本語としては誤訳なのである。デモクラティアという言葉は、民主政治という言葉であって、政治においてわれわれは常に多数決の原理に従うという民主制を主張するのである。それはなぜかといえば、政治とはもっとも多くの人々の公約数に関係した利害の公平な分配に関わる問題だからである。したがって政治の単位として、人間はおのおの平等でなければならない。しかし、その政治の中で、われわれが実現してゆく仕事のその成果は、人々が真剣になればなるほど、平等であるはずがない。それゆえ、たとえば、国家の首相の地位が争われるのは、その地位にあって抱負を実現したい人が大勢いたとしても、最も能力があると目される人が一人選ばれるにすぎない。それは選挙という民主政治的方法で選ばれるかもしれない。しかしわれわれは誤って訳した民主主義という言葉、デモクラシーではなく、デモクラティズムを、あまりにもすべての面に強要し過ぎてはならない」（二一一〜二一二頁）。プラトンの思想である。平等を履き違えてはならないという警告だ。

私は今道があまりにも「美」や「愛」を理想化し、究極の形しか認めないのではないかと誤解していたのである。今道に対する研究を私は続けなければなるまい。私はどちらかというと百人百様を大切にしたいので、究極の形を避けている感がある。しかし究極の形から百人百様を考えなければ、単なる判官贔屓に陥る可能性もある。芸術は人間を滅ぼしてしまう。強い者だけが生き残る。それを前提とした上で、では、どのようにすればその本質を保持したまま人間を救えるのかを考えるべきなのであろう。

佐伯啓思（一九四九年〜）

中野晃一の本で新右派連合を知ったのだが、その後、新右派連合に関する本がなかなか見つからなかった。本棚に眠っていた佐伯啓思『「欲望」と資本主義』（講談社現代新書、一九九三年）を、たまたま読んで驚愕した。社会主義、資本主義、市場経済を振り分け、一六〜一八世紀の三角貿易からの経済発展を探り、人間の「欲望」と「好奇心」を暴いていく。佐伯啓思は一九四九年、奈良生まれ。東京大学経済学部卒。同大学院博士課程単位取得。滋賀大学、京都大学大学院教授などを歴任する。

マックス・ウェーバーは『社会学の基礎概念』（一九二一〜二二年、阿閉吉男・内藤莞爾訳、角川文庫、一九五八年、難解な言いまわしを一部、簡潔にした）で、「何か客観的に「正しい」、または形而上学的に基礎づけられた「真の」意味ではない。ここに行為に関する経験諸科学、即ち社会学及び歴史学があらゆる教養的諸科学、即ち、その対象において「正しい」「妥当な」意味を追求しようとする法学、論理学、美学に対する区別が存する（七頁）」と社会学を規定した。この厳密な姿勢から社会学は飛躍したのだった。

佐伯はウェーバーのように厳密に経済学を定義しながらも、社会学、法学、哲学、文学、心理学だけではなく、日常生活の些細な現象をも盛り込んで考察している。よほど多くの思想を、広く深く読み込まなければこのような発想には至らないだろう。それが平坦な言葉でテンポよく書かれているのである。『「欲望」と資本主義』はまず「市場経済」と「資本主義」を区別し、社会主義の「計画経済」では「贅沢なものは生産されない」（一八頁）ことを指摘する。

その上で、「徹底して消費者の好みを追及」（四八頁）する日本型資本主義の跳躍を車のマーケットを例にして解いていく。アメリカの自動車会社では「各労働者は自分の仕事の範囲を労働協約で決めてしまい、それ以外のことはする必要がない」。「労働者は自分の持ち分しか関心を払わず、作業全体の能率を高めるとか、製品の質を高めるとか、欠陥を防ぐということには関心をもたなくなる。ここからは日本のような消費者中心的な発想は生まれてこない」（五一〜二頁）。後に見るアレクシ・ド・トクヴィルの思想ともつながっているのだ。

一六世紀から一八世紀における三角貿易などという、経済を学ぶ者にとっては当たり前のことを私はここで知ったのだった。イギリス、オランダといったヨーロッパは毛織物をカリブ海と中央アメリカという新大陸に輸出し、新大陸は金と銀をインド、中国、東南アジアというアジアへ売り、アジアはヨーロッパへ綿、絹、香辛料を輸出した。この三角形は、後述するが、産業革命が起こった際にまず織物を機械化したこととも深くつながっている。貿易の歴史を知ることによって、人間の営みを探ることが可能となる。

本書から学ぶことは大量にあったが、これまで乱読していてさっぱりわからなかったことが明らかにもなった。例えばダニエル・ベルの位置である。

六〇年代には資本主義経済と社会主義経済の差はそれほど大きなものではなかった。六〇年代とは、軍事産業を別として、自動車、電化製品、住宅といった製造業が中心の時代である。それも、いかに規格化された製品を能率的に大量生産するか、という課題が与えられた時代であった。この点では社会主義国も資本主義の先進国も大差はなかったのであり、計画経済も、この課題にはそれなりに応えることができた。だから、六〇年代には、レーモン・アロンやダニエル・ベルといった社会学者が、資本主義と社会主義の区別はあまり重要ではなく、両方とも「産業社会」という同じ概念でくくってしまうことができる、と論じたのである。

（二九頁）

ベルの『資本主義の文化的矛盾』（上）（中）（下）（一九七六年、林雄二郎訳、講談社学術文庫、一九七六年）は、一九五〇年代のアメリカの美術のトリックを解明するにはとても参考になる書物である。しかし、いくらか発生した私の疑問は、佐伯の指摘で納得できた。

また、岩波文庫に入っているすべてを読んでも一行も理解できなかったヨーゼフ・シュンペーターについても、佐伯の「シュンペーターにとって資本主義を動かすものは企業だ。企業が、果敢な冒険的精神を発揮し、新しい技術を開発し実用化し、マーケットを拡大してゆくところに資本主義の発展がある。ところが資本主義の発達とともに企業は巨大な組織となり、革新の意欲を失ってしまい、経済は停滞にむかうだろう」（四二〜三頁）という一言で納得がいった。

私は本書を締めくくる以下の言葉に感動した。

欲望を文化的なイマジネーションの世界へと取り戻すことができるようになってきたのではないだろうか。わたしはといえば、やはりこの可能性にかけてみたいのである。

（二一九頁）

佐伯はどれほど絶望しても死ぬ直前まで研究を続ける、決して自死しないタイプだと思った。一九九三年という、「新世界秩序」が叫ばれた頃に佐伯は危機を感じたのであろう。その危機に対してわずかの希望を見出している。この時代に、このような人間がいたのかと私は感銘を受けたのであった。

佐伯が二五年後の現在、どのような活動をしているのか知りたくなった。『「保守」のゆくえ』（中公新書ラクレ、二〇一八年）を読んで愕然とした。本書は「保守」と「革新」が従来の定義と大きく異なっている。さらに読みようによっては、佐伯が書いている内容が、どのような立場にも読めるのだ。ある者には転向者であり、またある者にとっては革命者に読める。これは優れた一枚の絵画と同様である。佐伯は自らの主張をしていない。読む者に委ねているのだ。

そしてここに、新右派連合の四つの特徴に対する解釈が施されている。まさに求めていた思想と私は出会えたのだ。

「悲観的（リアリスト）な社会観」

二〇〇五年に当時の小泉純一郎首相が、参議院で否決された郵政民営化法案をめぐって衆議院を解散して、総選挙に持ち込んだ手法など、まさしく大衆煽動的政治の典型であった。いわゆる郵政解散である。ここで争われたのは、ただただ、郵政民営化だけであり、一種の国民投票のようなものであった。しかも、残念ながら、国民のほとんどは、郵政民営化が何を意味するのかさえ理解していなかった。小泉氏はこの法案を通すために大衆を煽動し、大衆は、内容などまったくおかまいなく煽動されることを望んだのである。（六七頁）

悲観と大衆煽動は違うという指摘を受けるかもしれないが、実際に私はこの時代に生きていて、この渦中に自らもいた。ヘイトスピーチという言葉がまだ一般的ではなかった頃である。悲観的なのは、何も直接不幸になるぞと脅すだけではない。こうしなければどうなるのかという問いもまた、悲観的であるといえるのであろう。

反共産主義（反中国）

> 軍国主義が引き起こしたあの戦争の反省に立って、戦後日本は民主主義と平和主義を掲げることによって国際社会に復帰した。したがって、民主主義と平和主義こそが戦後日本が誇りとすべき価値であり、それにまさる価値は存在しない。
>
> これが、戦後日本のいわば「公式的価値観」であった。そして、朝日新聞に代表されるサヨクこそは、この公式的価値観をほぼ全面的に、しかもほぼ何の疑いもさしはさまずに信奉したのである。（中略）この構造が、朝日新聞およびそれに追従する朝日的サヨクをして、自らがもっとも権威ある言論人とみなすことを可能とした。端的にいえば、彼らは戦後のエリートであった。戦後の価値を「正しく」学び、その価値を身につけた優等生であったのである。
>
> （一六〇〜一六一頁）

この内容は、「反「戦後民主主義（戦後レジーム）」」にも当然つながっている。このサヨクたちが日本をダメにしていったというのが、新右派連合の主張であろう。佐伯は二〇〇五年の小泉同様、当時の大衆が「公式価値観」を受け入れたという同構造を指摘しているように私には感じる。

反「戦後民主主義（戦後レジーム）」

> 現在（第一次安倍内閣のもと）、安倍首相は教育改革を最重要な施策のひとつと位置づけ、まず教育基本法の改正を行なった。これは戦後占領下で策定された教育基本法に象徴される「戦後体制」（戦後レジーム）こそが現在の教育の混乱の大きな原因だという認識にたつものである。戦後日本の左翼的偏向を帯びた過度の平等主義、画一主義、没価値主義（郷土愛の欠如など）が主たる問題だといわれる。（中略）政治や社会における権威喪失と、学校における権威喪失は相互に共鳴しあっている。そして、社会の

中で権威が喪失されれば、子供たちに伝達すべき確固たるものはなくなり、学校に権威がなくなれば、そもそも「教える」ことなど不可能になるのも当然であろう。しかも、大人の権威がなくなれば、教育の基本である大人と子供の間の線引きそのものが困難になってしまう。大人は子供に遠慮し、子供は大人に特別な敬意を払わなくなるだろう。その結果どうなったか。大人の権威から解放された子供たちはどうなったかというと、いっさいの権威から解放された子供たちの世界にあって、個々の子供は、仲間たちの多数派の暴力にさらされることとなったのである。要するに、仲間によるいじめ、いやがらせ、仲間はずれ、という陰湿な暴力の危険につきまとわれるわけである。大人は、この子供の世界を、ひとりの人間として管理することなどできなくなってしまった。

（一二八～一二九頁）

長い引用になってしまったが、佐伯が権威喪失によって今日の子どもと大人の差が失われてしまったことを具体的な例で説明していることが重要である。

「改革」のレトリック

たとえばこの現場では「改革」というマジックワードによってすべての矛盾が覆い隠されてしまう。しかも、今日の「改革」の柱は財政問題だとされているのだが、そもそも財政肥大化をもたらしたのは、民主政治における大衆の欲望であった。集票によって選挙に勝利することを必須の条件とする民主政治においては、大衆迎合的な財政のバラマキが生じることはよく知られたことである。これは政治の不徳というより根本的には大衆の欲望の問題である。

（七〇～七一頁）

マジックワードの恐ろしさだ。

佐伯の考察を元に「悲観的な社会観」「「改革」のレトリック」をさらに考えると、例えば携帯電話が壊れたとする。ショップに持っていく。「直す」という発想はない。買い替えるしか選択肢がない。ちょっと前まではラジオですら、調子が悪ければ見積もりをもらい修理に出し、直って帰ってくるのが当然であった。壊れてなくても、新機種が出ると携帯電話やパソコンを買い換える人もいるだろう。携帯の新機種と「「改革」のレトリック」に似たような感覚を覚える。新機種の新機能でなければ今日を乗り越えられないという脅しもある。

このように佐伯は、中野の四つのキーワードを中野と異なる方法で解釈している。新右派連合について、読者により深いヒントを与えている。私はさらに佐伯の思想が知りたくて、最新の佐伯啓思『死と生』（新潮新書、二〇一八年）を読み『図書新聞』に書評を投稿した。その内容は書評に譲るが『死と生』というタイトルどおり、死を語るにはオカルト的な言説から逃れられないというのは鉄則であろう。しかし、本質を考える哲学者や経済学者はそこから逃げない。佐伯の端的で興味深い一文を私は発見した。

「事実によって証明できて理性によって説明できないものはいっさい認めない」というシュギを「科学主義」というとすれば、私は「科学主義者」ではありません。それどころか、こういう科学主義者に対しては、ちょっと若作りをして言えば「ムカック」のです。なぜなら、そもそも「科学」とは、人間の知りうる世界のほんの一部を一定のやり方にしたがって認識することという「謙虚」な営みのはずだからです。（七五頁）

私がここまで書いてきた「学問を疑う」ということを、佐伯はこの一文で明確に語っているのである。

このように芸術のことだけを学んでいた知見の狭い私にとって、佐伯の思想と存在は新鮮であり、とても勉強になっている。私は今の段階で佐伯の著作は上記の三冊しか読んでいない。これから佐伯の著作を読み進めることによって、さらに経済学への理解を深めると共に、佐伯自身の思想の奥底にまで迫っていきたいと思っている。佐伯は一九八五年から二〇一九年の三四年間でおよそ四六冊の単著を刊行している。論文や共著は怖くて私は数えていない。この驚異的な研究に私は挑戦したいと考えている。

オルテガ・イ・ガセット（一八八三〜一九五五年）

私は和光大学時代に竹田美喜夫教授から、「ホイジンハとオルテガは読まなければならない」と口をすっぱくして教えられたにも関わらず、ずっと怠ってきた。理由は単純で、全集が高くて買えなかったのである。それがこのタイミングで安く仕入れることができた。『大衆の反逆』はちょうど二〇一一年四月に読み、まさに「原発事故」をだれも責任をとらない姿と重なっていたのであったが、そのときはそれ以上深めることはなかった。今回『オルテガ著作集』を初めて読んだ。

オルテガは一八八三年スペイン生まれの、ジャーナリストであり哲学者である。父が高名なジャーナリストだったので、オルテガにとってジャーナリズムは当たり前の思想だった。オルテガはそれに加えてドイツへ留学し哲学を学ぶ。一九一〇年、マドリード大学教授。一九三一年にスペイン第二共和政が成立すると、議員として活躍する。一九五五年没。日本でオルテガは「ジャーナリスト」で『大衆の反逆』（一九三〇年）のみが知られている感があるが、『大衆の反逆』は三八歳の若書きである。

一九七〇年に白水社から刊行された『オルテガ著作集』全八巻をくまなく読むと、そのすごさの一端を知ることができる。オルテガもまた佐伯啓思と同様、哲学、歴史学、社会学、芸術、文学、物理学に精通し、アカデミックな哲学的論法を避けてエッセイ的に、わかりやすく語る。全体を通して読むと、ウェーバー、フッサール、ハイデガー、ソシュール、カッシーラ、フィンク、アインシュタイン、アレントの思想に対して挑戦し、対決し、新しい哲学を生み出していることがわかる。つまりオルテガは途轍もない思想者なのだ。

読むべきは没後発行された「個人と社会—《人と人びと》について」（一九五七年、著作集五、アンセイモ・マタイス、佐々木孝訳、一九六九年）である。

> 人間には他の動物たちの場合と同じく、次にどのようなことが起こるかがつねに不安な問題としてつきまとうばかりでなく、ときにはそのために人間でなくなるという事態も起こるのである。（中略）われわれひとりひとりは、唯一にして他に譲り渡すことのできないところの自分自身でなくなるという危険につねにさらされている。（中略）本来の自分たれ。（中略）すなわち人間の条件とは、本質的に不確かなのである。
> （三三～三四頁）

人間とは不確かな存在であるから、自分どころか人間であることが失われるので気をつけなければならない。

> 古代世界は、すでにキケロの時代から愚かになりはじめた。（中略）自分に沈滞する能力、われわれの朽ちることなき深みに静かにひきこもる能力――もしそれを守るための手段が講じられないかぎりヨーロッパにも消失の危機がある――が失われてしまったのである。（四三頁）

キケロは紀元前一〇六年に生まれ紀元前四三年に没しているから、キリスト教の発生以前である。ヘーゲルもまた、この時代に人間は堕落したのでキリスト教が救いになったとどこかで書いていた気がする。人間は今ではなく、すでに愚かだったのである。

> デマゴーグたちは真理に対する奉仕をけなし、その代わりに神話をもってくる。そして彼らはあらゆる手段を用いて人びとを熱狂させ、熱狂と恐怖の中でわれを忘れさせる〔自己を外に出す〕ことに成功する。しかし人間は、自己の内部に入りこむことができた動物であるから、われを忘れた〔自己の外に出た〕ときには、堕落することを望み、動物にまいもどってしまう。（四三～四四頁）

先に見た「悲観的な社会観」は恐怖であり、「「改革」のレトリック」こそ熱狂と同じである。その後の「堕落」にわれわれはどう対処すればいいのか。

> 今日世界の中で、ある偉大なものが死につつある。すなわち真理である。（四六頁）

衝撃的な一言である。『個人と社会―《人と人びと》について』が第二次大戦中に書かれたことを考えると、オルテガが相当の絶望の中にいたことは理解できる。しかしそれ以上に恐ろしいことは、今日を生きるわれわれは「真理」を失われた存在とするどころか、その存在すらも忘れてしまっているのではないだろうか。それが現在であると認めてしまっていいのであろうか。「真理」とは理想の世界のものではない。人間に欠かせないはずだと思う。

オルテガは、絶望ばかりはしていない。

> 生というものは、われわれが自分自身に与えるものではなく、むしろまさにわれわれが自分自身で見いだす時に見いだすものである。（中略）〔それは〕不意に発見するのである。（〔 〕内筆者、五四頁）

自分に与えるのではなく不意に自分を発見する。発見しようとしても発見できない。オルテガが広い知識を得て深い思索を行なった結果、このような事実に出会ったのであろう。自分のことは自分でわからない。だからこそ、向き合わなければならない。それは不意にやってくる。自己を知るとどうなるのか。

> 死は確実なものであり、どのような抜け道もない！（五八〜五九頁）
>
> 私の決断、意志、感情についてもいえることであり、したがって厳密ナ意味デノ（ママ）人間的生は、他にゆずり渡すことのできないものであるがゆえに、生は本質的に孤独であり根本的孤独である。（六〇頁）

死を受け入れ、すべての判断は「他に譲り渡すこともできない」から、自分で責任をとる。その自己とは、限りなく孤独であるとオルテガはいう。そのとおりであろう。この決意をして、人間は生きていく。

> 私は、自分自身の内部にひとり漂う神のごときものであり、私には難破も考えられない。なぜなら、私は泳ぎ手であると同時に、その私が泳ぐ海でもあるからだ。（中略）生というものはけっして私の精神、私の観念だけが存在することではないのだ。そのまったく反対である。（六一〜六二頁）

オルテガは神を信じなかったり同化したりするのではない。徹底的な孤独を自覚するからこそ、神や他者が不可欠であることを示しているのではないだろうか。孤独は、孤立とは違う。真の孤独を知ることが重要なのだ。この一言が、それを意味する。

> 人間的生の根本孤独、人間の存在は、現実には彼しかいないことに基づいているのではない。まったくその反対である。実に世界とそこに含まれるすべてのものがあるということである。それゆえ無限に物があるのだ。（中略）これらの物の中に他の人間たちもいるがゆえに、彼は彼らと共にひとりでいるのである。
> （六三頁）

孤独の者たちが群衆として集まっているのではない。群衆であっても、一人の個人、孤独を確立し、他者との区別からこそ群衆が成立するのであると、私は解釈している。

> 生は他にゆずり渡せないものである。（中略）私のすること――つまり私の考えること、感じること、望むこと――が、私にとってじゅうぶんな意味を持つこと、良い意味をもつことが必要なのだ。
> （七五頁）

何と当たり前のことで、何とわれわれはこれを意識していないのであろうか。「良い意味」とは何かを問う必要はない。苛烈な戦時中であっても、過酷な現代であっても、常に価値観は変動する。その中で、いったい自分にとって「良い意味」とは何かを自らに問うという姿勢が重要なのではないだろうか。物と他の人間に取り囲まれながら孤独の自己がいる場所と時代を考えるということは、どういうことなのだろうか。

> われわれの注意は、われわれの生にあって毎瞬間主役をつとめるあれこれの物にひきつけられているからである。しかし、地平線のその向こうには、いまわれわれに現前していない世界の他の部分、われわれに対して隠れている部分があるのである。
> （八五頁）

オルテガは地平線の向こうに、神や異次元、物理学的別次元を見ているのでない。オカルトでもない。及川や横尾と同様、本質を捉えているのだ。

オルテガはここで私が重要視しているマックス・ウェーバーの「慣習」の問題についても取り上げている。

> われわれの周囲世界にあるのは、鉱物、植物、動物そして人間ばかりではない。そのほかにも、そしてある意味でそれらすべてに先立って、慣習という他の実在がある。（中略）「慣習と習慣」の「区別が恣意的なものである」（中略）社会の基本的現象の分析に頭をつっこんでみようとした唯一の社会学者が慣習に関して述べるにいたった。（中略）マックス・ウェーバーもそう考えており、ほかならぬベルグソンもそう考えている。
> （二三七〜二三八頁）

> 慣習はこのローマ人、そのローマ人、あのローマ人の習慣ではなく……（ママ）ローマ自身の習慣であったということである。ローマは人間ではなく、国であり社会である。（中略）慣習は個々人のものではなく、社会のものである。
> （二三九頁）

> 言葉が語源を持つのは、それらが言葉だからではなく、慣習だからなのだ。（中略）まさに歴史全体が巨大な語源、巨大な語源の体系となろう。そしてそれがために歴史は存在し、それがために人間は歴史を必要とするのである。（中略）〔歴史は〕人間の意味を見いだすことのできる唯一の学問。（〔　〕内筆者、二五〇頁）

> 慣習というものは、その非人格的で凶暴な機械的圧力を加え続けるのだ。こういう事態が起こらないためには、ひとりひとりが自分の意見を相手に伝え合ってゆくことが必要となろう。
> （二五六頁）

> 慣習は設定されるにもひまがかかり、消失するにもひまがかかる。
> （二六〇頁）

> 慣習には二つある。「弱くあいまいな慣習」は「衣服や食事や社会的交わり」であり、「強く厳格な慣習」は「――経済的慣習を別にすれば――法と国家」である。
> （二六四頁）

巨大な慣習の建造物こそはほかならぬ社会なのだ。（二七〇頁）

私は学問では割り切れないオカルト的考察こそ、ウェーバーのいう「慣習」ではないかと書いてきた。オルテガの考察を追うことによって、慣習とは法と国家すら乗り越えた社会であるということが理解できた。しかもそれは個を確立し、自分の意見を相手に伝えようとすることが前提になっているのだ。社会とは定義が広すぎるが、今一度、社会とは何か、個とは何かといった基本的なことを考え直し、未来を切り拓いていく必要性を感じる。困難な現代だからこそ、最も大切な考察である。

今道、オルテガにある真実が忘れ去られていることに対して、少しでも復活し、多くの人々に読んでいただきたいと思う。私の読み方は一方的なので、冷静に読むことをオススメする。

日々の勉強は続く。創造者、母袋俊也『絵画へ 美術論集』（論創社、二〇一九年）を読んでいくと、パウル・クレーが自分の墓碑に刻ませた文章は、「この世では私は捉えられることはない。なぜなら私は、まだ生まれていない人やもう亡くなってしまった人々とともにいるのだから」である（一九〇頁）という指摘が出てきた。クレーの偉大な言葉というよりも、優れたインスタレーションを創出する母袋がこの言葉を選び、それを私がたまたま見つけたことにつながりの意義を感じる。生者、死者と常に共にあるのだ。

私は長崎の美術団体、リングアートに招かれて、長崎県美術館市民ギャラリーで二〇一九年八月四日、講演会を行なった。与えられたテーマは「アートと平和（現代アートの視点から）」であった。これに先立ち、メッセージアートをパネル展示するというので原稿を考えていた。私はここで、平和とは戦争の間であるという定義を変えていかなければならないと発想した。しかし私はどこかで迷いや躊躇があり、中途半端な文章になってしまった。多忙で、レジュメも前々日に書き上げてメールで送った。

三日、長崎に到着し、リングアートの井川さん、野坂さんと話し、夜は一人で街に繰り出し、カウンターのみの飲み屋で地元の人々と話し、寝て、朝起きて自分が世間にビビッていたことをやっと理解し、講演会の一時間前に次のフレーズが浮かんだ。「金を稼ぐだけに追い立てられる人生で、終活はやがて生まれたての新生児が行なうようになる「死の時代」。新しい作品を創ろう、それを見に行こう、美味しい料理を作ろう、みんなで食べよう。試行錯誤と思索を繰り返し精一杯過ごす「生の時代」に転換しよう」。一つの答えが出た。

十　近代を知る

新世界秩序と新右派連合により「考えてはいけない」時代となった。だからこそ、考えてみよう。まずは新世界秩序と新右派連合の時代を用意した「近代」を考えていかなければならない。この作業は最重要でありながら膨大で、あらゆる学問と学問ではない分野で考察が続けられてきたが、未だ答えが見出せない。だからこそ慎重に考えていかなければならない。近代はおよそ二〇〇年くらいの長さがある。たった二〇〇年前のことであるにも関わらず、なぜ近代に人間が変容したのかがよくわからないのだ。

近代の思想と技術と近代国家

約六〇〇～七〇〇万年前に誕生したとされている人類が大きく変容したのが、近代であった。人間の行動とは思想と技術に依っている。近代の変化でまず重要なのは、思想である。それまで神が世界を支配していたが、やがて王や君主となり、近代になって市民が革命を起こし、民主主義を確立することとなった。ここで重要なのは「神の死」である。フリードリヒ・ニーチェが「神は死んだ」と宣告したが、実は神が死んでもその地位に人間が居座り、人間が神になってしまったと思い込んだ点に不幸の始まりがあった。

技術の変化としては、これまでの人類が創造しなかった「機械」の誕生である。機械の誕生により、時間と空間の概念が大きく変化した。それまで一つのものを一人の手が時間をかけて生み出していたものが、機械によって瞬時に大量に生産できるようになった。蒸気機関車や船、自動車の発明により移動時間の短縮だけではなく、短時間でより遠くへ移動することが可能となった。移動する人間は一箇所、「都市」に集まる。ものの移動、つまり流通が発達した。田舎から他の国にものが行き来するようになったのだ。

宗教、政治、経済、産業の大きな変化だけではない。それまで魔術の一環であった錬金術が化学へ変化した。西洋ルネッサンスの三大発明とは火薬、羅針盤、印刷技術であり、アイザック・ニュートン（一六四二～一七二七年）による万有引力の発見による宇宙論の発展など、さまざまに「科学的」な視点を帯びていったのであった。そのような状況を芸術は見逃さなかった。すでにレオナルド・ダ・ヴィンチ（一四五二～一五一九年）自体も科学的であったし、ギュスターヴ・クールベ（一八一九～七七年）は天使など描かず、見える真実のみを描いたのだった。

近代を考える前に、重要な考察の例を一つ挙げておこう。それはヨーロッパにおける中世とルネサンスの違いである。ルネサンスは暗黒の中世から脱し、神の支配から逃れて人間が誕生したと一般にはされている。しかし、歴史学者のヨハン・ホイジンガ（一八七二～一九四五年）の研究によると違う。ホイジンガは先に見たオルテガと並んで、見逃してはならない思想者である。これからも何度かホイジンガの発想を引用することになる。引用は『ホイジンガ選集』全五巻（白水社、一九七一年）による。第四巻『ルネサンスとリアリズム』（里見元一郎訳、一九二九年）を引用する。

中世とルネサンスの大きな断絶やその基本的対立を明確に観察し、厳密に描き出すことができると考える一つの見解がある。それは私の見るところでは、文化史や芸術史の学問的文献の中で唱えられたものではなく、むしろ多くの現代芸術家の心に潜む豊かな確信として生きている。（中略）ヴィオレ・ル・デュク、ウィリアム・モリスの述べるところは次のようである。中世はすべて総合的思索の時代であり、強固な共同体意識の時代だった。この文化の真の本質は共同建築だった。最高理念に形を付与する仕事はむなしい娯楽気分や個人的気ばらしのために行なわれるべきではなく、すべての人を揺り動かす高邁な表現を求めて行なわれるべきだ、ということを芸術はちゃんと心得ていた。（中略）つまり自然そのままの現実を模倣することは最終目的ではなかった。

この考え方からすればルネサンスの到来はこれらの根本特徴が影のうすいものになりしだいに消えていくことを意味する。共同作業にいそしむ共同体に代わって個性的努力をつづける個人が現れる。（中略）絵画は家財道具となり、商品となった。つまり、昔のように精神的組織体の一環をなしたのと異なり、それぞれが類のない骨董品となった。（ルネサンスの決定的特徴とされる）自然主義と個人主義は大規模な退化過程の中の病的現象にすぎないのだ。

（九七～八頁）

衝撃的な見解である。このように、歴史を読むときには、思い込みを省き、前後に気をつけなければならないし、時代が変わったからといって人間がガラリと変化するわけでは決してない。先のオルテガの指摘のとおり、社会は、国は、文化は、「慣習は設定されるにもひまがかかり、消失するにもひまがかかる」のである。歴史は右肩上りの発展史観ではない。寄せては引く波のように、緩やかに展開する。そのため、近代になったからといって人間が突然変容するわけではないことに気をつけなければなるまい。これを前提としよう。

いつから近代は始まったのか。それは革命による法律と技術の革新、それに伴う近代国家の形成と大きく分けることができるが、互いに深く関わっているので、どれかの知識を学べばそれがはっきりと理解できるわけではない。例えば角山栄『時計の文化史』（中公新書、一九八四年）によると、イギリス海軍省のサミュエル・

ピープスの一六六〇年からの日記では、「時間の約束が、多忙なビジネスの世界では一般化しつつあった」（三一頁）としている。一六八九年の「イギリス権利章典」の成立よりも先んじていることになる。「多忙なビジネスの世界」で思い出したのだが、ジョン・ロックが一六九〇年に書いた『人間知性論』を読むと「私たちはこの世でさまざま雑多な落ちつかなさに取り囲まれ、さまざまな欲望に悩まされている」（大槻春彦訳、二巻、岩波文庫、一九七四年、一六八頁）という記述を見つけることができる。長谷川祐子が美術館に入るのは「現実社会のしがらみやタイムスケジュールから解放される、豊かで自由なひとときです」（『「なぜ？」から始める現代アート』ＮＨＫ出版新書、二〇一一年、五八頁）とする、三二一年前である。

私は人間が忙しくなるのは、紡織はまだしも少なくとも蒸気機関車が発明された一八二五年以降であろうと安易に考えていたが、まったく違っていた。極東の島国の日本では一八五四年の開国以後、西洋文明が怒涛のように押し寄せてきたとしても、のんびりしていたのであろう。このように考えると、一六〇〇年代に世界の中心であったイギリス帝国の動向を簡単に押えておかなければならないであろう。木幡操『イギリス現代史』（岩波新書、一九五九年）を参考にする。

一五八五年から一六〇四年にいたるスペインとの戦いで、この時から、イギリスの本格的な植民地獲得が開始され、イギリスの膨張と「イギリス帝国」の興隆期の幕が切って落とされた。（一〇四頁）

「イギリスの領地の分布は、その人口によって現わされたものでは、アジアが全体の七四パーセント」、「アフリカの一一パーセント」、「ヨーロッパの一〇・五パーセント、アメリカ州の二・五パーセント、大洋州の二パーセント」（一五八頁）であり、さらに「「七つの海」に君臨した」（一六〇頁）。イギリス帝国は、海をも支配していたのである。

イギリス本国とイギリス連邦諸国間のこのような長い距離は、その純粋な通商路の確保のためにも、さらに広い軍事的見地からする「イギリス連邦」の連絡のためにも、これらを結びつける多数群の小植民地をイギリスがしっかり抑えておくことを必要とさせていた。(一五九頁)

ウィキペディアによると、イギリス帝国の「全盛期には全世界の陸地と人口の四分の一を版図に収めた」という。今日のアメリカの支配など比べられないほどに、広い。しかし、面積を抑えればいい時代は終わったのであろう。今日のアメリカは、かつてのイギリス帝国以上の生活習慣や文化、貿易、経済、法を治めている。空間だけではなく時間、人の心など、すべての支配の仕方もまた、イギリス帝国時代とは異なっている。それでもイギリスは帝国時代に対する誇りを失っていないだろうし、その復活を心待ちしているのではないだろうか。いずれにせよ、一国が全世界の四分の一を支配していたことを忘れてはならない。この歴史を踏まえた上で、現代を見るべきであろう。

近代を知るためには法律の変化、革命の様相、アメリカという新しい国の誕生を押えておく必要がある。「イギリス権利章典(一六八九年)」を探るにはジョン・ロック(一六三二～一七〇四年)の『市民政府二論』(一六八九年)、フランス人権宣言(一七八九年)の前提にはモンテスキュー(一六八九～一七五五)の『法の精神』(一七四八年)を、アメリカ独立宣言(一七七六年)を理解するにはトマス・ペイン(一七三七～一八〇九年)の『コモンセンス』(一七七六年)を取っかかりに学ぶといい。いずれも岩波文庫から出ている。

どの本も非常に平坦な言葉で書かれているのだが、当時の「常識」を前提にしなければならない。私などは四〇歳を超えてから読み始めているのだが、一回読んだくらいではまったく理解できない。粘り強く、何度も読まなければならない。西洋思想を知るためには、当然、プラトンなどの前提になる思想も知らなければならない。何と途方もない学習なのだろう。しかし、肩の力を抜いて気楽に学べばきっと楽しくなるし、少しでも知ることによってさらなる理解が自分の中で広がるのである。軽い気持ちで接するのが大切だ。

技術の展開についてはヴェ・ダニレフスキイ『近代技術史』（岡邦雄・桝本セツ訳、三笠書房、一九三七年）をはじめさまざまな本が出版されているし、「蒸気機関車」や「産業革命」をキーワードに調べてみてほしい。ダニレフスキイの目次を見ると「紡織機の発達」「蒸気機関の発達」「治金技術の発達」「機械製作の発達」「運輸技術の発達」「軍事技術の発達」とある。技術の発達は、思想の発展にも直結する。先に見た佐伯の貿易について最も重要だった「織物」から機械化されていくのだ。新しい道具をどのように考えていけばいいのか。

このような道具はなぜ生まれたのかを考える必要がある。しかしそれが、なかなかうまくいかない。今日でも日本でスマートフォンが登場したのは、自分の経験を照らし合わせると二〇一〇年頃か。今日ではスマートフォンを使うことが当たり前になっているので、スマートフォンがどのようなことができて、それによってどのようにわれわれの日常に変化をもたらしたのか、これまた当たり前すぎてわからなくなっている。人間は渦中にいると自分が何をしているのか見えなくなっていくのである。

私にとって黒電話を使用することは懐かしいというより体に染み付いているので、今、目の前にあってもダイヤルすることができる。しかし黒電話が消滅してから誕生した若者にとって、黒電話など見たこともないだろうから使い方を知る由もない。プッシュホンとか便利だったね、と振り返る私は、今ではスマートフォンの画面に触れれば電話がかかるので、スマートフォンを落っことして困って家族に電話しようとすると、だれかの電話番号を記憶することなどなくなっていることに気がつく。

このように近代に誕生した技術がどのような思想を生み出したのかを探るには、少し時間が経ってからでなければ成り立たない。思想があって技術が進むのであろうが、技術があるからこそ思想を更新しなければならない必然性が生じることも多々あるのだ。ヘーゲルなどはフランス革命を横目に田舎で思索しなければならなかったし、西洋合理主義の強力さを見抜いたのはウェーバーの時代になってからだ。宗教、芸術、哲学の力が弱まったのは、近代だったのかもしれない。

印刷技術によってだれもが聖書を読めるようになったが、その反面、活字の力が強まることによって司祭者の説法は説得力がなくなった。時計の発明により、われわれは時間に縛られるようになった。今日のＴＰＰを引き合いに出すまでもなく、流通の発達は関税問題を引き起こし、遠くの国でできた米や野菜のほうが、国産よりも安く仕入れられるようになってしまった。医学も進歩し、寿命も長くなった。エレベータやエスカレータ、バリアフリーの普及により「優しい環境」になったが、その代わり歩かなくなると当然体に悪い。

利便は常に弊害があり、便利になればなるほど人間はすることがなくなり、やがて何のために生きているのかすらわからなくなり、悩んでしまう。「贅沢病」という言葉すらもなくなっている現代に、われわれは何を考えていけばいいのかという指針すら失っている。「金がなければ生きていけない」としながらも、生きるための本質とはほど遠い、特に不要なモノやコトに金を使い、あるいは使わされていることにまったく気がつかない。なぜこのような状態に追い込まれてしまったのかを、もう一度考え直す必要がある。

近代の技術と思想を考えていくと、当然のことながら、近代国家の成立についても知らなければならなくなる。さまざまな研究があるが、ここではオルテガの『大衆の反逆』（一九三〇年、著作集二、桑名一博訳、一九六九年）を引く。

> 十八世紀末のヨーロッパのあらゆる国について、国家とはいかなるものであったかを思い出していただきたい。それは取るに足らないものだったのだ！　技術、つまり合理化された新しい技術が初めて勝利を収めた初期資本主義とその産業組織とが、社会の最初の膨張をなしとげた。そして、数においても力においても既存の諸階級よりも強力な一つの新しい社会階級、つまり市民階級（ブルジョワジー）が出現した。（中略）国家という船は市民階級とは非常に違った人びと、感嘆すべき勇気と支配力と責任感を持った人びと、つまり貴族の手によって

中世に建造された。彼らがいなかったら、今日のヨーロッパの諸国家は存在していないだろう。しかし、こうしたもろもろの精神的美徳をそなえていたにもかかわらず、貴族には、その後もつねにそうであるように知力が欠けていた。彼らは頭脳ではなく心臓で生きていたのだ。彼らはきわめて貧弱な知性しか持たず、感傷的で、本能的で、直観的で、要するに「非合理」であった。（中略）彼らは新しい武器を発明することができず、市民階級がオリエントその他の地から火薬をとりよせて利用し、それによって戦場で高貴な戦士、「騎士」を自然に打ち負かすのをそのまま放置していた。「騎士」たちは愚かにも鉄の具足で身を被い、戦闘の際にはほとんど身動きもできなかった。彼らは、戦争の永遠の秘密が防御手段よりも攻撃手段にあることを思いつかなかったのである。（一七〇～一頁）

市民階級はこの後革命を起こしたのだが、先に見たように「革命」もまた消滅したのだった。そして市民階級は大衆となり、「人類の根本的な道徳的退廃」へと堕ちていく。その後第一次、第二次世界大戦を経て、冷戦が続いたと思えば、先に見たとおり、「新世界秩序」の時代が世界を席巻し、日本では特に「新右派連合」が力を持つようになった。ホイジンガのルネサンスの定義を振り返れば、われわれは日本人であっても、中世に戻らなくてはならないのだろうか？　時計の針を戻すことはできない。それならば、近代という時代をもう一度振り返る必要が生じる。広い近代を簡単に見ていこう。

近代の問題

このように、近代の思想と技術によって人類が変容した。それに対して「近代研究」が始まっていった。あまりにもさまざまにあるので、特にわかりやすい本を挙げる。それは桜井哲夫『「近代」の意味』（ＮＨＫブックス、一九八四年）である。今日では「近代研究」が無効とされ、まったく姿を見失ったことにも気がつく必要がある。余談だが、私はこの本を専門学校の一年生と読んだことを記憶する。生徒が必死に一緒に読んだことが忘れられない。

桜井哲夫は一九四九年栃木生まれ、一九七九年に東京大学大学院社会学研究科（国際関係）博士課程修了、現在は東京経済大学名誉教授。本書の副題が「制度としての学校・工場」とあるとおり、労働と教育、それに伴うテクノロジーと日本の「近代」について書かれているが、ここでは特に序章の「「近代」の意味するもの」を追っていきたい。同書は非常に平易な言葉で書かれているにもかかわらず、深い問題提起がなされ、取り上げられていない内容も想起できるようになっているので、ぜひ一読を薦める。

桜井の論を追うのではなく、特に重要と思われる場所を引用、検討する。まず大切なのは、人口の急増である。桜井はダニエル・ベルを引用する。「世界人口が一〇億人台になったのは、一八五九年のことだった。そして、二〇億人台になったのが、一九二五年、さらに三〇億人になったのが、一九六〇年のことである。そしてそれから二〇年もたたないうちに四〇億人を突破してしまったのである。わずか一二〇年間で人口が一〇億人から四〇億人へと増大してしまった」「奇怪さ、異常性」（一三頁）を指摘する。

一二〇年間というと、おじいちゃん、親、自分、子どもくらいであろう。その間に、一家族が四人であれば四倍の一六人に増えたことになる。自分の兄弟のことを考慮に入れれば、一六×四であれば六四人である。どのような計算をすればいいのかわからないが、ともかく急激に増大したことを想像していただければいいのである。一九七〇年生まれの私の母は四人兄弟、母の父は八人兄弟であった。この事例に当てはまることもあるだろうが、明治時代の日本の場合は貧困で病気も多かったので、多産だったのだろう。

桜井はベルの引用を続けるが、人口の増加と共に、特にニューヨーク、パリ、ロンドンといった都会の爆発的な人口増大を指摘する。近代以前のヨーロッパの都市は広場が中心であった。それが別の物に変容していく。地価は上昇し、消費のあり方を変え、市場からデパートへと変化していく。鹿島茂『デパートを発明した夫婦』（講談社新書、一九九一年）もあるし、井原久光『ケースで学ぶマーケティング』（ミネルヴァ書房、二〇〇一年）にも出てくるので、参考にしてほしい。ここでは桜井の引用を続けよう。

十八世紀までは、市場（マーケット）というものは、かけひきの場であった。人びとにとって市場は日常の舞台ともいうべきものであった。値段というのは、あってなきごときものなのであって、売り手と買い手とのかけひきによってはじめて決まるものであった。そうした売り手と買い手のゲームの場を崩壊させたのが、デパートの出現なのである。（一五～六頁）

一八世紀のヨーロッパでは値段があってないようなものだった。私の幼少期、八百屋も魚屋も、突如「売り切り！」と言って安くしていたことを思い出す。

デパートのなにが革命的であったのだろうか。ひとつは、大量の商品が置かれているということであり、もうひとつは、定価というものの設定である。そしてさらに、定価商法とは、客が買う義務を負わずに自由に店に入ってくることができるというスタイルを生みだしたのである。いうなれば、十九世紀前半までは、店に入るということは、なんらかの商品を買うということを意味していた。（同）

店に入ったら何かを買わなければならない、といった脅迫観念はここから来ていた。画廊も、未だそう思われているのだろう。

膨大にふえつづけてゆく商品と人の群れの出会いの場こそデパートという新しい空間なのであった。（同）

初のデパート、パリの「ボン・マルシェ」の考案者は、ブシコーである。

安く、大量に売るという商法は、また陳列する商品の多様化という側面をも生みだしてゆく。（同）

一八七二年には旅行用品のコーナーがあらわれ、一八七五年には香水が扱われることになる。（一七頁）

一八九〇年代の半ばころには、「ボン・マルシェ」は二〇〇項目以上の商品をそろえた文字どおりの百貨店、として客をひきよせていた。（同）

今ではデパートがすたれ、ショッピング・モールが中心となっているが、何でも買える「デパート」という存在の歴史は、実はたった一三〇年しかない。それ以前、靴なら靴屋、肉なら肉屋、服なら服屋へ行くしかなかった。今でも専門店は残っているが、多くの人々が利用するのは二四時間営業のコンビニエンス・ストアであろう。多少割高でも、近くにあって便利である。商品は何でもあるのではないが、必要不可欠なものが必ず手に入る。これもマーケティングの力ではあったとしても、その根底にデパートの発想がある。

大量の商品にとりかこまれ、次から次へと視点を移動させてゆく人の群れ。そしてこの人の群れを集めるためにデパートは絶えず動いていなければならない。（一八～九頁）

常に資本も人も商品もまるでパノラマをみるかのようにながめる空間こそデパートなのであった。（一九頁）

桜井は、この「パノラマ」を話題の中心に据えていく。

パノラマ的な空間こそ十九世紀の生みだした新たな空間なのである。ヴォルフガング・シベルプシェは、鉄道の出現が、時間と空間の知覚に大きな変化をもたらしたと述べている。（同）

桜井はさまざまな研究と文学作品を引用しながら、デパートと鉄道の車窓のような目くるめくパノラマ風景の中に、貴族と農民、プチブルジョアと家政婦すらも区別なくごちゃまぜになった群衆が、貧富の差もなく同じ食器を求めている姿を語る。機械による大量生産が贅沢品を通俗化し、分割払いの出現により消費志向は促進する。このような民主化と消費社会の関係性を、桜井は要約する。その上で桜井は「「民主化」という現象の根底にあるものは、いうまでもなく「平等」への欲望」（二四頁）であると話を進める。

鉄道で旅行するものは皆平等なのだ、という信仰こそ、十九世紀の「平等」イデオロギーの端的な表現であった。同じ車輌のなかにのりあわせているということが、人びとに「平等」を実感させたのである。みんな同じだ、ということ、このことほど人びとの強い欲望をかきたてたものはなかったといっていい。（同）

民主化＝平等に当時のヨーロッパの人々は酔っていた。しかし、民主化といえども責任者は不可欠だし、平等と格差は異なる。本当に民主化は正しいのかを、身をもって調査し記したトクヴィルを桜井は取り上げる。

アレクシ・ド・トクヴィル（一八〇五〜五九年）の生涯について、『フランス二月革命の日々』（岩波文庫、一九八八年）収録の、訳者喜安朗による「解説」から引用する。その前に軽い注釈を私が加えると、トクヴィルの著作の中で一番有名な『アメリカのデモクラシー』（一八三五年）のすべてが日本で翻訳・出版されたのは何と二〇〇八年の岩波文庫版であり、トクヴィルの名については明治時代から知られていたが、その思想の代表作を読めるようになったのはここ一〇年であることは驚きであろう。

喜安によるとトクヴィルはフランスの貴族階級の出であり、「その家系は、十一世紀のノルマンのイングランド征服に際し、ウィリアム公に従って遠征した貴族にまでさかのぼるといわれる」。トクヴィルの両親は「フランス革命で恐ろしい体験をしていた。一七九三年に亡命貴族と手を結んだと疑われて逮捕された両親は、危うく処刑されるところで、テルミドール九日の反動を抑え、からくも命が助かったのである」。父も兄も「健全な復古をめざすユルトラ（極端王党派）に属することになった」（五三二頁）。

しかしトクヴィルは「二十五歳の時に一八三〇年の七月革命を迎え、打倒されたブルボン朝のシャルル十世」を「自由への障害とみなし、七月王政に忠誠を示す宣誓をおこなった。この時、彼は七月革命を実現したのが中産階級であり、新しい王政を、より自由な体制とみなしたのである」（同）。親しい友人から「裏切り者」扱いされるが、トクヴィルはすでに一六歳のとき、あらゆるものに懐疑を抱き、貴族階級が尊重する社会的価値を時代錯誤だと意識するに至っていたのである（五三二〜三三頁）。

しかし、革命を目のあたりにしたトクヴィルの心は揺れていた。トクヴィルは「七月革命からわずか三カ月後に、友人のボーモンと共に、アメリカ合衆国への調査旅行を政府に願い出る」（五三三頁）。「アメリカで監獄制度の理論と実際を調査研究するというのが」「口実であって、これによってアメリカのあらゆるところに入っていけるパスポートとして使える、と親しい人に告げていた。すでに旅行の前に、諸条件が平等化するなかでのデモクラシーの未来、その原型をアメリカに探るという真の目的を、彼は明確に持っていた」（五三四頁）。

帰国の翌年、ボーモンと『合衆国における刑罰制度のフランスでの応用について』を出版する。調査したアメリカの中産階級の「諸条件の平等化が進展するという基本的事実をつかみ」、「こうした社会的要因がデモクラシーによる自由の実現に向かうためには、宗教や道徳また教育の大衆への浸透とコミュニケーションの自治が重要だとみなした」（五三五頁）。このような思想によって生まれたのが『アメリカのデモクラシー』であった。悩んだトクヴィルは、実際にアメリカへフィールドワークに行ってしまうのだ。

私がこれまで援用してきたアレント、オルテガ、佐伯などもまた、トクヴィルの思想に対して敬意を払っている。桜井は当然、トクヴィルについて原書で読んでいたことであろう。しかし『「近代」の意味』が刊行された一九八四年当時、上記のようにトクヴィルは気軽に読める対象ではなかった。『アメリカのデモクラシー』が刊行されてからおよそ一七五年が経過している。今日では和訳から約一〇年、桜井の著作から三五年の月日が経っている。それだからこそ、今日、『アメリカのデモクラシー』を読むことに意義がある。

ここでは桜井の『「近代」の意味』のトクヴィルの要約に戻ろう。「皆平等なのだが、そのうえに絶対的に君臨する専制的な支配者がいて、彼がその権力の代理人を被支配者のなかから平等に選びだすという場合」（二一五〜二一六頁）がある。「平等というものは、今ただちに各人がそれを感じることができるものである」。「平等への情熱が最高にたかまるのは、古い秩序がくずれ、諸階層をへだてていた壁がとりはらわれたときである」。「自由がいつのまにかなくなっていても気にとめない」。唯一つ「みんなと同じでありたい！」（同）。

まさに佐伯が指摘した、「郵政民営化」の状況と同じではないか。世界の民主主義の動向に目を向けると、イギリス権利章典（一六八九年）、アメリカ独立宣言（一七七六年）、フランス人権宣言（一七八九年）、マルクス共産党宣言（一八四八年）となる。日本の歴史を紐解くと、明治元年が一八六八年、大日本帝国憲法公布が一八八九年であるから、世界の民主化が終わってから日本は君主を選択したことになり、まことに類を見ない発想になってしまう。今日の日本と、民主主義黎明期のアメリカが果てしなく似ていることをどう考えればいいのか。

桜井のトクヴィル要約に再度、戻ろう。「トクヴィルは自分の経験を紹介している。ニューヨークに彼が最初に着いたとき（一八三一年）、町から離れたところに白い大理石の小さな宮殿がかなり建っており、いくつかは古代ふうの建物のようであった。ところが、近くによってみると、なんと、家の壁は白いレンガであり、（古代建築ふうの）円柱は色を塗った木でできているものであった」（二七頁）。今日に生きるわれわれは、このようなフェイクが「前提」になってしまっているため、驚きもしないのではないだろうか。しかしフェイクはフェイクでしかないのである。

民主的な社会では人びとは激烈な競争のなかに生きており、流動している。したがって疲れていてものを考える余裕がない。だから、読みものは彼らにとって息ぬきなのであり、すぐ読めて楽しめるもの、奇想天外だったり、波乱万丈だったりしてすぐそのなかにのめりこめるようなものが好まれる。作家たちもはやく書きあげることに関心がむいてしまう。そして演劇でも同じことがいえるだろう。人びとが求めるものは精神（エスプリ）の喜びではない。こころがわきたてられることなのであり、要するに人びとは、見世物（スペクタクル）

（二七〜八頁）

をみたいのだ。

疲れていて考える余裕がない。現代人と同様である。この時代には軽い「読みもの」があるだけまだマシである。今日では「心の沸き立て」すらない。ただ、暇つぶしだけしかないのだ。単純な読み物が流行るのは、単に「考える余裕がない」だけではない。本当の英語は難しいが、尊敬語も謙譲語もない英語は、ギリシャ語、ラテン語、日本語に比べて実は非常に簡単である。第二次世界大戦中にヨーロッパから移住した知識人たちは、簡略的な英語によって自らの思想のニュアンスを伝えるのに苦労したのだと思う。簡単であることは深みを失ってしまうのだ。

桜井は、「このように、トクヴィルは、「平等」への情熱がどのように均質化、画一化されてしまう世界を生みだすことになってしまうのかについて考察を試みていた」（二一八頁）とまとめ、「みんなが自由で平等になったはずなのに、いつのまにか、常に多数派の一般意志に支配されることになってしまう。みんな平等になったのではない。みんながローラーでたいらにならされてしまったのである」（同）と指摘する。「十九世紀に実現した市場経済（資本制経済）とは、人も自然も物もすべて、商品、貨幣、資本という経済様式のなかに組み込まれ、同質化」（二一九頁）された。

ここからは桜井は、人間も物も増え続けることに対する「不安」について読み解いていく。そこには「群衆」というこれまた近代に誕生した概念が不可欠となっていく。桜井は文学作品から「群衆の暴動」の恐怖を綴り、以下のようにまとめる。「人やものがどんどんふえつづけ、その一方で、でこぼこにならされ、均質化が進められてゆく社会に出現した「非理性」。それこそが「群衆」なのだ」（三二一頁）。なぜ「非理性」に陥るのか。群衆を成立させるものは、「暗示」であり「模倣」でもあるという研究を分析する。

その上でフロイトの精神分析を前提に、「かかる「群衆の欲望」へと帰結する近代市民社会の原基的な理念こそ、「追いつき、追いこせ」という「競争」の論理なのである」(三九頁)と結論づける。お互いが平等なのだからこそ怯え、不安になり、意味のない競争を繰り広げる。競争は確かに必要だ。街に一軒しかラーメン屋がないと、競争しないため美味しくない。しかし、見栄のための競争心と、人間本来の闘争心は振り分けていかなければならないのではないだろうか。われわれは新世界秩序の現代においても、意味のない競争をさせられつづけているのである。

桜井の『「近代」の意味』の検討は、ここまでとする。ここからは桜井の論理を前提に、現代を分析する。今日の日本の人口は減り続けている。しかし、食べ残しを残飯として捨てているくらいモノは溢れかえっている。平和で、平等だからこそ自分は勝ち組だと思い込み、他人を蔑み、自己の地位から堕ちることに怯える。だから電車内で妊婦にも席を譲らない。つまり、意味のない、思い込みの競争を一生続けている。そのわりには暴動も起きず、当然革命もない。小売店や商店街どころか、高級ではない庶民的デパートもつぶれていく。今の人びとは何を求めているのだろうか。

それは、巨大なショッピングセンター(以下、SC)である。栗山浩一(一九六二年〜)の『成功するSCを考えるひとたち』(ダイヤモンド社、二〇一二年)を元に、現代を探ろう。栗山は「はじめに」で、高速道路サービスエリアがデパ地下や駅ナカのようになっていることを指摘し、「そうした仕掛け人集団が工夫をこらしてつくり出す施設のもっとも身近な例が、みなさんの周りにもある」SC(四頁)であり、そのSCの企画の社長が栗山なので、ここで紹介するという。駅ナカのお洒落なショップよりも、私は立ち食い蕎麦の消滅にがっかりだ。いつの間にかすべてが変わっていく。

栗山はSCを「人がつくる「街」である」と定義し、「従来型の百貨店やスーパーマーケット、昔ながらの商店街などは、どちらかといえば特定の「目的」があって行く場所だと言えるでしょう。／それに対してS

Cは、目的を限定せず、自由に「自分だけの時間」を使える場所なのかもしれません」（二五頁）と規定する。栗山は、日本のSCとは「欧米の「合理的価値観」と日本の「こまやかな気遣い」が融合した、世界でも類を見ない商業形態となっている」（三〇頁）として、日本のSCの歴史を振り返る。

ここで注目したいのは、栗山が一九六九年にオープンした本格的SC「玉川髙島屋」から現代までが地続きでつながっているという見解である。先に従来の百貨店などを「「目的」があって行く場所」とSCと振り分けているので、これらがどのような困難を背負って潰れたのかについては考察しない。あくまでSCだけの発展だけを述べている点にある。SCとは「ただ単に「必要なものが手に入ればいい」という買い物から、「より生活を豊かに楽しむため」の買い物」（三四頁）というニーズに応えているからである。

栗山が「私たちの目的は統計分析ではなく、そのデータから「街の表情や未来の姿」を読み解くことです」（八八頁）と工夫し、「長期にわたるデフレを反映して、コスト、品質、納期に対するお客様の要求、そして業界内の競争は厳しさを増しています」（一九七頁）という状況を前提として、「長く利用者からの支持を得るには、単なる店舗の集合体であるSCではなく、人が集積するためにさまざまな工夫がなされるべき」（一三三頁）ことを考えて、SCを構築していることはとてもよくわかるし、素晴らしいことでもあるだろう。しかし、例えば以下の例を簡単に検討してみよう。

曲線のモールを五〇mほど歩いたときに、その先がまたまた見えてくる。そのほうが、人は見えてきた先が気になって自然に歩いて行きたくなるという心理に則しているからです。
お客さまに、「まだこの先があるのか」と思わせたら負け。「気がついたら歩いていた」というのがSCづくりでの正解なのです。（七六～七七頁）

私は、これはまさに「群衆暴動」を避けるための装置ではないかと考えている。長年の群衆暴動防止の成果であろう。私は、テレビで見た一九九二年のロサンゼルス暴動に恐怖したことをよく覚えている。もっと前の出来事＝自分が若かった頃と思ったのに、湾岸戦争以後である。人間の本性というか、生々しさが伝わってきて、本当に怖かった。この恐怖は一九七〇年代に流行ったパニック映画を彷彿させた。暴動には怒りや主張があるが、『タワーリング・インフェルノ』（一九七四年）などは、単に自分だけが生き残りたいために逃げまとう姿が、幼少の私に恐れを植えつけた。

私は決してSCを否定しない。私が紹介したいのは、このような現代のSCの素晴らしい見解は、近代に発生した「大衆」と「暴動」という歴史を研究した上に成り立っていることである。この曲線モールの仕掛けなら「暴動」を抑えることができる。近年「暴動」は起こらないが、起こってしまったら恐ろしい状況に陥る。だから「大衆」と「暴動」の時代による変化が含まれていることだろう。だからこそ、私たちは歴史を知り、近代の「抑制」とは何かに目を配らなければならない。

相対性理論

近代を論じるときに、絶対に避けて通れないのは相対性理論の発見と進歩であろう。アルバート・アインシュタイン（一八七九〜一九五五年）が「特殊相対性理論」を発表したのは一九〇五年、「一般相対性理論」が完成したのは一九一六年である。その後、スティーヴン・ホーキング（一九四二〜二〇一八年）によってこの一般相対性理論の研究は、大きく前進した。この世紀の大発見と前進が、もっと一般的なものの考え方の前提になるべきではないかと私は考えている。

「相対性理論」についてさまざまに読んでみたが、最も簡潔な一言で説明しているのは、竹内薫『世界が変わる現代物理学』（ちくま新書、二〇〇四年）であった。「相対性理論」とは「世界中のみんなが、おのおの、ちがう速さで時を刻む時計と縮尺・方向のちがう地図をもって世界を旅している」（一八頁）ことである。なんとわかりやすいのであろう。竹内の一言を逆に考えると、相対性理論以前の世界では、「世界中の皆が、同じ時計で同じ地図を持って同じ方向に旅して」いたことになる。この発想は、今日でも一般的なのではなかろうか。同じ時計と同じ地図とは、同じ価値観ということだ。

さらに相対性理論を単純に教えてくれるのは、佐藤勝彦『相対性理論がみるみるわかる本』（PHP、二〇〇五年）である。相対性理論発表からその後の百年の研究をわかりやすく伝える。特に重要だと思った箇所を引用する。「止まっている人と動いている人とは異なる時間の尺度を持つ」（五六頁）。「高速ロケットに乗っても十六年間で一秒の遅れ」（六四頁）しかない。「この世には、光の速度を超える速さで運動するものはない」（七〇頁）。「動くものは質量が増える」（八五頁）。むろん、最も重要なのは質量とエネルギーの等価性である。

太陽光線が地球に到達するのに約八分かかるという。しかし、太陽も地球も動いているのだから、この時間は常に変動しているのではないだろうか。そう考えるのであれば、ありとあらゆる基準が失われる。しかし、それが相対性理論の本質なのではないだろうか。基準など、はじめからなかったのだ。相対性理論が発表された頃、その重要性に気がついた物理学以外の他の分野の人々が多くいた。主に哲学者ではあるのだが、その何人かを、ここで紹介したい。

相対性理論によれば、空間と時間とは引きはなすことができない。したがって反対意見の思考の道筋にしたがうならば、知覚された空間ばかりではなく、また知覚された時間もが、おのおのの個人にとって心的でまったくパーソナルなものと見なさざるをえない。だがわれわれは、すべてのわれわれの知識が経験にもとづく、という点で合意したのである。

A・N・ホワイトヘッド「斉一性と偶然性」一九二二〜二三年『象徴作用 他』

市井三郎訳、河出書房新社、一九八〇年、一一六頁

古典物理学を棄てなくても、それを相対性理論によって修正しさえすれば、〈観念的に孤立化しうる一連の続き札〉――それが事実上は他の組と交錯しているにもせよ――という意味での〈実証主義的因果概念〉が不十分なものであることを、われわれは明らかにすることができるのである。

メルロ＝ポンティ『行動の構造』一九四二年、滝浦静雄・木田元訳、みすず書房、一九六四年、二〇七～八頁

ホワイトヘッドにしても、メルロ＝ポンティにしても、従来の哲学ではこれからの世界は語りきれないことを理解している。ここで科学者からの重要な見解を引用しておく。

われわれは、ラカン、クリステヴァ、イリガライ、ボードリヤールやドゥルーズといった有名な知識人たちが、科学的概念や術語をくりかえし濫用してきたことを示す。濫用のひとつは、科学的概念を、何の断りもなくその通常の文脈を完全に離れて使うことだ。ただし、われわれはある分野から他へと諸概念を拡張することに反対しているのではなく、何の議論もなしにそうすることに反対なだけである。

出典はA・ソーカル、J・ブクリモン『「知」の欺瞞』（一九九八年、田崎晴明他訳、岩波書店、二〇〇〇年、vi頁）である。科学者たちは哲学者の勝手な引用と考察について、怒っているのである。つまり、私のこの引用も科学者たちに怒られそうだが、そうならないように努力したいというのが、私がここに引用した理由である。

私が読んでいるかぎり、アインシュタインに対して最も敏感に反応したのは、エルンスト・カッシーラ（一八七四～一九四五年）であると感じている。圧倒的な哲学思惟を実現したカッシーラは、一九一〇年に発表した『実体概念と関数概念』（山本義隆訳、みすず書房、一九七九年）で、哲学は数学や物理学との関連が不可欠であるとした。さらにここで「エネルギー」について多く言及している。カッシーラ自身はその時アインシュ

タインの研究を知らなかったとしているらしいが、当然、念頭にあったに違いない。

カッシーラは一九一六年には『自由と形式』（中埜肇訳、ミネルヴァ書房、一九七二年）を発表し、ここで難解な数学や物理学と、ゲーテやシラーなどの芸術が等価であることを説明した。カント全集の校閲の成果を一九一八年に『カントの生涯と学説』（門脇卓爾他監、みすず書房、一九八六年）として世に問うたカッシーラは、一九二〇年に『アインシュタインの相対性理論』（山本義隆訳、河出書房新社、一九七六年）を刊行する。


私は、相対性理論が惹き起こした哲学上の諸問題を、本書で余すところなく説明し尽くしたと主張するつもりはない。相対性理論によって、一般的認識批判が直面した問題は、ただ物理学者と哲学者が一歩一歩と手を携えて作業することによってはじめて解き明かされるであろうということを、私は自覚している。（中略）アルバート・アインシュタイン氏は、草稿の段階で本書に目を通し、詳細に検討を加えて下さった。それらは本書に生かされているし、そのことによって本書執筆の仕事ははかどった。（一～二頁）

カッシーラは、アインシュタインとコンタクトを取ったのである。この成果を元に、カッシーラはその後、『シンボル形式の哲学』（一九二三～二九年）を完成させ、啓蒙主義の哲学の論考を経て、国家論へと到達した。この驚くべき哲学をここで読み解くことが目的でないので詳細は記さないが、カッシーラのような発想――恐れず嘆かず卑下せず目の前の問題を解決する努力をする――が、この当時だけではなく、今の生活の中でも不可欠であると私は考えているのである。

私が驚愕したのはカッシーラだけではなく、前述したオルテガでもある。オルテガもまた、相対性理論の画期的な発想の転換について言及した。それが「アインシュタインの理論の歴史的意味」（『著作集1』「現代の課題」付属論文、一九二三年、長南実・井上正訳、白水社、一九七〇年）である。相対性理論は「可能なかぎりのあらゆる視点の調和的多様性の立証であった。もしその理論が芸術や道徳の領域にまで拡大されるならば、われわれは新しい感じ方で歴史や生に向かってゆくようになるであろう」（三一三頁）。この一言こそ、オルテガが相対性理論の本質を鋭く指摘しているものだ。

> 新しい力学を古い哲学的相対主義の子孫として解釈するのは——前者は後者をしめ殺しに来ているのに——新しい力学に向けられた最も不条理な言いごまかしである。古い相対主義からすれば、われわれの知りたいもの（空間・時間の実在）が絶対的であるがゆえに、われわれの認識は相対的である、そして絶対的実在には達しえない。アインシュタインの物理学からすれば、われわれの認識は絶対的である、相対的なのは実在である。（三〇七頁）
>
> 古い絶対主義者たちは思想の全領域において、これと同様の天真素朴な誤りをおかしている。彼らは人間の法外な評価から出発している。人間は宇宙の片隅の一存在者に過ぎないのに、彼らは人間を宇宙の中心にする。アインシュタインの理論が訂正しようとした最も重要な誤謬はそのことであった。（三〇八頁）

オルテガがこのように叫んでから現代に至るまで、百年近い時間が過ぎている。それにも関わらず、われわれは未だ「古い絶対主義者たち」のままではないであろうか。

これまで「止まっていた」視点が動き出す。つまり神の視点を捨てて、われわれが世界を見る、世界が私たちを見ている、作品が私たちを見ている、私たちが作品を見ていると、多様に展開できるのである。そこに時間や空間という定義を持ってはならない。さらに自由な視覚を手に入れ、その視覚を用いてさまざまな現象を論考するのだ。すると、これまで見えてこなかった世界が目の前に広がる。

私はリー・M・シルヴァー『複製されるヒト』（一九九七年、東江一紀他訳、翔泳社、一九九八年）の生物の定義の中にある、「情報と組織を保持するためにエネルギーを活用する機能」と「生殖能力」（二五頁）に注目した。逆に返せば、エネルギーを用いず生殖もしなければ、神になれる。エネルギーと生殖は、神から人間に与えられた罰なのではないかと感じた。これから何がわかっていくのであろうか。

相対性理論がもとになって、原子力爆弾が開発されたことはだれもが知ることだ。アインシュタインが反対したにもかかわらず、原子力爆弾は製造され、日本に二度落とされた。偉大な発見や発明は、常に権力者の「正義」の名の下に利用されてしまう。この事実を当然、真っ向から見つめなければならないが、私が注目したいのは、一九四五年以降の恐るべき科学の進歩である。人類はあっという間に大気圏を越え、宇宙空間へ飛び出していったのである。それも無人どころか有人で、である。

長崎に原爆を落としたのは、雲がなくて見えなかったからだというが、いずれにせよ、第二次世界大戦の時代はコンピューターのない、五感で確認するアナログな発想だったのだ。もしも大気圏を越える大陸弾道ミサイルの開発のほうが原爆より先だったら、世界が壊滅していたことは確実である。

技術の進歩を簡単に探ってみよう。立花隆（一九四〇年〜）の『宇宙からの帰還』（中央公論社、一九八三年）だ。

> ソ連が世界最初の人工衛星スプートニク1号を打ち上げたのは（中略）一九五七年十月のことである。この事件はアメリカに大きなショックを与えた。科学技術のあらゆる分野で世界の先頭をきっているつもりだったのに、宇宙技術ではソ連に追い越されてしまったのである。そして、人工衛星を打ち上げるということは、それを可能にした巨大ロケットの生産技術とその制御技術をソ連が持っていることを示していた。（七四頁）
>
> すでに軍事的には、弾道ミサイル開発の米ソ競争の時代がはじまっていた。この分野でアメリカは絶対的な技術優位を持つものとだれもが信じていた。ところが、人工衛星打ち上げの成功は、とりもなおさず、より強力で、より精密なミサイルをソ連が手中にしていることを示すものだった。（七四〜五頁）

人工衛星を打ち上げることはロケットを発射することに等しいのだ。しかも単に打ち上げるだけではなく、

「制御」＝確実なコントロール技術も不可欠となる。鉄の塊を宇宙に放り出すというわけではない。

アメリカ大陸の上を一時間半おきに電波を発しながら飛んでいる重量八十六キロのスプートニクは、もしそれが核爆弾だったらという恐怖をアメリカ人大衆に与えた。さらにその一ヵ月後、ソ連はライカ犬を乗せたスプートニク2号の打ち上げに成功した。今度は重量が五百キロもあった、アメリカにも、すでに二年前から、人工衛星の打ち上げ計画があった。しかし打ち上げ予定は五八年であり、その重量は十数キロ程度のものだった。ロケット推力ひとつとっても、ソ連に技術的に立ち遅れていることは明白だった。

アメリカは総力をあげてソ連に追いつこうとした。しかし、あせったあまり、充分な準備もなしに人工衛星打ち上げに走った結果、無残な失敗をとげる。ソ連のスプートニク2号が打ち上げられた三日後、ケープ・カナベラル（一九六三年から七三年の十年間だけケープ・ケネディと改名）から打ち上げられたバンガード・ロケットは、発射後二秒で墜落し、爆発、炎上してしまったのである。アメリカがはじめて人工衛星打ち上げに成功するのは、翌一月末、ジュピター・ロケットによるエクスプローラー1号によってだった。

しかしその重量は十四キロ、スプートニク2号のわずか三十六分の一だった。　　　（七五頁）

原子力爆弾をいち早く開発したのはアメリカだったが、人工衛星の開発についてはソ連がこれほどまでの差をつけていたとは、私は知らなかった。原爆投下からわずか一二年で、人類は人類を防御している大気圏を越えることができた。もしこの一二年が逆転、もしくは早まっていたとなれば、原爆を積んでいなくとも大陸間弾道ミサイルが飛び交い、今のわれわれはいなかったに違いない。

人類はすぐに、大気圏を飛び出して、再び「戻ってくる」ことが可能となった。戻るには大気圏の「再突入回廊」に正しく入らなければならない。「再突入回廊」とは「再突入にあたって、それより浅い角度では宇宙空間にはね返され、それより深い角度では焼死してしまうという、生還可能な再突入角度の狭い範囲をいう。

角度にして、それはわずか二度である」（五五頁）。大気圏に入るにはわずか二度の角度しかない。大気圏に跳ね返されるか、大気圏との摩擦で燃え尽きる。この二度を人類は発見して、今でも軍事に利用している。

立花が教えてくれるのは、技術の進歩だけではない。端的な言葉で、宇宙空間という人類にとって新しい空間について解説している。「「上」と「下」とは、地球空間においては、最も基礎的な概念の一つである。だが、宇宙空間においては、上も下も存在しないのである。「縦」と「横」という概念にしても同じことだ。宇宙空間には縦も横もない。／宇宙空間の無重力状態の中では、人間はポッカリ空間の中に浮いており、どの方向にも方向づけられていない」（二二頁）。上下左右の空間が失われるとは、どういうことであろうか。

宇宙空間に出れば、「高さ」は高さでなくなり、上下の方向づけがない単なる長さになるのである。宇宙空間では「近い」、「遠い」は意味を持つが、「高い」、「低い」は意味を持たない。人間は床に立つのではなく、空間に浮かぶのだから、どの壁面も均等に利用できるのである。そういう状況の中では、空間の広がりの感覚が全くちがってくると、宇宙飛行士たちは異口同音にいう。（二三〜四頁）

遠い近いだけが意味を持つ。まさに相対性理論のイメージである。このように考えると、地球上にいることがかえって奇跡に感じられる。宇宙の感覚を想像し、相対性理論を鑑みると、われわれが住んでいる世界がいかにちっぽけなものかを思い知らされる。しかもこの感性をわれわれはすでに手に入れているのかと思えば、まったく知る由もない状態なのである。オルテガが指摘したとおり、われわれはこの感覚と発想によって、新しい世界を構築しなければならないはずである。それは、実際の体験を必要としない。われわれは想像力によって何でもできる。ヒッピーたちは宇宙船よりも先に意識で月に到達し、その後、インターネットを開発したのだと言われている。

このように相対性理論と現代の問題に対して深く考える機運をもたらしてくれるのが、スティーヴン・ホーキングなのである。ホーキングはブラックホールの研究により、アインシュタインが足踏みしていた相対性理論を押し進めた。「私たち人類は肉体的には非常に限られていますが、心は宇宙全体を自由に探検することができ」（『ホーキング、未来を語る』佐藤勝彦訳、角川書店、二〇〇一年、引用はソフトバンク文庫、二〇〇六年、九四頁）るという。われわれが想像力によって光となることを、ホーキングは止めるどころか推奨するのだ。

ホーキングは、物理学の立場から宇宙だけを研究しているのではない。人類が抱えている問題にも目を配っている。『未来を語る』では、桜井の『「近代」の意味』と同様、近代の爆発的な人口の増加を指摘し（二一三頁）、一九五三年にF・クリックとJ・ワトソンによって発見されたDNAについても論じている（二一六頁）。

相対性理論の芸術─近藤樹里×近藤孝

現代の創造者でも相対性理論に感化されて作品を制作している場合がある。しかし、「気づいている」創造者でもそれがうまくいくとは限らない。演劇、音楽、美術、ダンス、操り人形、活け花、建築、デザインとさまざまな現場でそのような創造者に遭遇するが、ずば抜けて、相対性理論を通じて「現代」を芸術として昇華させた創造者が近藤孝義（一九四九年〜）である。私は近藤と二〇一七年二月、Facebookで知り合い、著作『死ねない悪魔』（上下、二〇一六年、幻冬舎）を送ってくれた。

私はこの小説を読んで驚愕した。ほぼ同じ頃、私は映像の創造者太田曜（一九五三年〜）を研究しながら相対性理論を探っていた。太田、相対性理論、近藤という点が線で結ばれ、私は二〇一八年五月二十八日、日本映像学会第四十四回全国大会（東京工芸大学）で、『太田曜と実験映画─「相対性理論」の発想に基づいて』と題して、近藤の『死ねない悪魔』も交えて学会発表した。内容は相対性理論の紹介、太田曜の作品の特徴、

『死ねない悪魔』と相対性理論と太田作品の共通項であった。『死ねない悪魔』に対する言及は以下であった。「物語は生者たちが死者の国である宇宙を巡り、冥府の秩序を乱す者を咎める。「偽りの神を創りだし、多くのものを欺き戦争に狩りだすものに死ねない悪魔として立ち塞がる」（下巻、三四八頁）。この物語にホーキング理論がいくつも当てはまる（暗黒物質、対消滅、ブラックホール、記憶、神は存在しない、動物は戦争をしない）。この視点を携えて太田の作品と向き合うことにより、われわれはさらに新しい視野の拡がりを感じることができるのではないだろうか」。

『死ねない悪魔』の魅力とは、従来の小説という枠に当てはまらない点にある。どちらかというと、ヘーゲルがいう「精神現象学」に近い感覚を私は持っている。ヘーゲルの本を読んでいくら傍線を引いても、後で読むとわけがわからない。つまり、読んでいる最中がまさに「ドライブ」であり、前後の文脈と遙か以前の記憶、未来への予測を繰り返す上で、初めて「気づき」が生じるというものである。『死ねない悪魔』も同様である。小説といってもホメーロスにはとても近い。つまり、叙事詩のような印象がある。

そのため、『死ねない悪魔』の物語を単に追ったり、一部を引用したりしても、その面白みは届かない。視覚要素も限りなく少なく、きわめて言語的でありながらも、だからこそぼんやりとした印象が宙吊りとなる。この印象を実写やアニメーションに置き換えても、今ひとつその魅力は発揮できないのではないか。ただ、『死ねない悪魔』からインスピレーションを得て演劇や音楽、美術などの作品を作成することは可能であろう。

物語はこの一節で始まる。「終電の失せた夜ふけの亡霊駅が〝美が襲う〟と眠れる街に悪夢を語る」（上巻、五頁）。駅「に」、ではなく、駅「が」であることに注目する。亡霊駅「が」美を襲うのである。この書き出しでこの作品の凄さが伝わってくる。「悪夢」とはホラーとSF、サスペンスやパニックといった生やさしいものではない。生きている間、やむことのない連続、それが悪夢だ。

語っている主人公は、自らが「鳥海翔」であることを明かす。この日、翔は同僚と呑んでいると、自分の頭の中で何かが不意をついて現れた。「道案内人物申す。私は未熟者翔に、秘められた宇宙の謎を教え、正しく導くものだ。樹木が年輪を作るように、土地が地層を作るように、死せる魂は記憶層を作る。人間に戦争をやめさせるために必要不可欠で、争いを起こす怒りを仕舞い込む記憶層のことを知ってほしい。それを探しだせば、人間に幸せがもたらされる」。異様なものを感じた同僚は、店を出てしまう（上巻、六〜七頁）。

翔は朝早くから開いているカフェに入り、眠り込んで夢を見る。翔は、そこで出会った都築稜と連絡先を交換する。稜には同じ名前の妹、オリョウがいる。二人の兄、峻はこの世にいない。この店のウェイトレス、小田切環もまた、翔と稜とオリョウの不思議な旅に加わる。四人に立ちはだかるのは、環と交際するはずだった天野光悦である。五人は異性人とも零体とも言える他の国の知的生物と交流し、宇宙と生命の神秘に触れていく。神はいるのか。戦争をなくすことができるのか。さまざまな主題がここに満ち溢れている。

「峻のことを胸の内で想いだせば、いつでもあなたのところにやってくる」（上巻、二四七頁）。死者を祈る気持ちは普遍だ。『死ねない悪魔』では、死者の国で生きている者と生者が交信できるのだが、それを単なるオカルトやＳＦで片付けるのでは意味がない。

「歳を取らないけど、身体を失った私達が記憶を増やしたいとどんなに望んでも、新しい記憶はひとつも加えることができない」（上巻、一〇二頁）。「その得体の知れない何者かのことを、絶対的な美、究極のテロリスト、不条理の至高神、裏切り者のテロリストと思った」（同、一一九頁）。「人間同士の戦の絶えたことのない人類史に、戦争のない新たな人類史の第一章が私によって始められる」（一三〇頁）。「人類の特質のひとつ、邪悪な心が無の領域を変質させたと思うと、正体不明の魔の手が迫る〝死ねない悪魔〟」（一六三頁）。「動物がなぜ戦争をしないのか教えてやろう。動物には恥ずかしいと思う気持ちがないからだ」。「人間以外の動物が戦争を起こさないのなら、動物を真似れば良い。恥ずかしいと思う心を捨てれば良い。恥ずかしいと思うから自分を覆い隠す。自分を隠すから嘘が生まれ、争いが生まれ、戦争が生まれる。人間に戦争をやめさせるためには記憶層を見つけると共に、恥ずかしいと思う心を捨てることが大切だ。自分を隠すな。恥ずかしいと思うな」（一八五〜六頁）。「神は存在しない。これから先も永遠にこの旅を続けるが、神を見ることは永遠にやってこない。今まで存在しなかった生物が、突然誕生することは許されても、今さら神が誕生するなどということは断じて許さない」（二〇五〜六頁）。

この物語は戦争と神を否定し、人間が中心になっているのではない。宇宙人や霊魂が飛び交うからこそ、人間の本質を近藤は捉え、読者に放とうとしているのだ。

心臓、肺、胃、肝臓、大腸、小腸、骨、皮膚、脳、神経、そして血液。身体のすべての箇所がそれぞれ異なる細胞の塊だ。僕は血液細胞、つまり赤血球、白血球、血小板を創りだす大本の細胞だ。血液は心臓で創られるんじゃない。骨髄の中にいる僕達造血幹細胞が造っているんだ。（中略）

宇宙に存在するありとあらゆるものは、生存を懸け四六時中闘っている。宇宙に不公平は存在しない。だからどちらかが正義だなんて絶対に言えないんだよ。

（上巻、二七六頁）

峻を殺した峻の身体のガン細胞マクアが甦り、相棒となって語った言葉だ。

全身の血液細胞を死滅させたマウスに、たった1個の造血幹細胞を移植し、わずかの間に造血機能を回復させた実験報告がある。人間に施す実際の治療では1個というわけにはいかないから、500〜1000ミリリットルの骨髄を移植する。でもそれが君の身体の中で死滅させてしまった、20兆個の赤血球と、5000億個の白血球と、数億個の血小板を、2〜3週間で元に戻していく。どう、幹細胞の増殖エネルギーを凄いと思わない。そんな爆発力をマウスも人間も、そしてすべての生命体がそれぞれの身体の中に秘めて持っている。銀河と銀河が衝突して消滅したり、新しい銀河に生まれ変わったりしながら、宇宙が膨脹していくのとまったく同じ光景が、顕微鏡をのぞけば僕達自身の身体の中でいつも見ることができる。その増殖力あるいは膨脹力と言っていいもの、それがイメージできたらあの黙示は簡単に理解できる。僕と峻が一部であり全体であるという、例の最も重要な基礎的真理を宇宙空間にまで広げて、宇宙に存在するあらゆる個別の生命体、物質及び物体と、宇宙そのものが一部であり全体であると光悦は言っている。（上巻、二八三頁）

ミクロとマクロが等しいという研究はありがちではあるのだが、文学の中でこのように具体的に書かれると妙に納得がいくものだ。「真空が宇宙を造ったってことくらいは知っているだろう。僕よりもずっと小さい奴だ。水素原子の1兆分の1の大きさの、無に等しい真空があっという間に膨脹して、この広大無辺の宇宙が誕生してしまった」（上巻、三〇八頁）。科学的な裏づけがどのようになされているのかは、問題ではない。このような科学的見地に対して、どのような想像力と創造力を持ち得るのかが重要である。

峻、宇宙では何も消滅しないんだよ。あらゆるものの相が変わるだけだ。真空つまり無が相を変えて宇宙になるのと同じで、記憶の塊の魂がたとえ消滅させられたように見えても、記憶は相を変えて別の姿となってどこかに残る。宇宙の大法則〝相転移〟が起こるだけなんだよ。（上巻、三〇九〜三一〇頁）

「相転移」は宇宙の研究用語であるが、記憶が相を変えて別の姿に残るという実証性はない。実証性はなくとも、そのようなことが起こるとどのようなことになるのかを考えることは非常に面白い。

霊にとっては、だれかが自分を想いだしてくれるのが無上の喜びなの。なぜかと言うと、だれかが想いだしてくれると、そのだれかの心の中には霊が失ってしまった自分の身体が、そのだれかの体温とか心臓の鼓動と一緒にあるってことだから、霊はそこに行って、温もりのある心臓の鼓動の聞こえる中で、その誰かの想い浮かべる自分の身体に、自分の魂を戻したい衝動から逃れることができない。（上巻、三七五頁）

宗教的考察ではなく、自分の大切な人を失って、その人のことを考えるとだれでも同じ思いになるのではないか。下巻に移る。

生きている君達には生身の奥にある自分の魂が見られない。ましてや他人の魂など見ることすら不可能だ。みんな死んではじめて自分の裸の魂をみることができ、他の裸の魂と遭遇することになる。そして魂が記憶の塊だと知ることになる。生者は魂を空虚なものと考えている。それは完全な間違いだ。魂の中には記憶が一杯詰まっている。その上、これはとても神秘的なことなんだが、宇宙創造の謎というべきちっぽけな真空が魂には存在している。（下巻、一二八頁）

裸の魂という想像力に溜息がこぼれる。

君達人間の女性は謎に満ちている。1万年の生命など必要ない。ましてや不老不死など愚の骨頂だ。たとえ短い限られた生命であったとしても、自分ではないだれかを愛し、そして自分ではないだれかに愛され、そうやって君達のしているような謎に満ちただれかと過ごす興奮と感動の一瞬一瞬は、それこそ何ものにも変えることのできない価値観を持つものだと、僕は今やっと知ることができた。（下巻、二二七頁）

宇宙生命体が、人間に対して語った言葉である。これは女性崇拝ではなく、人間の日常の本質である。この本質をわれわれは忘れてしまってはいまいか。

自分を見失うな。確固として揺るがぬ自分を持て。空虚な美なぞに負けるな。美を見て美しいと感じるお前がいて、始めて（ママ）美はそこにいられる。お前が美を見て醜いと感じれば、そこにいるのは美ではない。醜怪と呼ぶものに成り下がる。相対（あいたい）するものに絶対的なものはない。相対するものとは、お前を除く宇宙のありとあらゆるものだ。自分を信じ、揺るぎない信念を持て。（下巻、二五五頁）

この一文は、まさに近藤の芸術論ともいえる。この芸術論は特別ではなく、だれにでも理解できる基本的な事項であるのだ。

長々と『死ねない悪魔』を引用してきたが、ここでとどめたいと思う。近藤は宇宙論について詳しく学んでいないという。想像力を駆使することにより、現代物理学に匹敵する内容となるのである。それは、人間の真理に近づくことなのかも知れない。空を見上げると夜、月は輝くが昼間は白くなっている。現代人よりも想像力が逞しいであろう古代人は、宇宙の秘密をすでに知っていたのかもしれない。相対性理論が前提だったのかもしれない。そう考えると、さらに芸術が楽しくなってくる。

ここからは『死ねない悪魔』との比較を行ないつつ、ホーキングの思想の特殊性を炙り出せればと思う。数あるホーキングの著作の中から、二冊を選んだ。まずは前出の『ホーキング、未来を語る』である。

アインシュタインの古典的な（つまり量子論的ではない）一般相対性理論は実時間と三つの空間の次元を統合し、四次元的な時空という概念をつくりあげましたが、実時間の方向は三つの空間の方向とははっきり区別されました。観測者の世界線もしくは歴史は、常に実時間の方向で増加しますが（つまり、時間は常に過去から未来へすすむ）、空間の三つの次元方向においては、増加する方向にも減少する方向にも進むことができます。言い換えると、空間においては方向を変えられるが、時間においては変えられないということです。

（中略）

一方、虚時間は実時間と直交しているので四番目の空間の次元のように振るまいます。実時間でも時間は鉄道の線路のように、始まりとか終わりとかをもつこともできたし、またループ状に回ることもできましたが、それだけです。虚時間は普通の実時間に比べると、はるかに多様で豊富な可能性を持っているのです。

（八五頁）

このようにもはや虚時間とはＳＦの話ではなく、実際に現代物理学の世界では当たり前になっていることを私は知らなかった。『死ねない悪魔』に登場する宇宙や霊界も、この虚時間であれば説明が可能であるのかもしれない。しかし重要なのは『死ねない悪魔』の実証性ではなく、その想像力から現実にあるのかもしれないという可能性である。われわれは、時間は一方方向にしか進まないと信じ込んでいる。しかし前にも書いたとおり、そのような常識こそに捉えられてはならないのだ。虚時間が当たり前になったらどうなるのか。

もしハートルや私が提案したとおり、虚時間での宇宙の歴史が本当に閉曲面であるなら、私たちの世界観にかかわる〝私たちはどこから来たのか〟という哲学課題に対して示唆をあたえることになります。宇宙は完全に自己完結した世界なのです。（中略）宇宙の全ての出来事は科学の法則と宇宙の内部にあるサイコロが振られることによって決定されることになります。（中略）私や他の多くの科学者が信じていることなのです。

（一一四頁）

虚時間での宇宙の歴史が閉曲面であれば、宇宙は偶然、生まれたことになる。この見解は、科学の領域では常識になっているようだ。前出『複製されるヒト』でも「何の必然性もない偶然が何十億回もくり返されて、最終的に人間まで到達した」（四〇頁）としている。偶然を排除する思想とは、曖昧さを拭い去る厳密な哲学というよりも近代合理主義から発する科学から生まれてきたのではないだろうか。

加速度的な宇宙の急激な膨脹は、物価が急激に高くなるインフレーションに似ているので、この経済用語を宇宙論にもちこんでインフレーションと呼ばれています。物価のインフレーションは一般的に悪いこととしてとらえられますが、宇宙の場合においてはインフレーションは非常に有益なものです。この大規模の膨脹により、宇宙の初期にあったかもしれない凹凸はすべて取り除かれ、なめらかな宇宙になります。

（一二二〜一二三頁）

経済の用語もまた、近代に生み出されてはいるのだが、宇宙論とのリンクが興味深い。

量子ゆらぎは、たとえ明らかに中が空の空間でも多くの仮想粒子のペアで満たされていることを意味します。この仮想粒子のペアは、一緒に現われ、離れるように動き、ふたたび一緒になり、そして互いに消滅します。

（一九六頁）

『死ねない悪魔』においても、霊魂である宇宙生命体でもその存在を完全に消滅させられる場面がある。この完全消滅のイメージが仮想粒子と近く感じる。それにしても「完全消滅」とは何だろうか。われわれは死んでも魂は残るという希望を持つ場合が多い。それすらも消滅してしまうのである。

次は、レナード・ムロディナウとの共著『宇宙のすべてを語る』（二〇〇五年、佐藤勝彦訳、ランダムハウス講談社、二〇〇五年）である。「大質量の星が崩壊してブラックホールを形成する現場を見て、そこで目にすることを理解するためには、相対性理論においてはもはや絶対時間というものがないことを思い出さなければならないでしょう。言い換えると、それぞれの観測者にはそれぞれの時間の基準があるのです」（一三二頁）。それぞれの観測者にはそれぞれの時間の基準がある。

そのほか、相対性理論から教えられることはあまりにも多い。宇宙が歪んでいることとか、別の世界があるとか、さまざまな発見がある。その中で特に私が感じたことは、宇宙は「無重力」ではなく、重力のみに影響されているということである。人間が浮かんでいても、宇宙からすれば塵程度、あるいはそれ以下であろう。

「太陽が地球と近くの星の間にあるときには、太陽の重力場によって星の光が曲げられるので、星の位置がみせかけ上変化すること」は、一九一九年に実際に観測されている。

（七五〜七六頁）

星以上にはるかに大きな天体が宇宙には存在します。たとえばそれは銀河の中心領域に重力崩壊で形成されると考えられている巨大ブラックホールです。

（一三四頁）

いつか宇宙そのものが、ブラックホールという重力の中に引き込まれてしまう。その後どうなるのか、という問いはここでは不要である。宇宙空間が実は重力に満ち溢れ、重力の力で動いていることが大切なのである。では大気圏という宇宙の中でも例を見ない場所での重量とそれは同じなのだろうか。

パウル・クレー（一八七九〜一九四〇年）

以前からクレーのことは気になっていたので、この際、思い切って『造形思考〈上・下〉』（一九五六年、土方定一他訳、新潮社、一九七三年）と『クレーの日記』（一九五六年、南原実訳、新潮社、一九六一年）を読んでみて驚いた。精緻な『造形思考』と彷徨な『日記』が同じ作者とは思えないほどなのだが、それ以上に、神秘主義者的なイメージを持つクレーとは、実は科学的思考を前提とした創造者であることが明らかになったのである。クレーもまた、相対性理論を知っていたに違いない。

引用はすべて『造形思考』である。例えば一九一九年の〈汝、強きものよ、おお、汝！〉「コリント、ポツダム広場」のための素描のコメントには「眼に見える運動とは、用いられたエネルギーの質量に関連して持続的な増大、ないし減少によって初めて生じる。（あらゆる方向に向う運動では、「錯綜した攻勢」をとって現われる）」（上巻、二五頁）とある。運動とエネルギーの質量の関係とは、これまで見てきたとおり、まさに相対性理論の発想である。クレーは一言も「アインシュタイン」とは書いていないが、明白であろう。

かつて、画家は地上に見られる物を、見て好ましかったものを、あるいは見たら好ましかっただろうものを描いた。しかし、今日では、眼に見える事物の相対性が明らかにされ、この相対性は、眼に見えるものは、物質と精神を一丸として世界との比例では、限られたほんの孤立した一例にしかすぎない、他の真理も無数に混在しているのだという信念を表明するにいたった。（上巻、一二七頁）

私が最も伝えたかった一言である。相対性理論によって、人間の視線はこのように変化しなければならないのではないだろうか。

キリスト教文化では明確に述べることはできないであろうが、クレーが言いたいことは、神の視点以外にも無数に真理が存在するということであろう。また、「J・フォンダーリン『平行パースペクティヴ。直角および斜角の円筒軸測定』、G・ヴォルフ『数学と絵画』、V・リーツマン『数学と造形美術』」が「クレーの蔵書中にあった」という記述も『造形思考』に記されている（上巻、一九七頁）。ここに挙げた著作とクレーの思考を比較考察するのは至難の業であろうが、クレーが物理学に深く興味を持っていたことが重要である。実際にクレーは以下のように述べている。

芸術にとってもまた、精密な研究の余地は十分ありうるし、そうした門戸はしばらく以前からすでに開かれている。音楽で十八世紀末までにすでにやられていたことが、造形美術の分野ではやっと始まったばかりである。数学と物理学は、留保と変則の法則という形で、それに対するテコの役割を果たしている。この場合、どうしてもまず機能の問題をもりあげさせ、完成したフォルムをとりあげさせないということは大いに有益である。代数、幾何、力学の問題が、印象的なものに対し、本質的なものへ、機能的なものへと向わせる教育の契機になっている。人々は事物の表面の背後にあるものを見ることを学び、事物の根本を捉えることを学び、その下に流れているものを認識することを学び、可視的なものの前史を学ぶ。深く掘り下げることを学び、実態をあらわにすることを学ぶ。論証すること、分析することを学ぶ。（上巻、一一三〜一一四頁）

大変重要な言葉だ。これは単なる科学主義ではなく相対性理論が前提であればまったく異なって読めるし、「事物の表面の背後にあるもの」とは横尾、及川が言っていることだ。

物理といえば「法則」が問題になってくるが、クレーは、「芸術の内部において本質的なものは、法則にもとづいて運動を創造することであり、法則を心にとどめながら変則を創造することである。法則にこだわりすぎると、不毛の地にさまようことになる」（上巻、二〇八頁）としながらも、「作品は法則ではなく、法則を超えた存在なのだ」（上巻、一〇三〜四頁）とする。この二つは矛盾していない。法則を「意識」しなければならないことを警告しているのだ。

　クレーは宇宙についても言及している。「観念上の静力学、純粋な動力学」と題し、「宇宙的な観点からすれば、垂直線はけっして平行ではない。／また、宇宙的な観点からすれば、水平線などというものはなく、弧線である。／接線などというものは、宇宙的な観点では非存在である。／「わたし」の場は、宇宙的な観点では一個の点である」（上巻、二三八頁）。自らが一つの点であるという客観的な視点を、クレーはすでに持ち得ているのだ。

「すべての造形は運動である。造形はどこかで始まって、どこかで終るから」（上巻、二五〇頁）。何気ない一言だが、クレーが相対性理論を理解した上での発言としたら、途轍もなく深い一文だ。「わたしたち自身が肉体的―人間的に、この地球の引力に依存しているということから、わたしたちが自分たちの同病者ともいうべき建造物という物体に遡って類推する」（下巻、三八三頁）、「空中を浮遊する人（飛行機やグライダーの操縦者）は、機械と一体になる必要がある」（下巻、三八五頁）も、はっとする発想が込められている。

「宇宙的―大気的」には図も附せられている。「流星はその軌道を描き、地球に接近し、地球の引力により本来の軌道を外れ、短い、危機的な数瞬間、大気をよぎり、空気との摩擦によって燃える流れ星となる。地球に永遠に固着する危険をかろうじてまぬがれ、うつろな空間で冷え、再び火が消えて、さらに飛び続ける。弛緩した組成をもつ宇宙的なフォルム」（下巻、三九四頁）。宇宙についての知識があるからこそであろう、何という詩的な見解であり、美しい文章なのだろうか。クレーは決して感傷的ではないのだ。

「地球は、宇宙的にみれば、静力学―動力学的な綜合への基礎を提供している。ここから、地上的なものは、宇宙的—観念的、静力学的な世界観と地上的—宇宙的な世界観に到達する」（下巻、四二五頁）。「宇宙的な観点からすれば、運動はそもそも所与のものであり、この運動は無限な力として、なんらの特別なエネルギー的動因をも必要としない。大地圏の事物の静止は、所与の運動を物理的に妨害する。地球上にこのように固着していることを基準と考えるのは、欺瞞である」（下巻、四二九頁）。これらも同様だ。

クレーは「地球と宇宙間の媒体としての思想」（下巻、四七九頁）を追い求めたのであろう。クレーを含むこの時期の創造者とその作品を、単なるモダニスト、モダニズムで片づけることは決してできないのだ。逆に、ここにこそ私たちがもっと考えなければならないことのヒントが隠されているといえるのではないだろうか。私たちは過去の事項に対して決めつけて、忘れてはならないことをクレーが教えてくれたのだ。

戦争とは何か

私は近代を考える上で技術だけではなく思想、それも相対性理論という新しい思想を無視できないと考察してきた。ここからは戦争の問題について触れたいのだが、戦争もまたテーマとしてあまりにも大きすぎる。戦争そのものを考える必要があるし、その歴史を考え直すことも大切だし、日本人にとっては第二次世界大戦とは何だったのかを再考する必要があるだろう。それは当然、世界共通の認識ではあるのだが、第二次世界大戦以後も、さまざまな戦争があったことを忘れてはならない。

木村尚三郎が『近代の神話』（中公新書、一九七五年）の中でイギリス現代外交史家であるテイラーが、ヨーロッパでは第一世界大戦の戦没記念碑はあっても第二次世界大戦はないことから引き出した結論に、私は注目していた。第一次世界大戦は「戦争をなくすための戦争」であり、第二次世界大戦は「生き残るために戦った」にすぎず、または第三次世界大戦を予感させていたからであるという指摘である（二二一〜二二二頁）。確かに第一次など白兵戦中心で、第二次は機械による大量虐殺が行なわれた点も違いがある。

また、長谷川公昭『世界ファシスト列伝』（中公新書ラクレ、二〇〇四年）の結論である、「二十世紀に現存したファシズムもしくはナチズムは、あの時代だけに固有の現象であったといわなければならないのである」（三〇一頁）という一言も気になっていた。もはや、ファシズムは起こらない。起こるとすれば、形を変え、さらに強力なものであるに違いない。それは何か。そのようなことも考えなければならないと、宿題を抱えまくっていた。マキアヴェッリ『君主論』（一五三二年）、クラウゼヴィッツ『戦争論』（一八三四年）等を読んだ。

地霊よどこへ

私は、戦争とは何かについて考えてきた。特に殺人とは何かに思いを巡らせていた。私は二〇一四年六月八日、沖縄県立芸術大学で開催された日本映像学会第四〇回大会で、大浦信行（一九四九年〜）の作品について発表するために、初めて沖縄を訪れた。そのとき、感じたことを「地霊よ何処へ。」（『クロストーク』第四巻第一号、芸術メディア研究会、二〇一四年十二月）として発表した。私は当時の感覚に、今も変化はない。マイナーな学会誌なので、ここから一部を引用する。

「地霊よ何処へ。」

沖縄で考えたこと。震災と人災を経た二〇一二年のある日、福島、福井、京都と展覧会を終えた河口龍夫（一九四〇年〜）と話した。その際、河口は最後にこう言った。「これまでの人類の死者の数からすれば、今生きている者の数などたかが知れている。これからは死者とどのように対話するのかが課題となる」。沖縄という聖地を訪れたとき、私はこの言葉を思い出した。河口の意図とは別の発想が浮かぶ。人間は他の動物に比べて死者の数は圧倒的に少ないのであろう。

確かに一度の射精で何億もの精子が排出され、そのわずか一つ、稀に二つ以上が受精し、他の動物に比べて長い時間子宮の中で育まれて誕生する。虫や魚は外敵が多いため、大量の誕生と死が運命付けられている。動物、哺乳類もまた、人間よりも多くの誕生と死を経験する。人間が人間として成立したのは、文化を持ってからだと容易に言われている。火を使い、住居を形成し、食物を狩り、植物を育てる人間の根底に、埋葬と殺人があるのではないだろうか。猿も殺人を犯すというが、人間ほどではあるまい。

人間が平気で人間を殺せる理由は、人間が人間を葬ることが可能になったからではないかと思い立つ。人間は死に対して恐怖と憧憬をもつが、動物にはない。象は死に場所を探すと言われるが、死を恐れたり望んだりはしない。危険から身を避けることと、死を恐れることは異なるのであろう。人間の場合、肉体は死なずとも精神が滅びることが多々ある。そのような想像力が在りえない恐怖を生み出し、狂気を持続させる。そして、自らの肉体が滅ぶ前に、人間として終わってしまうこともあるのだ。

共同体の基礎である宗教が生まれるはるか以前、外敵に殺傷された仲間を弔うために埋葬が行なわれるのでなく、自らが何かしらの正統な理由を用いて殺した仲間を追悼したのではないだろうか。犠牲と種子の保存は区別される。人間が記憶を携え、殺人と埋葬を行なうようになって初めて、人間は人間となったのではないか。殺人が最高の友愛であったかもしれない。殺人は罪ではなかったのかもしれない。人間は殺人という狂気にすぐに陥る可能性を常に秘めている。すると狂気もまた、再考する必要が生じてくる。

近代戦争は領土の侵略を詭弁とした人殺しという欲望の昇華である。人を殺したい欲望は、隣人に対する優越感から始まる。軍に、正確には国に戦闘を命じられた住民達は、何をすればいいのか困惑しただろう。武器がないどころか、なぜ戦闘しなければならないのかといった必然性が生まれない。生き残るためなど考えられない。無駄死する。人を殺したい欲望が敵に蔓延したのではない。各国は狂気のうちに戦争を続け、何のために戦っているのか判断不能の状況に陥っていた。

沖縄の地に降り立ったのであるから、その本質に迫ろうと予定を変更して斎場御嶽（セーファウタキ）へ赴いた。どれだけの整備がなされたのであろうか。おそらく本来、獣道程度であろう秘められた空間が強引に切り開かれ、歪（いびつ）な場所として晒されている。京都三十三間堂の千体の観音立像と千手観音坐像、天井とのバランスの息苦しさは、観音立像の後付けの雛壇がそうさせている。斎場御嶽にも同様の窒息感があった。それでもここは聖地で在り続ける。当然、地元の者に対してのみだ。私などの余所者に、「地霊」は語りかけてくれない。

翌日、映像学会の発表は一五時三〇分だった。宿から距離があったため、朝から摩文仁（まぶに）の丘を目指した。阿鼻叫喚で血の色に染まった海と、すべてを灰燼に化す風の暖かさを感じたかったのだが、斎場御嶽と同様、「地霊」は何も教えてくれない。だからこそ私は本当の地獄を思い知らされたのだった。キリスト教では選ばれし者のみが天国へ到達し、アジアや古代ギリシャでは輪廻転生が繰り返される。私は無信仰、ノンポリではあるのだが、どうしても輪廻転生を認めざるを得ない感触を沖縄の地で味わった。

殺人を否定することもできない。人殺しは倫理や論理ではなく絶対に許すことができないのだが、もし、自分の家族が殺されたとすれば、私は当然報復に出るであろう。それは自分の中にある狂気なのか、正常な判断なのか、今の私には未だ区分を設けることが難しい。そして、家族という分類もどこまでが家族でどこからが他者であるのかを認識することが非常に困難となる。非常事態は目の前にある。巨大地震が再び発生し、原子力発電所が崩壊し、外国人が白兵戦を挑んできたとしたらどうするのか。

学会発表を終えた私は、家族と共に北部を目指した。沖縄でも滅多にないスコールである。ずぶ濡れのまま乗り込んだ路線バスにわれわれ以外の客はなく、一直線に北部を目指す。次々に流れる停留所の発音と漢字に、沖縄が日本に押し込められていることが思い知らされる。美ら海水族館で出合ったウミガメを見ていると、この亀の甲羅に乗れば、本当に竜宮城に行けるし、浦島太郎は必ずそこへ行って帰ってきたのだという確信が芽生える。浦島神話はおそらく占領のための人殺しではなく、友愛のための犠牲であった。

輪廻を想像することができたとしても、そこに神はいない。人間という悪魔が転生を繰り返す。悪と悪魔は異なる。悪魔は神と対峙しているが、悪は比較する対象のない絶対的な存在である。人間という悪魔は、自分達を支えるために神を仕立て上げたのではないだろうか。神は悪魔を否定することはできるが、悪魔を必要としている。悪魔ははじめから、神など必要としていない。人間という悪魔が神を捏造し、自分達の愚行を咎めようとしているのであれば、それは善へと帰着する。

ここまでだ。最近読んだ、鵜飼哲（一九五五年〜）の『償いのアルケオロジー』（河出書房新社、一九九七年）に、一つの答えが記されてあった。

カントは、犯した罪と罰は厳密に等価でなければいけないと言います。（一五頁）
ところがヘーゲルにとってはこのようなカントの立場はユダヤ教の立場であって、罪の問題をすべて外在的な法の問題で処理しようとするものです。それに対してイエス・キリストの教えは、罪を犯した当人がいかにして法との内面的な和解に達するかということが問題のすべてであって、そこに生命と愛の教説が出てくる根拠がある。これをもう一回、カントをユダヤ教の立場に見立ててキリスト教哲学の再提礎の試みをしたのが、「キリスト教の精神とその運命」です。（中略）

刑罰というのは外在的に犯罪者に科せられるものではない。どういうことかと言うと、人間の生命は尊重されなければならない、つまり「殺すなかれ」という命法の普遍性が一方にあるとすると、法を犯した犯罪者の行為そのものも、その法に対立するもう一つの、人間の命は奪ってもよいという普遍的な法を措定することに帰着する。（一六頁）

要するに、「殺すなかれ」が措定であるとすると、殺人者は人を殺すことによって反措定を行なう。そうすると、その反措定された同じく普遍的な法が自分自身によってブーメラン的に帰ってきて、彼は結局、他者を殺すことによって自分自身を殺すという形で死刑を科せられるのだと。一言で言えば、人を殺すということは自分自身を殺すということです。ヘーゲルはこれを、罰というより運命と呼ぶべきものだと考えます。しかしヘーゲルはそこからさらに進み出て、人間には生命というものがあり、生命の方が法より先行していると考える。ここがカントと異なる点で、犯罪者は反措定した自分の法の普遍性そのものを止揚する契機を、全体的生命の一部として自分自身の生命のうちに見出すのです。そしてそのことで彼がやましさを自分の中に持つことによって自らが犯した法と和解する。こういう論法で、ユダヤ教に対するキリスト教の優位を断定しつつカントの死刑肯定論を乗り越えようとするわけです。（一七頁）

自分自身を殺す運命から逃れるには、生命の一部に自分自身があり、その中から和解する。これを今後の私の課題にしたい。

高橋眞司（一九四二年〜）

高橋眞司（たかはし・しんじ）とは、長崎のリング・アートで知り合った。一九四二（昭和十七）年、旧「満州国」新京（現・中華人民共和国、長春）に生まれる。一九六〇年一橋大学入学。同大学大学院社会学研究科博士課程を経て、一九七三年長崎に赴任。長崎総合科学大学教授、同長崎平和文化研究所所員、長崎大学教授を経て、現在長崎大学生涯教育室客員教授。長崎総合科学大学「長崎平和文化研究所」客員研究員（『長崎にあって哲学する・完３・11後の平和責任』二〇一五年、北樹出版、より）。同書「あとがき」によると、著作は「三幅画」になっている。「I」は主著「日本近代化の批判的検討」：近代の批判で、１『ホッブズ哲学と近代日本』（未来社、一九九一年）、2『九鬼隆一の研究』（未来社、二〇〇八年）であり、「Ⅱ」は詩集「緑色のまなざし」：自我の表出―信仰・愛・平和の希求で、1a『詩集緑色のまなざし』増補版（聖母の騎士社、二〇〇八年）、「Ⅲ」が叢書「長崎にあって哲学する」：現代の批判1b『詩の「三部作」と位置づけている。私は最後の三部作しか読んでいないし、高橋の思想を探るというより戦争をどのように考えていけばいいのかのヒントをいただきたいと考えているので、ここでは『長崎にあって哲学する』の三部作（正・続・完）を簡単に掘り下げていければと考えている。いずれ、「Ⅰ」「Ⅱ」とも向き合い、高橋の思想の本質に届きたいと思う。

『長崎にあって哲学する』（一九九四年）の第一章は「芸術―哲学―宗教」を考察している。第二章は、原爆死の定義である。高橋は原爆死を「暴力死」、「政治死」と定義し、「天災」ではないとする。天災でないのなら、「回避しえた（また、回避しうる）死だからこそ、原爆死にたいする責任の追及もまた可能になる」（三七頁）と高橋は考える。第三章は、被爆死者への弔慰である。この始まりが示すとおり、高橋はまさに被爆の問題を哲学としている。冷徹な視線だからこそ、愛に満ち溢れている。

ここからは心打たれた考察を引用していく。「ある被害者は、そのように原爆の中から逃れ出なければならなかった。その逃げる行動そのものを「人を倒してでもわが生きんとする残酷な逃避行」とよんでいます」（四四頁）。高橋はそのような者たちに対して非難しているのではない。逆に、このような場合の良心の呵責について論及しているのである。原爆死は「死ぬ権利」（六一頁）を許さない、過酷な状況に追い込んでいることを見逃してはならない。

原爆死は「万単位の死」をもたらした。しかし、それは見知らぬ人々、赤の他人の「万単位の死」ではない。「集まって車座に座を占め」、あるいは「集まってなごやかに楽しむ」ことのできる親しい人々の「万単位の死」なのである。それらの親しい人々が「撃ち固めて〔死の〕一団のもの」とされたのが原爆死である。生きのびた人、残れた人々は愛する人の死のありさまを目撃し、あるいは想像して、共に苦しむのである。

（一六六〜七頁）

このように書き、被爆経験者の体験を引用する高橋の苦しみが伝わってくる。

原爆が人間に襲いかかるばあいには、ひとが死ぬだけではなく、その人の生殖機能と生殖能力（したがって、その人の子孫まで）が破壊される。すなわち、人間は種として「絶滅」される。

（二四三頁）

この指摘もまた、忘れ去られている事実である。高橋は原爆投下の影響が今日にも及んでいることを示している。われわれは、第二次世界大戦を過去にしていないだろうか。被爆により身体的に苦しんでいる人々がまだいるどころか、精神的にもその傷が癒されることは永遠にありえないことが事実なのである。

核時代を乗りこえるということは、ただ単に核兵器とその運搬手段を廃棄するにとどまらず、体制、国家、国民、民族、階級、教会、家族など、政治、経済、宗教、道徳の領域に属する従来の命題の根本的な変革を要求するのであります。（中略）

核時代をこえることとは、友と敵、自と他にかかわる根本的な思考の枠組の転換を要求するのであります。別のことばで言えば、「愛」（amor vel caritas）の概念の拡充と、拡充された愛の実践によってのみ実現されるものでありましょう。

（二八〇頁）

『続』（二〇〇四年）に移る。「死と生は別のものではなくして、死の中に生は包み込まれている。そして、死は人生の一事業として、生の最終段階をなす」（一三頁）。高橋は決してニヒリズムに陥っているのではない。死の中に生が包み込まれている現実をここで露わにしているのだ。高橋はここで「死ぬ自由」を強調する。これこそ「人生最後の人権」であり「何人からも奪いえないもの」（同）とする。原爆は、戦争は、これからの人類は、これを奪おうとしている。

高橋は、被爆者を「世界史的個人」と呼んでいる。「二〇世紀が生み出した被爆者の存在は、人類の文明と世界歴史の存続そのものに重大な危険信号を灯しているのである。したがって、人類は被爆者の存在と経験を梃子にして新しい世界史の段階「核兵器のない世界」（中略）へ飛躍しなければならない」（一〇七頁）。高橋はむろん、核兵器だけではなく、戦争がない世界を望んでいる。過去を悲しむだけではなく、未来に思いを馳せる。それが哲学ではないだろうか。戦争ではない紛争やテロ、財産のみの格差、人間扱いしない差別など、これからの世界に闇は広がっている。核廃絶は、その解決の第一歩だ。

高橋の独特の見解は続く。高橋は「平和責任」の概念を提起する。「平和責任を担うとは、それぞれの社会と地域に存ずる「平和の質」（quality of peace）をより高めることである。言い方を変えれば、平和責任とは、消極的平和の実現にとどまらず積極的平和の実現へ「平和の質」を高めることである」（一一七～一一八頁）。私たちは「戦争責任」を追及し、常に悪のせいにしようとしている。このような消極的方法それよりも、高橋の言うとおり、平和である「責任」を担い、実現する努力を怠ってはならないのではないか。私が高橋の研究で最も重要なのは、以下の件であると感じている。

ホメーロスの「イーリアス」に歌われたトロイア戦争（紀元前一二世紀）以降、世界歴史は戦争と平和の継起と見ることができる。戦争を機軸にするというより、むしろ世界歴史の中から戦争を排除するために、戦争と平和の継起する世界歴史を構想するとき、世界歴史は戦争中であるか、その前後かである。すなわち、戦前（戦争準備期）、戦中（戦争期）、戦後（和平期）の三期に分かれる。そして各々の時期は、これを前期、中期、後期の三段階に分けることができる。こうして、「戦争と平和―九段階接合理論」（図5―1、一八四頁）が得られる。

この「戦争と平和―九段階接合理論」に拠りながら、一、二特徴的なことを指摘したい。第一に、戦争期の第一段階、開戦とそれにつづく序盤戦においては、侵略者が華々しい緒戦の勝利を飾るが、侵略された側の反撃準備が整うと、第二段階、中盤戦には両陣営の全面対決となって総力戦がくり広げられる。そうなると、敵を武力で屈服させるために新兵器、ひいては究極兵器の開発競争が起こり、第三段階、終盤戦には、戦争終結の条件の模索、和平交渉の進捗に平行して、戦争の勝利と戦争の早期終結を確保し、さらには戦後の主導権と覇権の確保のために、新たなる戦略と開発に成功した新兵器を、ただ戦術的、戦略的のみならず、国際法と人道の原則に反してでも使用するという最悪事態が生起する。人道に反する犯罪が生起するのは、このように、しばしば戦争の最終段階においてなのである。（一三〇頁）

このような発想と図を、私は見たことがない。ここから多くのことを読み取れるので、『完』二七九頁に掲載されている最終版の図版を転載する。色々と考えてほしい。

五〇年前に、敵と味方に分かれて、互いに戦争の中で敵対し殺し合った人々は、五〇年の歳月を経て今日、平和の中で出会ったとき、どうしてあの戦争を遂行し殺し合う必要があったのか、を自問しないではいられなかった。戦争、戦闘、殺戮、虐殺が現実にあったというよりむしろ非現実の幻のように見える。こうした感情をふまえて、私はあえて非暴力と平和こそ人類の普遍的感情である、暴力と戦争はそれにたいする突然変異、突発的挑戦だ、と言いたい。（二六九頁）

高橋は続けて、次の一言を定義する。

戦後五〇年という歴史の節目に啓示された人間と人類の根本的な存在規定は「平和への存在」である。（同）

高橋の哲学はカント、ヘーゲルらに導かれただけではない。自らの徹底的な省察と熟考から生まれたのである。何を平和ボケしたことを言っているのか、と感じる人もいるのかもしれない。しかし、この一言をどのよ

三　期	三段階	a 政治・軍軍・経済	b 社会・教育・文化	c 世相・特徴・キーワード
第1期 戦前期 または 戦　争 準備期	第1段階 戦争準備 （前　期）	経済的不況，ないし 恐慌 不正規軍の創設 軍需生産の開始	平和を脅かす現実の先行 情報・教育の統制開始 世論操作	仮想敵国の潜在的脅威 なしくずし 漠然たる不安
	第2段階 戦争準備 （中　期）	正規軍の創設 軍需生産の拡大 軍事費の国債への依存	軍備と軍隊に関する法律の 制定 情報・教育の統制強化	仮想敵国の現実的脅威の 宣伝 ナショナリズムの鼓吹 不安の増大
	第3段階 戦争準備 （後　期）	国債による軍備拡張 軍需生産と経済不況の 悪循環 国民生活の圧迫 軍事同盟	国家主義，軍国主義の教育 軍隊と戦争に関する法律の 拡充 反戦運動の抑圧	偏狭な排外主義 **戦前責任** **第三の罪** **平和責任**
第2期 戦中期 戦争期 または 戦闘期	第1段階 開　　戦 序 盤 戦	侵略戦争の開始 軍隊の投人・展開・ 召集 侵略者の緒戦の勝利 被侵略者の反撃	戦争反対者の弾圧 思想・表現の自由の抑圧 人権の抑圧，抵抗運動（レ ジスタンス）の萌芽	戦争責任，第一の罪 戦争の正当化 戦意の高揚 高い士気 戦争神経症
	第2段階 中 盤 戦 全面戦争	両陣営の対峙 〈殺戮の感激〉 新兵器の開発 **戦略爆撃**	主戦派のイニシアチヴ 和平派の沈黙 民主主義の破壊 レジスタンスの潜伏	激戦，戦死者の増大 総力戦 **残虐のエスカレーション** 死の恐怖
	第3段階 終 盤 戦 終　　戦	国土の荒廃疲弊 環境の破壊と汚染 **新兵器の実験的使用** 和平交渉	厭戦の気分，レジスタンス と和平派の台頭 主戦派の没落 罪なき犠牲者	戦争終結条件の模索 非人道兵器の使用 **平和資任**
第3期 戦後期 停戦期 または 和平期	第1段階 戦後処理	和平協定の締結 戦闘終了，戦争終結 軍隊の撤収，引揚げ 戦時経済からの脱却 **平和憲法の制定**	国際法廷 戦争責任者の処罰 反戦教育 思想表現の自由の回復 民主組織の再興	**死の罪意識** **死者への服喪**，または **悲しみの原理** 戦争責任の追及 戦後処理
	第2段階 戦後復興	平和憲法の施行 戦争被害の賠償と補償 **平和産業**への転換	**非軍事化** 平和教育の始動 市民運動の民主的再編 民主化の推進	戦後責任，第二の罪 戦没者追悼 戦後復興 戦後補償と賠償
	第3段階 和 平 期	平和憲法の定着 常備軍の全廃 平和条約の締結 民主化の更なる推進 信頼の醸成 **法の支配**	平和の配当：自由と繁栄 平和教育の展開 国際的相互依存の強化 **平和文化の創造と交流**	戦没者記念式典 戦争の記憶の継承 **平和のための戦略** 平和のための国際組織 平和責任

高橋眞司「戦争と平和——九段階接合理論（Ver.5）」

〔序詩〕今は春でなくて、秋であったか（中原中也「秋日狂乱」『在りし日の歌』創元社、1938年）

今は夜明けか、日没か（Samuel Becket, Waiting for Godot, Faber and Faber, 1956, p85）

うに考えていくかによって、あなたの人生は大きく変化すると私は思う。人間として生きている喜びから目を逸らしてはならないのだ。この一言が、『続』の一つの結論であると私は読んでいる。

『完』（二〇一五年）に移る。ここでもまた、私が印象を受けた言葉を考察する。

マックス・ウェーバーの「理解社会学」の標語のひとつに「行為の背後には人間が立っている」がある。それを私は「事柄の背後には人びとが立っている」と言い換えたい。たとえば、原爆投下という出来事についていえば、「きのこ雲」の写真や原爆を投下した爆撃機B29の展示に接するだけではなく、きのこ雲の下にもだえ死に、九死に一生を得て生きのびた人びとに「出会う」ことがない限り、原爆投下の出来事を「理解」したということはできない。（一九頁）

この一節もまた重要である。私たちは簡素な情報に満足し、物事の本質について考えることをしない。高橋が指摘するとおり実際に人に会うことは大切だが、その前段階を私たちは見失ってはならないのだ。現実をどのように考えるべきか。「二〇〇五年秋の衆議院選挙。オペラ好きの小泉純一郎首相（当時）は「郵政選挙」と称し、造反議員に「刺客」を立てて政治を劇場化し大勝した。これは私に言わせれば、主権者である「市民」を政治劇の「観客」に貶めるものであった」（九一頁）。高橋は、常にまわりを見渡している。

高橋は、被爆者フォーラム（長崎大学医学部講堂、二〇〇〇年十一月十九日）の報告をまとめる。「ヒロシマ・ナガサキの苦しみは今も続いている」。「ヒロシマ・ナガサキは繰り返されている」。「いかなる国家も、核兵器を持つかぎり、人道的たりえない」。核兵器は「子どもたちを犠牲にしている」。「国家は、安全保障の名のもとに核兵器を保有している」。次の世代に残すべき最も価値のある贈り物は「核兵器のない世界だ」。「そのためには、歴史を記録すること、語り継ぐことが大切だ」（六三～六四頁）。この原則を知るべきである。

高橋は憲法改正についても、詳細に検討している。その中で「戦後日本は「平和憲法」をもっているから安心だ、と安堵してしまうのではなく、たえず日本社会の「平和の質」がどうなっているか、検討する必要がある」（一八七頁）と警告する。これは先に見た「平和責任」と同様である。私たちは「戦争をしない憲法」を守ることで精一杯だ、これ以上のことはなかなかできない、と考えがちだが、そうではない。死守するためであるなら、高橋のようにその先を見据えていかなければならないのである。

高橋は批判を恐れず、以下のように記していく。

私たち日本の社会においても、いつの頃からか、がんによる死亡が急激に増えて、今日ではふたりにひとりががんで死ぬ、とまで言われるようになった。一九七五〜八五年の期間にはじまった地球規模でのがんの異常発生の原因は何か。がん疾病は被爆から一五〜二〇年遅れて発症することは先行研究が示している。（二五一頁）

喫煙者が減っているのになぜか肺がんが増えている現状を例にするまでもなく、因果関係は明確にできないからこそ当たり前のことは明記されるべきだ。

「今、3・11後の日本の社会に必要なものはなにか？　ソルニットは、災害に出会って「心的外傷後ストレス障害」を負うのではなく、むしろ「心的外傷」を受けてそこから「成長する可能性」、ＰＴＧを示唆した」。「今、日本に求められているのは、フクシマの災害と災厄（中略）をうけて、一人ひとりが個人として、また国民として成長することである。それをわたしは端的に「災害後の成長」と呼んでみたい」（二六九頁）。高橋は転ぶだけでは済まない、起きなければならないことを示唆している。

哲学とは絵空事の世界ではない。生活の中から見出し、常に生きるために活用されることを、高橋は教えてくれる。戦争は不可欠だ、防衛を強化すべきだ、原爆は仕方なかったと考える人もいよう。私もこの項を書くのが果てしなくしんどかったと同様、高橋も身を削られる思いで考察を続けたのであろう。多くの方々に、この三部作を読んでいただきたい。そしてその上で、この問題を直視し、再び考えていただくことを、私は切に願っている。

芸術と科学

高橋の論考の検討を経て、私はやっと近代の黎明期から一九四五年以後の世界に到達することができた。ここからは、その中で特に「芸術と科学」について焦点を当てて考えを続けていこうと思う。法律なり人権のことがよくわからないので、髙木八尺(やさか)他編『人権宣言集』(岩波文庫、一九五七年)を読んだ。すると一九四八年公布の「世界人権宣言」に、「第二七条(1)何人も、自由に、社会の文化的生活に参加し、芸術を楽しみ、かつ科学の進歩とそれの恩恵にあずかる権利を有する」(四〇七~八頁)とある。

私のような凡人でも、何となく知っている内容である。カッシーラの一連の著作を読んでいくと、近代科学と宗教から自立した芸術は同じ時代に形成されていることがよくわかる。レオナルド・ダ・ヴィンチにとって「科学は理性による第二の自然の創造であり、芸術は想像力による第二の自然の創造」である(『個と宇宙』一九二七年、園田坦訳、名古屋大学出版会、一九九一年、八三頁)。カッシーラは、ダ・ヴィンチを単なる科学と芸術の父としてはいない。カッシーラの別の議論に目を向けてみよう。

言語と科学は現実の簡略化であるが、芸術は現実の強化である。言語と科学は、同一の抽象過程に依存しているが、芸術は、持続的の具体化の過程として記述することができる。(中略)我々は、事物の物理的性質または影響ではなしに、その純粋視覚的な形状及び構造を記述しろといわれても、当惑する。芸術こそ、この間隙を満たす。芸術において、我々は、感覚的対象の分析及び探索またはその結果の研究というよりも、むしろ純粋な形象の国に生きているのである。

『人間――シンボルを操るもの』二〇三~四頁

ここでカッシーラは芸術と科学が対照的であるからこそ、同様に大切にしなければならないことを伝えたかったのではないだろうか。素晴らしい解釈ではあるのだが、カッシーラの考察は一九四五年で、日本と遠く隔たった場所でもある。もっと敗戦後の日本の美術批評からの見解はないのだろうかと探したところ、まさに土方定一が考察している「美術と人間」（土方定一編『美術』毎日新聞社、一九五一年）があった。

人間が自然を理解する仕方には、おおざっぱに分けて、二つの態度がある。一つは、原因と結果のつながりぐあいを、論理的にながめる態度で、そこから、科学が発達した。もう一つは、好きとかきらいという、美的判断からながめる態度で、ここからは、芸術が発達した。科学と芸術は、人間がつくりあげた自然解釈体系の、二大支柱である。第一の方法が、事実の判断だといえるなら、第二の方法は、価値の判断である。そしてこれら二つの方法は、ふつう並立させて考えられ、根本的に違った性質のものと見られている。（三〇頁）

何とわかりやすい解説であろうか。ここには人文科学と自然科学の違いも含まれている。ところが、土方は意外な方向へ論を展開していく。「しかし、果たしてそうであろうか」。「科学史上の大きな発見や発明を吟味すると、結論は先に出ていて、論理はその直観を裏づけるために、あとから用いられた形跡が少なくないし、反対に、芸術史上のすぐれた作品の背後には多くの科学的知識がささえとなっているのを、しばしば発見するだろう。じつは、これら二つのものは、たがいに意識せずして、一つの目的に仕えていることが多い。そして、その起原を、どこまでも追い求めていくと、同じ根から分かれ出てきたものであることがわかる。つまり、魔法とか呪術（じゅじゅつ）といわれるもののうちに、いっしょにとけこんでしまう」（同）。「魔法というものは、原始人が身のまわりの自然を、自分たちの生存のために、最も都合よく解釈したいという、やむにやまれぬ欲望から生まれてきた。そこでは、論理的判断と美的判断とが分かちがたく結びついていた」（三一頁）。土方は人間の根底を探っているのだ。つまり、科学と芸術は人間の最も大切な場所である。

戦後民主主義から今日へ

土方はその後、原始人からの人類の進化と自然の淘汰、近代に至りついたときに発生した矛盾を取り上げながらも、以下のようにこの項を締めくくる。「そういう現象は、ごく一時のものに過ぎず、やがて「自然に帰れ」の声がわき起って、正しい進化の方向へもどっていく。近代の美術家がモットーとしている「ダブレ・ナチュール」（自然に従う）ということも、そういう意味であろう」（二三頁）。本書が書かれた時代は敗戦直後の地獄だとしても、これからの希望があった。しかし土方が考える方向に、世界は向わなかった。

科学は古代、近代からも脱し、遺伝子操作、宇宙開発、人工知能という、人間そのものから離脱する方向を指し、芸術もまた人間や自然に従うどころか、単なる消費商品以下の、不明な価値観に揺り動かされている。むろん、「科学と芸術」という発想自体が近代的であり、新世界秩序の発生を待たなくとも、瞬く間に飽きられたということもあろう。その隙間に新世界秩序や新右派連合が入ってきたといえるのかもしれないが、私たち自身がそれを望んでしまったことも否定はできない。

真壁智治◎チーム カワイイという連名の『カワイイパラダイムデザイン研究』（平凡社、二〇〇九年）は、プロダクトデザインとか建築を主に扱っているのだが、モダンデザインが廃れ、カワイイデザインが主流になった現象についてつぶさに考察している。真壁は「これまで「モダンデザイン」が主導する「グッドデザイン」に感性、感情、気分をあまりにもしばりすぎてこなかっただろうか。グッドデザインは充分に心を開く効果、つながる効果を生んできただろうか」（七頁）と指摘する。

「かわいいには心に感じられる感覚、感情、心理の問題があり、特に、「気持イイ」、「ヤサシクナレル」、「癒サレル」といった気分がそれ。／さらにかわいいにはそれを通して他者とつながれるコミュニケーションの問題があったのだ」（七頁）。ここではモダンデザインが感情をしばり、カワイイデザインでは他者とつながれるという考察がなされる。「カワイイは権力や資本にからめとられやすく」（一七頁）という警告は、この本に一貫して流れる主張である。ここでいうモダンデザインに、これまでの「芸術と科学」を含めてみよう。

真壁は「今、生活者にとって、モダンデザインの感性域から生まれる「美しい」があまりピンとこなくなってきている。「美しい」が日常生活の中の心を救済できないでいる。あるいは、「美しい」が自身と身近でないために関心があまり沸かない」（四八頁）という現状の理由の、代表的な分析を引用する。「それまでの、論理的、合理的な思考を支えてきた言葉や言語が乱れ出し、なによりも脆弱になってきた」（五四頁）。「若い人たちが、そのような思考回路や合意形成回路を忌み嫌う傾向も強くなってきた」（同）。

このような現状を経て、以下のような一つの結論が得られる。「カワイイモノを共有し合うと、各自の個性が容認されたようで、あるいは各自の眼鏡に親近性が感じられることによって、人とつながれる感覚が生まれもしてきたのである。／ところが、モダンデザインは、デザイン原理に対する学習性・学習力が前提となる。各自の個別性から発生するモノの見方は切り捨てられてきた。いってみればデザインに対する理解格差がそこに絶えず生じてきた」（三六七頁）。従来の「学習」が、今では「理解格差」として認識される。モダンデザインと同様に、「芸術と科学」はこのように廃れていったのであった。ここに新自由主義、新世界秩序、新右派連合がどのように関わりを持つのかも、考えていかなければならない。その後の日本の体たらくは、語るまでもない。民主主義という「近代」は終焉し、新世界秩序の時代へ突入してしまった。

今日の「悲観的な社会観」とは何か。私は体制批判をするつもりはない。ただ、自らの体験を記すまでだ。私の幼少期の一九七〇年代とは、私にとって敗北の時代であり、重苦しい空気が耐えられなかった。八〇年代に入るとその雰囲気をなかったことにしようという愛想笑いに満ち溢れた、これまた私にとって嫌悪感が一杯の時代であった。特に天皇崩御のあたり、バブル経済真っ最中でありながらも、自粛が続く雰囲気は忘れられない。この頃、経済は上り坂でも街は七〇年代と同様、貧乏というか質素だった気がする。

九〇年代に入りバブル経済が終焉しても、何かしら国は豊かになっていったような感覚があった。駅の改札口は自動化され、エレベーターやエスカレーターが増え、だれもが携帯電話とパソコンを所有するようになっていった。その代わり「不景気」とは、金ではなく人の気持ちではないかと思えるほど、他人に興味がない人間が老若男女増えていたような感触を抱いた。二〇〇〇年代はもはや「万能」の時代となり、絶望も希望もなかった。

問題が浮き彫りになったのは、3・11以後であろう。私は日本にこれほど原子力発電所があることを知らなかった。東京電力のキャラクター「でんこちゃん」は姿を消した。私たち夫婦は当時子どもがおらず、共に夕方からの出勤だったために「帰宅難民」を逃れた。これほどモノが溢れているのに、トイレットペーパーやカップ麺などが品切れとなった。私たちが住んでいた地域も当然、計画停電に含まれていたが、一度も電気が止まったことはなかったのでその経験を伝えられないが、止まった人たちの話を聞くと、いつまでも部屋は真っ暗だったという。

「今日の一五時に東横線が計画停電で止まる」というデマがインターネットなどで流れ、私は当時まだ地上にあった渋谷駅に妻を迎えに行った記憶が残っている。まさに「パニック」による「暴動」寸前の雰囲気だった。この頃から、人を押しのけても電車やバスに乗り込もうとする群衆が増した気がする。インターネットの各ページでは「本日の電気」という情報が流れ、電気が足りないかも知れないと煽られたことを覚えている。連日、反原発のデモの映像や写真がインターネットで流れていた。

ところが二〇一九年の夏など、どうだろう。電気の情報も反原発のデモの様子も、見ることはなかった。それどころか、どの電車も寒いくらいに冷房がつけられている。私のようにフリーで仕事をしている人間には理解できないが、オフィスでも冷房がつけられているのであろう。それにしても寒すぎないか。いくら地球の温暖化が進んでいようと、それほど冷房をつけなければならないほどに気候は変化したのであろうか。ニュースの「冷房をつけろ」を見ると、私は脅されている気がする。

健康診断へ行くと「数値が高いから薬を飲め」とは、何年も前から言われている。三〇代の友人は「自分はあと何年生きられるのか」と相当に怯えている。あの犀利な批評者である立花隆ですらも、『がん 生と死の謎に挑む』（文藝春秋刊、二〇一〇年）で「がんはまだ謎だらけでよくわからない部分がたくさんある。それは実は生命の本質がよくわからないということでもある」（二七八頁）としながらも、「日本人の二人に一人ががんにかかり、三人に一人はがんで死にます」（一六頁）と広告のようなコピーを前提とする。

人類で医学が発達したのはここ一〇〇年程度であり、これまでの人類の死因がはっきりしていないのに、「二人に一人はがん」と言い切れるのか。立花自身、ワインバーグ博士の以下の文章を引用している。「がんは六億年前から存在しているのです。私たちはライフスタイルを変えることでがんになる割合を増やしたり減らしたりすることはできます。しかしがんは現代の産物ではありません」（一一一頁）。私は煙草や酒を呑まず、規範的な生活を送り、薬を飲まなければ、「がんで死ぬ」と脅されているような気がしてならない。

それ以上に、がんは本当に病気なのかという問いもある。「がん遺伝子イコールがんという病気ではないから、がん遺伝子と共存しつつがんという病気をコントロールすることが可能と期待」（二七四頁）されている。事故とか欠損ではない。自らの細胞がガンになるのだから、死ぬので病気であると限定してもいいのだろうか。長生きすることが美徳＝常識になっていること自体を疑う必要はないのだろうか。すると、「生きるとは何か」

といった根本的な問題と向き合っていかなければならないであろう。

それどころか、前出のリー・M・シルヴァー『複製されるヒト』によると、将来的には体外受精どころか細胞の遺伝子の組み替えや「胚の選択」により、病気の可能性が少なく、優秀な子どもを「制作」できるという。「裕福な夫婦は、金で買える範囲内での最高の教育や、最高の生活環境だけでなく、「最高の遺伝子の組み合わせ」を子どもたちに与えるように」（二七五頁）なる。こうなると「生きるとは何か」以前の「生まれるとはなぜか」という問いまでハードルが上がっていく。人間の本質とは、そのとき金があればいいという脅しに屈してはならないはずだ。

本当に身体によくないのであれば、法律を改正して煙草などの発売や生産、輸入を禁じてしまえばいいのではないだろうか。禁止をせず「条例」などにより排除し、もはや「煙草を吸うのは受動喫煙という他人に迷惑をかけるから悪である」という常識を生み出しているように私には感じる。明治初年、軽微な犯罪を取り締まる「違式詿違条例（いしきかいいじょうれい）」がまず東京で発令された。「違式詿違条例」を簡単に言えば、これからは国際的な国になるのだから、フンドシ一丁で歩くな、立ちションベンをするな、チョンマゲ廃止、混浴禁止というものである。翌年には全国に公布された。国のルールである「法律」とそれぞれの地方のルールである「条例」は明確に区別されなければならないはずなのに、日本では「違式詿違条例」のように東京という地方から全国に発令される場合が多くあるようだ。これは「軍隊」と「警察」の違いと同じように作用している。アメリカは新世界秩序以後、「世界の警察になる」と宣言した。軍隊とは「国家の独立と安全、侵略に対する防衛」、警察とは「公共の安全と秩序の維持」に目的がある（「だれが「靖国問題をつくったのか」https://ironna.jp/article/2343）。

つまり世界中がアメリカになってしまっているのだから、アメリカは世界＝公共の安全と秩序を維持するという論理なのである。このような問題のすり替えが「法律」と「条例」で行なわれている。改憲せずに「政令・条例」で、自衛隊が軍隊になる可能性を否定できない。例えば、何年か前、韓国で久しぶりにレバ刺しを食べ、その美味さに驚いた。日本ではいつの間にか、もう食べることができなくなってしまったのである。このようなことが、これから多く起こるであろう。

最近、電車に乗る際に気になったことをいくつか記す。まずは改札口である。私の記憶では国鉄から民間に移行した頃、自動改札になった気がする。その頃は人件費節約に役立つと私は思っていた。最近、私は創造者の上條陽子がパレスチナのアーティストを日本に招聘する活動を取材した。パレスチナの出入口にはゲートが存在する。このゲートを通じて、人も物も流通する。つまり、イスラエルとエジプトという二箇所しかないゲートが空かない限り、パレスチナ人は自国の外にでられない。それを決めるはイスラエルだ。

それを聞いてから、私は駅の改札口の自動改札がゲートにしか見えなくなってきた。今日、電車の初乗り料金は一〇〇何円と低額だからだれでも利用できるように思えるが、もしかしたらこれから高額になるのかも知れない。すると、まさに選ばれた者しか電車に乗れなくなる。実際、私が主に利用している東急東横線は、S－TRAINという有料特急の運転を開始した。これはグリーン車のような「サービス」なのか、それともこれから快適を理由に電車料金が急激に上がる試運転なのだろうか。

快適な車両が高級であるとすれば、ただ移動するだけの車両は椅子も手すりもない、倉庫のような場所となろう。私は「鎌近のこす会」のメンバーと共に神奈川県立近代美術館鎌倉館存続の請願書を携え、神奈川県庁を訪れた。待たされた場所は、まさに倉庫だった。倉庫に椅子があるだけである。空調もない。冬だったので、とても寒かったのを覚えている。赤い絨毯が敷き詰められている県庁に、このような場所があるのを私は知ることができた。美術館に対する請願、陳情が共に県議員の多数決で否決されたのは想定内だ。

この原稿を書いている二〇一九年九月から、ＪＲ、私鉄、地下鉄でも、車内で次の駅の固有名詞を、車掌が日本語、英語でアナウンスしている。私は英語が得意ではないので言えることではないが、まさに棒読み、これしか読めませんという英語であって、何だか車掌が言わされているようで、気の毒になる。各電鉄のサービスについては、当然英語で説明できないのだ。私の友人の会社員の人たちも、ビジネス英語を必死に勉強している。これからは仕事をしながら、英語を学ぶのが当たり前となる。

今後、大学受験に、英語検定が入るそうである。これまでは「日本人は英語ができない」と笑ってすませていたが、これからはそうはいかない。「英語ができなければならない」と脅迫されている感を否めない。今日、日本には中国からの留学生が次々とやってくる。中国でも英語教育は盛んであると聞いたが、日本人ではやってくる中国人に対応するために、中国語をもう少し喋る努力のほうが先ではないだろうか。英語は世界の共通語ではない。ロシア、中国、韓国に行くと、わずかな看板はあっても英語は通じない。

日本語学校では学校の近くで中国人、韓国人が集団で集まっていると近隣住民から苦情の電話が耐えないそうだ。それでなくとも単一民族を主張し、鎖国同然の雰囲気がある日本で、英語を話す機会がこれから増えるのだろうか。選挙のたびに思うのだが、公約が年金、保険、健康と非常に個人的な理由ばかりで、外交がほとんど含まれていないのは、各立候補者によると「国民が望んでいないからだ」という声を何度も聞いたことがある。

車内のアナウンスが何度も繰り返されることにも辟易する。私は電車内でしか本を読まない。何十年もそうしているから慣れているが、さすがに一駅の間に三度も繰り返しアナウンスされると疑問に感じる。この間、車内の乗客は乗り降りしていないのだから。さらに、その声が大きくなっている気がするのは私だけであろうか。スマートフォンに夢中になっている、年寄りが多いため耳が遠い、などの理由があるのかも知れないが、そのボリュームの大きさに私は恫喝されているように感じてしまう。

外国へ行くと、ほとんど車内のアナウンスなど流れていない。中島義道＋加賀野井秀一『「音漬け社会」と日本文化』（講談社学術文庫、二〇〇七年）でもこの件について考察がなされているが、このやかましさについて答えはでていないし、嫌がる人がいてもどうにもならない。電車内どころかホームにまでモニターが溢れ、広告が垂れ流しになっている。太陽のように光るモニターは、当然目に飛び込んでくる。これからは車内アナウンスだけではなく、モニターからも声が出てきそうである。

われわれはどこにいても、モニターによる広告に支配されてしまう。それどころか、スマートフォンをかざして自らその中へ飛び込んでいくのである。光る広告は太陽やネオン管広告と同様、あまりにも刺激が強い。まさに太陽やネオン管を直視しているような状態で、目だけではなく深層心理にも強い影響を与えるであろう。映画はスクリーンを反射している。最近のＣＧを駆使した映画を家庭のモニターで見ると、モニターの発光のため、私は目が廻ってしまう。電子書籍を否定はしないが、紙は光らない。

ここからはスマートフォンについて書こう。二〇一九年あたりから、スマートフォンの需要はパソコンを追い越したそうだ。確かにスマートフォンは便利である。私も原稿のＰＤＦ校正、写真撮影、ＳＮＳの操作と、仕事でフルに活用している。しかし、新機種については興味がない。これだけできれば充分である。だから知らなかったのだが、新機種のスマートフォンは二〇万円を越えるそうである。

スマートフォンを修理に出すことはできない。割高になるので、機種変更しか道はない。開発者にしてみれば壊れにくい機器を発売しても、ユーザーは使い切ることなく新しい物を求めるのだから、多くのユーザーに合わせることになろう。ユーザーからしてみれば、修理してくれずに高い買い物をメーカーは押し付けていると感じる者もいる。パソコンのソフトのアップデートも有料である。すべて、何度も金を払わなければ動かない社会となっている。

先日、京都へ行ったとき、スマートフォンがうまく充電できなくなってしまった。客員教授の仕事は年二回なので、宿泊するホテルも特定していないし、さまざまな道順があるのでいまいち覚えていない。地図アプリを頼りにしたいが、私はスマホ依存症ではないので、まあ、だれかに聞けばわかると思ってホテルを出て大学へ出向く。とある駅でバス停を聞くと「知らない、スマホで調べて」という。唖然としてどうしようかと思ったら、たまたまバスが通りかかって、難を逃れた。そもそもしっかり調べていない自分が悪いが……。

ホテルを出る前に、電話の調子が悪いと家族に連絡しようと思った。ところがホテルのパソコンでGメールやLINE、Facebookに入ろうとしても、セキュリティが強すぎて入れない。電話ですませたが、改めてインターネット上のセキュリティとは何かを考えた。私はインターネットバンクを利用していないが、このようにスマートフォンが出先で壊れてしまったら、どうすればいいのか。便利だと思っていたシステムが、突如として牙をむき出しにする。この悲観的な事実にどう向け合えばいいのか。

二〇一九年九月中旬の台風は酷かった。それより酷いのが対応である。膨大な被害を受けた千葉の市長が発言をするのが遅すぎた。横須賀がなぜ停電と断水になったのか、市民にはすぐに明らかにされない。これでも国民は怒らない。3・11の教訓とは何だったのだろう。この台風の頃だろうか。設定できない「緊急速報メール」が携帯電話に届くようになった。同じように、ある日、ピピピとスマホが鳴る。見れば、「戦争が始まりました。敵国が武器を持って上陸するので、対応してください」となりかねない気がする。

このような時代だからこそ、再び今道友信に目を向ける。『西洋哲学史』（講談社学術文庫、一九八七年）だ。

> ソークラテースも、イエズス・キリストも、従来の宗教の権威を揺るがし、敬虔の念をそこない、人心を惑わすということを理由に、多数決で死に追いやられたものであります。
>
> 価値に関する決定に、このような形の民主主義は、よろしいものではございません。たとえば、がんの治

療がなかなか進んでいないという現在、がんの治療研究にはどういう方法がよいか、国民投票で決定しよう、などといえば、そういう提案はとうてい取り上げることができないはずでしょう。ですから私は、民主政治（democrateia）――すなわちデモクラシーを主張する者ではありますが、民主主義（democratisme）――デモクラティズムは誤りであるということを、ここでソークラテースの問題に関連してはっきり申し上げておきたいと思います。（三五～三六頁）

後半は「今道友信」の項で別の文献を引用したが、このような流れであると、デモクラシーとデモクラティズムの違いがより鮮明に理解できる。この流れに、以下の内容が乗っていることを、忘れてはならない。ソクラテスは以下のように言う、と今道は引用する。「われわれの魂は、むかしの神の国にあって、そこで本当のことを知っていて、いまわれわれが新しいことを知ったと思うのは、むかし知ったことを思い出すのだ。だから、人生において未知であったものがわかり、ああそうだと納得することができるのは、今まで未知であったものが、その背後にある光を示し、むかし魂が神の国にいて見ていたものを思い出すからだ」（五三～五四頁）。ホメロスも同様で、彼が「生きた時代よりは、はるか昔のこと」（六五頁）を歌う。

われわれは今の、眼の前のことに追い立てられ、未来に対して怯えるのではなく、過去から本質をえぐり出し、過去と現在と未来がつながっていることを理解しなければならない。暴動やパニックに陥るのではなく、欺瞞や詐欺をかわし、人生という短い時間を楽しまなければならない。そのようなことを考えれば、これからの不幸な時代を生きることが可能となる。何度も繰り返すが、安定した、幸せな時代など人類の歴史に登場したことはないのだ。だからこそ、迷わず進んで行こう。

十一　学ぶことの意義

第四章「知る／学ぶ」では、現代を見詰め、近代を見直す作業を行なってきた。ここからは、われわれはなぜ学ばなければならないかについて考察する。私は近現代の学問体系に対して疑問を呈したが、学ぶことをやめようとは一つも考えていない。むしろいくつになってもこれから学ぶことを始めればいいと、伝えているつもりである。小、中、高とまともに学ばず、大学も大学院も働いてからも偏った勉強しかしてこなかった私が書いても説得力を欠くだろうが、少しでも読んでほしい。

まず考えてほしいのは、「学ぶ」こととは一生をかけて行なうということだ。保育園、幼稚園が社会に出る第一歩とすれば、小、中という義務教育、高、大はもちろん、大学院修士博士ですら、実は「学ぶ」ことの「単なる基礎」に過ぎないということを理解してほしい。途中で基礎を終えてもいい。私は、中学は二年初めから行っていないので中退みたいなものだし、実際に高校を中退した。修士課程を修了したと威張れない。途中で基礎が終われば、働きながら学ぶ「実践」をする。学校に戻りたければ、いくつになっても戻れる時代である。

あなたが小学六年なら、まだまだ時間はたくさんある。だから、焦らず基礎を学べばいい。あなたが大学四年で、来年から働かなければならないとしても、何もできないと不安になる必要はない。働くことこそ、本格的な学ぶ「実践」なのだ。だれもが働きながら、そのつど学んでいるのだ。定年を迎えても「学ぶ」ことをやめてはならない。というか、やめることはできなくなるだろう。あなたが今、若くて苦しくても、そのうち「わからない」ことがある喜びを味わうことになるだろう。

「お前、そんなことも知らないのか」と言われるのは若いときだけで、いい歳になっても言われるのは、そう言っている人が未熟なだけだ。働いたら、「え、それ知りません、教えてください」と言えることがどれだけ大切か。私は知らないことやできないことがあると「やった！」と喜んでいる。自分が何でもわかっていると思ったら、おしまいにしたほうがいい。わかっていても、また違う解釈があるのではないかと考えるべきである。私は常に芸術がわからないから勉強していると話しているし、実際にそうである。

例えば大学院修士課程に入るためには、研究計画書というものを書く必要がある。実はこれは研究の始まりであって、その後も一生、研究計画書を更新し続けなければならない。だからこのスタートの研究計画書は、自己に忠実でなければならないのだ。私も研究計画書を更新し続けていて、今の段階で、自己の研究計画書をこなすには、百年かかる。これから勉強を続ければ、さらに増えていくだろう。何回、甦らなければならないのだろうと考えながらも、焦らず、確実に、一歩一歩進めていくしかないのだ。

「学ぶ」ことに一生かかる、いや、一生とは学び続けることである。次は、学び方だ。どのように学べばいいのだろうか。読み書きか、暗記か、発想か。まずはコミュニケーションであろう。それもさまざまな人とのそれである。新生児が出会うのは、一般的にまず親、兄弟、姉妹、家族、親族という血族であり、それからお医者さん、近所の人など他人へ広がっていく。公園デビューを果たせば、さまざまな年齢の人間がいることを理解する。保育園や幼稚園に入ると、同い年、先輩、先生、関係者となっていく。

そこで、上手に話ができなくとも、コミュニケーションが取れれば、徐々に言葉も達者になっていく。これは、外国人との交流も同様である。喋れなければ何もできないのではない。言葉が通じなくとも、身振り手振りで通じることがある。コミュニケーションを取ろうという努力がなければ、何も通じない。逆を言えば、どれだけ英検で高得点を取っていても、話す内容がなければ何の意味も生じない。「話すことがない」という若者の声を、私はどれだけ聞いたであろう。自分から発信し、相手の話を聞くことが大切だ。

私が日本語の検定を受けたとしたら、二級程度で一級は取れないと思う。自分がよく使う漢字しかわからないし、尊敬語、謙譲語、丁寧語も実は滅茶苦茶かも知れない。それでも日本語で日本人と話が通じるのだから、重要なのは「何を伝え、何を知りたいか」ということではないだろうか。そうなると、大切なのはコミュニケーションだけではなく、自分の外の世界への好奇心へと転じてくる。知らないことを知りたいと思うこと。これは実は本当に難しい。「そんなこと知らなくとも生きていける」という屁理屈には対抗したい。

確かに「知りたい」と思うまでに、勇気が必要となっている時代である。現代は、知らなくていい時代であるし、知ってはいけない時代にまで到達している感がある。この点については後述するが、いずれにせよ、「知りたい」と思ったら、そこでとどまらず、発信してみることが重要だ。子どもが「これ何?」と聞いても、親が答えられない場合がある。子どもを生徒、親を教師、生徒を部下、教師を上司と代えてもいいだろう。そういうときは「一緒に考えよう、調べてみよう。調べ方がわからないからだれかに聞こう」と勇気を出そう。

何度も書くが、知らないことがあることを誇りにしよう。そして、それを調べる勇気を身につけよう。知っている人を探して、話を聞いてみよう。知っている人がだれかわからなければ、みんなであてをたどってみよう。そのために学校や大学、研究機関があるのだから、それほど難しいことではないはずだ。このような努力をすると、さまざまな年齢や立場の人たちと出会うことができる。そうなるとそれぞれの人たちにはそれぞれの常識があるから、その人たちとどのように会話をすればいいのかといったことも学ぶことができる。

それは外国人の場合もあるだろう。いい人ばかりではなく、嫌な人もいるだろう。世の中は自分のために回っていない。さまざまな人間と知り合うことによって、「学ぶ」ことだけではなく世界は「広がり」、ちょっとだけ「強く」なることができる。強くなったら、弱い人たちを助けよう。強くなって、いじめをしたり、権力を乱用したりするようになってはならない。そうすれば、結局自分が寂しくなる。私は倫理や常識を語りたくない。どうしたら人間らしく生きられるのかを、探している。

人とのコミュニケーションが取れ、好奇心がさらに沸くようになると、自然と向き合えるようになるのではないか。もちろん、自然が先で人が後でもいい。多くの自然に囲まれて育つのであればそのままでいいだろうし、時には都市に出ればいい。都市に住んでいる者であっても、庭とかベランダの些細な自然と向き合うことが可能だ。特に山奥や孤島へ行く必要もないだろうが、たまには行くと楽しい。いずれにせよ、自然に触れることは人間としての喜びを発見できる。

自然から教わることは、多々ある。逆に、自然にこそ教わらなければだれに習うのか。人間の叡智などいつまで経っても自然に追いつくことはできない。太陽の光、潮風のぬくもり、森のざわめき、動植物の気配、土と砂浜の感触、水や石の匂い、月の光の雰囲気……。あなたは一人ではない、この地球に生きる自然の一部であり、その膨大な時間の一部である喜びを感じることができる。むろん、自然は優しいだけではない。地震、津波、台風、旱魃、雪などの災害や、疫病として襲いかかる。だからこそ、自然と一体なのだ。

もっと自然を意識しながら衣食住を考えると、さまざまなことを学ぶことができる。昔の人は裸足だったのだろうか、今食べている物はいつからあってこれからなくなる可能性があるのだろうか、「三匹の子豚」は藁、木の枝、煉瓦の家に住んでいたが、今では鉄筋コンクリートの高層ビルが主流になっている。衣食住とは何だろう。生活とは。学習とは。仕事とは。人間はどんどん自然から離れていく。野良犬がいなくなったように、カラスも絶滅させられるのか。ならば野良猫は、ゴキブリは、蟬は、カブト虫は。

身近な自然と触れ合うことができたのであれば、今度は世界を見渡してみよう。灼熱の空間、氷結の場所など、世界中にはさまざまな国がある。そこへ行ってみたいと考えよう。交通が便利になった現代では、実際に行けるかもしれない。調べてみよう。地上だけでは飽き足らない。上を見て、宇宙のことを考えよう。機会があれば、望遠鏡を覗いてみよう。すると、マクロからミクロへ目が転じてもいいのではないかと感じる。顕微鏡の存在に気がつく。世界は広い。未来に思いを馳せ、過去を調べてみよう。好奇心は広がっていく。

このような想像力の経験を経てから、義務教育へ向うといいのではないか。これは子どもだけの話ではない。大人になっても、人生の晩期になろうと、経験していなかったら、経験していても忘れていたら、やってみればいいのだ。私は小さい頃、両親が旅行に連れて行ってくれるのが稀だったし、自分自身も山登りとか嫌いだったが、自分の家族を持ってから異なる価値観を知った。だから、早いとも遅いとも思わない。人生は常に挑戦であると、改めて感じるのである。

今日、小、中、高の勉強は大変である。塾に行かなくては追いつかない。勉強しなくても生きてはいける。しかし、学力がなければ進学できない。日本の大学進学率は五三パーセントあたりらしい。なぜ、これほどに子どもが減っているのに？　学費を払えないのが現状のようだ。塾へ行くのも費用がかかる。ここでもやはり、格差が広がる。「悲観的な社会観」が前提となっている。よい大学を出なければ、よい会社にも就職できない。奨学金も返さなければならない。やはり、はじめから金持ちでなければ子どもも育てられないのか。

このような現状に、萎えてはならない。お金を稼ぐことと、学ぶことを分ければいいだけのことだ。学校の勉強、つまり学ぶ基礎をしっかりやろう。自分で色々調べてみよう。そして、学ぶ喜びを忘れないようにしよう。学ぶことが人生であることを思い出そう。すると、お金があってもなくとも同じであり、やはり一生学ぶことを続けなければならないことに気がつくであろう。生活に追われたとしても、自然と一体であることが前提であれば、ほんの些細なことからでも学ぶことができることを続けることができるだろう。

つまり私が最も言いたいことは、「学ぶ」こととは教科書や本、モニターに釘づけになるのではなく、教えてくれる人の目を見て、コミュニケーションを取りながら、考えることなのである。知識を吸収することは、まずは丸暗記することも必要だろうが、「なぜそうなのか」と考えながら覚え、再び学習を繰り返してその問いを解きつつ再度問い、その知識を深めていくことが大切だと思う。師匠は更新される。自己が師匠になっても、弟子から学ぶ姿勢を保たなければ学習は成立しない。学ぶとはコミュニケーションだ。

私は授業や講演会を数多く行なうが、集まっていただいた方々の顔、目、掌を見ながら話していると、予定していたこととまったく違うアイデアが浮かぶ場合が多々ある。つまり、集まっていただいた方々から教えられているのである。同時に、話しながら自分で考えていなかったことに気がつくこともよくある。自分で自分のことがわかっていないのだ。それが、コミュニケーションを通じて自覚されることになるのだ。「学ぶ」ことは発信と受信が同時になされるときに、始めて成立するというのが私の説である。

私は、大学院は横浜国立大学の教育学研究科で、ここで身に付けた基礎を元に皆本二三江や霜田静志、A・S・ニイルやM・モンテッソーリ、フレーベル、ルソーなどを独学し、大学院修了後は高校、予備校、専門学校、大学、大学院で教えたことがあるので、教育に対しては思うところはなきにしもあらずではあるのだが、専門の先生たちに失礼なので、生意気を言うのはやめておく。専門家は専門の確かな意見があり、それを聞いた上で物を考えなければならない。教師が好きか嫌いかなど問題ではない。

理科がなくなったり美術が選択だったり、私の時代とは大きく違う。それでも、義務教育は人文科学と自然科学が芯になっていることは確実だろう。この両者をバランスよく学ぶことが大切だ。むろん、私にはできていない。だからこそ、五〇歳手前であろうと、理系の勉強を少しでもしている。カッシーラの『実体概念と関数概念』（一九一〇年、山本義隆訳、みすず書房、一九七九年）など、最たる例だ。いくつになっても学ぶことはできる。人文科学、自然科学を学ぶこと、学ぶことの「方法」をまず学ばなければならない。

一つの出来事、物事に対して、いくつもの解釈ができるようになるといい。さまざまな角度から見つめる力を育てるのだ。一枚の古い絵が見つかったとしよう。その図像だけを追っても仕方ない。描かれている物に、歴史学の眼差しを注ぐ必要もある。生物学の視線も必要かも知れない。素材を科学的に分析する必要もある。画面を数学的に分析することもできる。さまざまな解釈を施すためには、さまざまな分析の方法論を身につけなければならない。そのために、学ぶ「方法」がたくさんあることを知り、実際に試してみる必要がある。

考えて発言したり、文章にしたりするだけにはとどまらない。実際に触ってみる、嗅いでみる、体温のような温度があることを想起する、自分でも創ってみる、やってみるという行為が不可欠であろう。子どもも二歳を過ぎると、何でも自分でやってみなければ気がすまない。その頃のことを思い出そう。そして、実行してみよう。いい大人が「ごっこ」をしてみるのは、みっともないことでは決してない。身体を動かそう。全身で学ぶことを忘れないようにしよう。五感を正確に働かせ、自分が人間であることを思い出すのだ。

二歳すぎの子どもは、例えば車がとても好きになる。そして絵本の車のイラスト、車の写真、車自体が、同じ車であってもそれぞれ違うことに子どもは気づいているのである。四歳くらいになると、ウルトラマンの怪獣も実際には絶対いないと知っているのだ。「現実と空想の区別がつかない大人」がいるのだが、人間本来の力とは絶大であり、そういった大人は後天的にそうなったのだと私には感じられる。人間の想像力とは本当にあなどれない。

カッシーラは「古代文化と精密化学の発生」(一九三二年『哲学と精密科学』一九三二～四〇年、大庭健訳、紀伊国屋書店、一九七八年)で、ガリレオがケプラーに宛てて書いた手紙を引用しながら哲学＝学ぶこととは何かを、読者に伝えている。

哲学は、宇宙という巨大な書物のうちに保持されており、この書物はたしかに万人の眼の前に常に開かれて在る。しかし、これを読んで解するには、まずそこで語られている言語が習得されねばならず、それをつづっている文字が習得されねばならない。

しかるに、その言葉は数学的言語で語られ、かの書は、三角形、円などの数学的図形から成っているのだから、これなしでは、ただひとつの自然の言葉さえ、人間的に読解することは不可能なのである。

かかる表現をもって、一方では文献学と歴史学、他方では数学と実験的物理学、この両者の闘いが、ガリレオにおいて最も先鋭に開始を告げたのであり、まさしくこうした闘いが一貫してガリレオの全生涯の活動を規定したのであった。（一一頁）

言語は数学的図形である！　なんとわかりやすい比喩であろう。このような専門的な「学び」を読むとたじろいでしまいそうだが、ガリレオとケプラーであっても、基本的な学びの姿勢を保っているのにすぎないことがわかる。ガリレオ、ケプラー、カッシーラが天才なのではない。ひたすらに、このような基本的な姿勢を貫き、努力を続けただけだ。今日はガリレオとケプラーのように、宗教が強く、いつ、処罰されるのかわからない時代ではなく、自由に、しかも学問の基礎はある程度、築かれている。それならば、学ぶことをむしろ楽しむべきではないだろうか。

師匠

学ぶためには、時には師弟関係を結ぶ場合もある。しかし師弟関係とは直接的ではない場合もある。それを、私淑という。相手は知らなくとも自分は師匠と思い、その人がまだ生きていたとしてもその人の行動や活動、作品や文章を分析して自分のために生かすのである。古くは琳派、戦後なら暗黒舞踏に私淑することは多く存在する。私もまた、私淑して学ぶことが多々ある。それは特に自分の専門外である場合に当てはまる。ここで私が私淑している人物について、簡単にその理由と意義を書いておこう。

青木茂（美術研究、一九三二年〜）：青木さんと知り合ったのは、明治美術学会だった。金髪で入会した私に声をかけてくれたのは、青木さんだけだった。徹底的に精緻な研究は当然、神奈川県立近代美術館鎌倉閉館問題のときも、真っ先にインタビューに答えてくれた。土方定一に対する深い愛情と土方の反省を生かし、青木さんはさまざまに展開したのだと思う。現代美術に対する造詣も深く、若者に対しても実直に接する姿は、本当に見習いたい。

沼田皓二（グラフィックデザイナー、一九三六年〜）：沼田さんは、池田龍雄の友人の絵描き松三郎（一九三七〜二〇一四年）と、桑沢デザイン研究所での同級生という縁で知り合った。一度しか会っていなかったのに、すぐに私を沼田さんが主任を務める専門学校の非常勤講師にしてくれた。その後、私が企画した展覧会のフライヤやポスターのすべてをデザインしていただいている。おそろしいほどの勉強家で何でも知っているし、まだ学ぼうとしているので、芸術についての理解は半端ではない。

大塚隆一（日本ラッド株式会社代表取締役会長、一九三九年〜）：映像創造者の河村雅範（一九五三年〜）には、私が企画したコラボレーションの映像を何本も撮っていただいている。河村さんが日本ラッド株式会社のウェブマガジンを起こし、そこで大塚さんと知り合った。大塚さんは多くは語らないのだが、まずは主体的に行動を起こし、それから考えるべきだという発想を携えていることは確かだ。私のようなまったく分野が異なるどこの馬の骨かわからない人間に対しても真摯に向き合う。この姿勢がすべてすごいのである。

本庄俊男（彩鳳堂画廊代表、一九四〇年〜）：本庄さんは、間島秀徳から紹介された。本庄さんこそ、画商と呼ぶべき最後の人間なのかも知れない。作品の売買だけではなく市場を作り、シーンを生み出し、展覧会を組織し、企画を立てて美術界全体を刺激している。売れる売れないではなく、現在の日本の美術界に何が足りなくて何が必要かを常に考え、実践している。作品を見る目は本当に厳しいのだが、必ず本質を突く。池田龍雄の熱烈な反戦画は絶対に売れないと私は思っていたが、本庄さんはためらいもなく手に入れた。

片岡康子（お茶の水女子大学名誉教授、一九四〇年〜）：コンテンポラリーダンスの振付を現役で行なっている。本来なら作品を紹介すべきだが、特に教育者として素晴らしい。高校生、大学生に対するダンスの指導はもちろん、大学院生から研究者を数多く生み出している。ダンスという、日本ではまだまだ認められておらず、なおかつ研究しにくい対象に対する研究方法を編み出している。その成果が『日本の現代舞踊のパイオニア』（丸善出版、二〇一五年）である。

油井一人（美術年鑑代表取締役社長、一九四三年〜）：油井さんと一緒に仕事をしたことはない。画廊まわりをしている際に油井さんとよく会う。たくさんの作品を見て、そのうえで、問題意識を常に携えている。『美術年鑑』の内容の濃さは半端ではなく、『新美術新聞』は、まったく知らない人が初めて読んでもわかるように書いてある。何よりも私が尊敬するのは、油井さんの人柄だ。真摯でありながらもユーモアを携え、自分のことは二の次で、世の中が良くなることばかり考えている。

加藤みや子（ダンス、一九四八年〜）：加藤さんはあらゆるダンスを盛り込みながら、常に未知の作品を見せてくれる。振付も公演の直前まで変更を続け、ベストとは何かを試行錯誤している。教育者としても素晴らしく、個性的なダンサーを数多く輩出している。研究者としても、数多くの講演をこなしている。企画者としての力をいつも見せてくれる。

谷川渥（美学者、一九四八年〜）：谷川さんはものすごい秀才で、はてしなく頭がいい人である。そのわりに叙情的で日常的な感覚を自らの思想の中に盛り込み、美学を成立させている。堅苦しさはなく、美学そのものを疑うことが美学の使命であることを前提に、具体的な作品に目を向け論じていることで、とても尊敬している。選ぶアーティストは、有名無名を問わない。だから暗黒舞踏に対しても真摯に向き合い、考察を続けている。

桑原喜一（アートの伝道師、一九四九年〜）：桑原さんとは、画廊まわりで知り合った。私以上に展覧会を見ていて、アートと触れ合う幅が広い。友人も非常に多く、いつも笑顔で作品と向き合い、創造者と話している。人間的に大きな人物ということができる。美しさとは人によって違うが、桑原さんが持つ美しさの基準は、多くの人々が共感する。アートと触れ合うことは、人間と出会うこと、それを実践しているのだ。

鵜飼哲（哲学者、一九五五年〜）：鵜飼さんは著作を読むと非常にクールで、あまり自己主張が強くないように感じるのだが、お目にかかるととても熱い方で、情熱と感情の塊とすら感じてしまう。鵜飼さんの著作は、哲学書が一つの作品のように仕上がっている。その哲学も人間味に溢れ、人間が前提になっていることを知らしめてくれる。

井上貴子（大東文化大学教授、一九五七年〜）：井上さんは声楽、文化研究、ロック批評と多彩な顔を持っている。私は井上さんと逢いたくて、ネットで連絡を取ったのだ。その研究方法は、とてもオーソドックスでありながら幅が広い。着実であるからこそ既存の価値観に陥らず、まだ研究されていない部分を探っていく。そして、それがどれだけの意義があるのかを知らせていく。井上さんから経済学、国際学、法学、音楽学などの多くの方々を紹介していただいた。

小池伸尚（一九六七年〜）：小池さんとは専門学校の非常勤講師同士として知り合った。東京造形大学デザイン科を出て、予備校のデッサンの先生を長くやって、自らも作品を描き、ロックバンドでも活動している。好奇心が旺盛で、わからないことがあると何でも本で調べていく。学生には厳しいが本当は優しい人で、人間としても本当に優れている。何のために生きるのかを考え続けている。

篠原聰（東海大学准教授、一九七三年〜）：篠原さんとは、大学院時代に学会で知り合った。博士とは思えないルックスで、ロックバンドもやっている。テツヤとサトシで同人誌『砂鉄通信』をはじめて二〇年近くなる。鏑木清方、野外彫刻、美人画という研究だけではなく、博物館学、ユニバーサルデザイン、美術批評と活動を広げ、大学の雑誌、研究会報告書、カタログ、リーフレットとさまざまな媒体に寄稿している。その幅の広さと行動力によって、多くの研究者からも尊敬されている。

足立元（視覚社会史、一九七七年〜）：足立さんとは大学院時代から知り合いで、非常に博識であるにもかかわらず、自らの研究方法に対するはてしない探求を繰り返す、自分に厳しい人間だ。だからこそ美術史という小さな枠に留まることなく、視覚社会史という肩書きを選んでいるのだと思う。見識も広く、さまざまな事象に目を向ける。資料の読み込みの凄さがあり、足立さんはさらに「こうではないか」と続ける。その成果の一端は『裏切られた美術』（ブリュッケ、二〇一九年）で発揮されている。

中嶋泉（東京都立大准教授）：中嶋さんは長く海外に席を置き、日本の近現代美術を研究している印象があった。二〇一九年にブリュッケから出た『アンチ・アクション』は、フェミニズムの理論を援用しながらも、細緻な日本戦後美術の分析と研究を行なっているので、本当に目を見張った。そこには才能ももちろんだが、相当の努力が隠されている。そのうえ、中嶋さんは人間味溢れ、日常を大切にしている。研究者としても人間としても、本当に尊敬している。

私はこのような方々から密かに教わり、自分の血肉にしている。字数が限られているのでここに記せなかった多くの師匠がいる。このような師匠を、みなさんも見つけてほしい。学ぶことが楽しくなる。知らない世界を見つけて、そこに進むことが重要だ。そして、いずれ自らが師匠になっていくことを自覚してほしい。いつまでも学生や生徒ではない。未熟であっても、私淑される人間にならなければ、学ぶ意味がない。

読書

さて、やっと「学ぶ」ことと、「読書」することとの〝振り分け〟の前提がいくらか説明できたと思う。「学ぶ」ために手っ取り早いのは「読書」ではなく、人間を含む自然とのコミュニケーションである。それができて初めて「読書」による学習が可能になると私は考えている。そう言いながらも私など、実は人間が本当に大嫌いだった。人とのコミュニケーションなど、高校を留年してから取るようになったようなものだ。それはだれにでも当てはまると思う。いつからやっても遅くない。気づいたその瞬間から始めればいい。

「読書」といっても、本を読むだけでは決してない。それこそ美術から、映画から、スポーツでもお笑いでも何でもいい。何事に対してでも興味を持ち、考えて読み解く姿勢が重要だと思う。そして、実践することもまた、読書の一環だ。子どもが「ごっこ」をするのは、演劇の根本的な方法論であろう。一歳すぎの子どもが鉛筆を握ってぐちゃぐちゃに描くのも抽象画の一つである。ボウルを合わせて音を出して遊ぶ子もいる。そのように考えると、やはり芸術が読書の原初的な基礎を教えてくれるとも言えるのではないだろうか。

まずおさえておかなければならないことは、「読書」とは「学び」と「気休め（娯楽）」があることを知っておく必要があることだ。私は「気休め」を否定しないが、「気休め」は「気休め」のままになってしまう。芸術と接することが気休めだけになってしまったら、私たちはいつまで経っても自分たちは何かを発見することができない。時には苦しい「学び」を行なわなければならない。

「読書離れ」が叫ばれて久しい。その後、「いや、読書量は上がっている」という声も聞かれたが、やはり「学び」と「気休め」の区別をつけず、単に「本を読む、新聞を読む、ネットでも記事を読む」ことしか考えていないのではないかと私は危惧する。「学び」が大正期からつながる「教養主義」と入り混じり、排除されてしまったのではないかと考えている。アンチ「教養主義」は、六〇年代安保から始まっていた。

文豪や哲学者、つまり小難しいことを考えることが美徳である時代は去った。教育の変遷もあろう。考えることよりも暗記することが重視され、知識があったとしてもそれが社会で何の役にも立たないことが「わかった」という世の中になっただろう。しかし、やはり知識だけではなく教養＝教えを養うことに重点を置くことを否定はできないと思う。繰り返すが「学ぶ」こととは知識を増やすだけではない。考えることを忘れてはならないのだ。

佐々木俊尚『電子書籍の衝撃』（ディスカヴァー、二〇一〇年）を見ると、「自分がどうしても読まなければならない本、どんなに時間を犠牲にしてでも読みたい本というものももちろん存在しますが、多くの読者にとっては本は娯楽のひとつでしかありません。本の価格が不当に高いと感じるようになれば、アテンションが他のブログやゲームやテレビなどに流れていくのは当然です」（一〇五〜一〇六頁）。とある。つまりこの本は、読書が教養よりも「娯楽」＝気休めであることが大前提となっているのである。

人類の歴史を振り返れば、一部の教養人以外の人間はいつから読書をしたのだろう。日本の場合、寺子屋があったとしても、自由に自分が好きな読書が可能になったのは明治以降、識字率が九〇％以上になったのが大正末期としても、貧乏な日本で一般的に読書が定着したのは、敗戦後だと考えるのが無難ではあるまいか。そしてインターネットが登場した九〇年代末から読書が激減したとすれば、日本人はたった五〇年程度しか「読書」をしてこなかったことになる。九〇年代以降、読書は「気休め」に陥った。

これはレコードの歴史と重なる。倉田喜弘（一九二一年〜）の『日本レコード文化史』（東京書籍、一九九二年）を読むと、明治初頭にレコードが日本に入ってきて裕福な知識人に多く求められるが、大衆化するのは敗戦後であり、ＣＤの登場によってその歴史が閉じられる。年表は一八七七年から一九九一年、たった一一四年間の短い歴史だ。ラジオを聴いている人はまだいるだろうが風前の灯火、テレビも六〇年程度、録画のＶＨＳなど二〇年程度だろう。私たちはこのような状況を、どのように考えればいいのだろうか。津野海太郎『最後の読書』（新潮社、二〇一九年）に、興味深い考察が書かれている。

> 戦後復興によって出版産業がよみがえり、公共図書館サービスが徐々に定着していっても、かれら、いや私たちの飢えの記憶が薄らぐことはなかった。
>
> そしてその間に、参考図書や専門別の基本図書を中心として、必要と思われる本を図書館や他人の蔵書にたよらず、じぶんの所有物として手元にそろえておく――そんな習性がしっかり身についてしまった。ほしい本をがつがつ掻きあつめ、ともに暮らす家族がなんといおうと断固としてそれを保守し続ける。（一〇二頁）
>
> 鷗外や漱石や露伴はもとより、三木清や和辻哲郎や林達夫のような昭和前半期の大インテリですら、当今の基準からするとわずかな蔵書しかもっていなかった。（中略）
>
> 戦中戦後の本への飢えが欲望のバネとなり、そこに洋書輸入の自由化、全集ブーム、さらには高度経済成長下で激化した本の大量生産・大量消費の風潮がかさなって、通常の「規模をはるかに超える」個人蔵書の巨大化が進んだ。（一〇三頁）

日本人の歴史のうち、本を読むのはわずかなブームにすぎなくなる。

最近、高校の非常勤講師になったので、学校にお願いして『美術全集』を買ってもらった。一九七〇年代の全集であった。古本で何千円だという。一九五〇年代中盤から、美術だけではなくデザインや書などの『全集』はブームであり、同時に『百科事典』も多く刊行され、『全集』と『事典』が一戸建ての自宅にあることが一つのステイタスでもあったのだろう。学校の先生であった私の母は美術ではなく『世界文学全集』と『百科事典』を自宅においてくれた。私はほとんど読まなかったが、少し大きくなってから活用した。

例えば仮面ライダーの本を読む。するとし、細かい字で何の昆虫を改造して悪い奴になったのかが書いてある。それを、百科事典で調べるのである。昆虫の飼い方の本など、暗記するまで舐めるように読んだことを、最近小学校に入った息子が私のその本を夢中になって読んでいる姿を見て思い出した。子ども向けなのにリアルで気色が悪いのだが、よく言えばリアリズムに満ちあふれ、本当のことを教えてくれる。子ども騙しの本が流行る少し前に、私は子どもであったことに気づく。

仕事場の高校で買ってもらった『美術全集』を見て愕然とした。やはり当時高級だったこともあるのだが、ブックデザインがいい、写真がいい、解説がいい。モネやマネなど著名な創造者でも、見たことのない作品が収められている。この研究のレベルの高さに、圧倒された。私はニューヨーク近代美術館へ行って、日本の美術の教科書に掲載されているヨーロッパのアーティストの作品が、ほぼここの収蔵であることに気がつき、唖然とした。価値観が「アメリカ」であったのだ。

それと異なりこの全集には、世界の広さが満ちあふれているのだ。作品を選定するだけでも、相当の研究量である。調査も大変だ。こういった作品は、ウェブでは決して見ることができない。ウェブが単なる広告であることを改めて認識する。もちろん、この全集がすべてではない。やはり、実際の本を複数開くことによって、さまざまな作品がある、色々な見解があることを知らなければならないことを痛感した。逆に、同じ本でも何度も開くことによって、新しい発見があることが当たり前でもあるのだ。

このように考えると、どのような時代の変遷があったとしても、やはり読書は続けなくてはならないのではないだろうか。では、何を読めばいいのだろうか。「あたしは何事にも興味がない」、「知りたいことも特にない」、「知って何になるというのだろうか」そのような声が聞こえてくる。しかしそれは今日が「考えてはいけない時代」であることに目を眩まされているだけのことであって、本当は、人間は生きているかぎり学びたいことで満ちあふれているのだ。

私が考えるに、人間はすでに幼稚園に入る年齢を迎える頃には、現世と常世に対してさまざまな疑問が発生している。この疑問を解明するために「学び」を始めるのではないかと。思い出してほしい。空はなぜ青いのか。水はなぜ冷たいのかといった疑問を。人間はいつから存在しているのか、宇宙に終わりはあるのかといった不思議を。読書とは知識を得るだけではなく、こういった問題を解決するだけではなく次の課題を見つけることにある。新しい知識ではなく、自分が抱えている問題を知るべきなのである。

> プラトンによれば、いわゆる《学ぶ》という過程は、まったく新しい真理を習得することを意味しない。すなわち、われわれはただ以前に所有していたものを再び取り戻すにすぎず、わがものであった知識を再び見出すのである。
>
> E・カッシーラ『国家の神話』一九四六年、宮田光雄訳、一九六〇年、一〇七~八頁

注釈を見ると『パイドン』の一節であることがわかる。しかし前述したように、私はこの言葉をプラトンであると共にカッシーラの言葉でもあると考えるので、『パイドン』の頁を探すことはしない。

このプラトンの言葉は、私の発想を支えてくれる。我が物であった知識を再び見出し、新たな課題を見つける。このように考えれば、知りたいこと、学びたいこと、考えたいことが大量にあなたの頭に浮かんでくるはずだ。そして焦らない。読書とは時間がかかることだという前提を持つ。一回読んだだけで、理解できるはずがない。一度読んだら一〇年くらい寝かせても大丈夫。もう一度読んでみればいい。すると、最初に読んだ感触とまったく違う印象を受ける。また何年か寝かせてもう一度読む。つまり、人生を楽しむのだ。

私が奨める読書方法を、いくつか記述する。まずは人生と同じで、「これができなければあれができない」という発想を棄てて、まずは興味がある本に飛び込めばいい。いきなり、難解な哲学書に身を投じてもいい。

私もよくやる。一頁も理解できない。それが前提だから、とりあえず最後まで読む。また別の、これまで学んだことのない法律の本を読んでみる。またまたまったく理解できない。これを繰り返す。すると実は、哲学と法律、または理科と料理の本とはつながっているのだと理解することができる。私は一〇年くらいかかった。

この無茶な読書を繰り返すと、いつの間にか自分だけの「体系」が構築されていることに気がつく。私は哲学が専門ではないので、興味のあるものだけを読んできた。すると、ソクラテス、ヘーゲル、ベンヤミン、カッシーラ、アレント、フィンクという流れができあがっていることに、哲学を読み始めてから三五年くらい経ってから理解するのである。私は特に、アリストテレスとカントを外して読んでいる。むろん、いくつかは読んでいるが、全集を読む予定がない。これを従来の哲学史と照らし合わせると、まったく間違っている。

それでも、気にしない。実際「体系」とはつくろうと思ってつくるものではなく、いつの間にか「そうなってしまった」ほうがいい。予定調和ではなく、どのような偶然をも受け入れるのだ。そして、自分の価値観をしっかり保持して進む。むろん、これではダメだなあという修正も必要だ。修正や更新とは、常に続けることによって起こる。雑学とか何とか言われてもいい。ともかくさまざまな事や物に興味を抱いて、濫読すべきなのである。それは必ず意味があるのだ。

こうなってくると、そのつどの読書に「目標」ができてくる。今回の物理学は初めて読む本だから、とりあえずは無理なく軽く読もう。次に読む歴史学の本は前に一度読んだから、じっくり読んでみよう。その次には、もう二〇回読み直した文学作品をまた読んでみよう。このような具合である。すると、読書に負担がなくなる。読書は負担である。次第に集中力が求められるし、わからないことが多すぎて歯がゆかったり、逆に簡単で面白くなかったりする。ノルマはないのだから、楽しまなければならない。

目標=計画を立てて読書を進めていくと、本を読む楽しみは広がる。すると、本を読む秘訣にいくつか気づいてくる。目次を読むだけで内容はだいたいわかってしまう場合があっても、その著者の言葉のリズムが好きだから読むとか、その本に書いていないことは何か、なぜ書いていないのかなどを考える余裕ができてくるのである。むろん、読書は他者との会話が前提であるから、一人でこもって行なうのではない。読んだ感想を知らない人に勧める言葉を捜したり、まったく別の内容で考えたりできるようになると最高だ。

そしてできるだけ、読みたい人が書いた本の全部にチャレンジしてみよう。著名な本だけではその思想は理解が足りない。前に見たように、オルテガの『大衆の反逆』は有名でも、その後のあまり知られていない『人と人びとについて』のほうが、とても重要なことが書いてある。しかし、『人と人びとについて』を最初に読むより、『大衆の反逆』を読んでからのほうが、より理解が深まる。膨大な本の量に圧倒されるかも知れないが、ゆっくり時間をかけて読めばいい。何十年計画でも構わない。

例えばベンヤミンは優秀すぎて、大学の教授の試験では理解されずに落ちた。そのため、大学の教員ではなくジャーナリストとして活躍した。バタイユもまた作家とは実は裏の顔で、表向きは単なる図書館の司書であったため、サルトルなどの大学の哲学者には無視されていた。ヘーゲルも天才すぎて、理解されるのは遅かった。ベンヤミンにしろバタイユにしろその道を選んだためにそれでよかったのだろうが、それぞれがどの立場だったのかを理解して読み進める必要がある。

さて、全集を頑張って読もうということになれば、はっと気づく人が多いであろう。美術も文学も映画も音楽も、デザインも建築も含めたさまざまな作品は、全体として考えなければ見えてこないことに。私はベートーヴェンの室内楽は好きだが交響曲は大げさすぎて好きになれなかったが、最近、三〇年振りに聴き直すと、とてもいい。なぜ今まで聴かなかったのかと後悔しても始まらないので、これから聴けばいいと思っている。全部を通して読んだり聴いたりすることは大変だ。でも毎日ゆっくりやれば、意外と早く果たせる。

ここまで私は本を読むことの重要性を説いてきたが、私は読書など頭が悪いものがすることで、自分には必要ないと考えていた。高校を留年して、することがないので読書でもするかという気持ちで行なったのである。どれほど自分が傲慢であったか。至るところで顰蹙を買い、やっと謙虚になって勉強するようになったのは、三〇歳を過ぎてからだ。読書の必要性がないように思われる現在だからこそ、この章を読んだら、ぜひとも読書を頑張ってほしいと私は願う。知り、考えることは人生の喜びだ。

むろん、家で本を読むだけではなく、街へ出たら広告や建築を気にしてみよう。街そのものの都市計画も探ってみよう。山へ行ったら山道を味わおう。海へ行ったら風を受け止めよう。一人で行くのもいいが、友人を誘っていこう。そこで、コミュニケーションを楽しもう。読書だけが人生ではない。読書はあくまできっかけに過ぎない。街や自然と触れ合い、会話を楽しんだらそれがまた読書へフィードバックされていくだろう。話す、聞く、書く、読むをまんべんなく行い、繰り返すことが、人生を楽しむ秘訣だ。

私が読む速度が最も速いのは、哲学書である。合理的だから、わからなくなったら前の頁に書いてある。読むのが最も大変なのは、詩である。たった一行でも味わい、そこに書かれていない言葉を探し、次の行へ移行するにも時間がかかる。また一行戻って読み直すことも多々ある。短い言葉の中にある時間と空間を縦横無尽に行き来するのだ。すると、とても時間がかかるし、果てがなくなるときさえもある。だからこそ、詩を読むことには映画や演劇的な時間芸術ではなく、絵画や建築のような空間芸術を感じるのだ。

エルンスト・カッシーラ（一八七四〜一九四五年）

私が最近読んだエルンスト・カッシーラについて書く。カッシーラを知ったのは、大学に入ってからすぐであった。和光大学芸術学科は前田耕作（一九三三年〜）教授、松枝到（一九五三年〜）教授、田井敦夫（一九三五〜九六年）教授らが中心となって、ワールブルグ派と会津八一の研究を同時に行なっていた。その一環で、私はカッシーラの名前を知ったのであった。生意気だった私はあまり大学に行っていなかったし、針生一郎の日本戦後美術のゼミのほうに興味を持っていたので、当時はその名を留めたに過ぎなかった。

その後、カッシーラを読もうとは思っていたのだが、翻訳が揃っていなかったり、まだインターネットがなかったので古本を探すのが困難だったり、あったとしても値段が高くてなかなか手が届かなかったりして、徐々に本が揃ってきても、読むにはまだ時期早々だと感じていた。私は子どもが生まれてから再度勉強をし直そうと決意し、岩波書店のヘーゲル全集とプラトン全集を一年かけてすべて読み直した。オルテガ著作集、ホイジンガ選集も読むことができて、やっと機が熟したかと、カッシーラは五〇日あまりで二三冊を読んだ。

つまり、読もうと思ってから二五年も経ってしまったのだ。それでも自分としては、読もうと決意した二五年前の気持ちのままでもあった。三年くらい前に『アインシュタインの相対性理論』（一九二〇年、山本義隆訳、河出書房新社、一九七六年）と『人間』（一九四四年、宮城音弥訳、岩波現代叢書、一九五三年）は読んだのだが、ピンとこなかった。やはり、ある程度その人の思想の過程を知らなければ、何もわからない。今回、全体を通して読めたので、カッシーラの思想のほんの一端ではあるのだが、理解できた気がする。

カッシーラは哲学、数学、物理学、科学、神話、言語、芸術、シンボルなどを通じて「人間」を解析し、その最後の著作となったのは「国家」についての議論であった。私が何よりも驚いたのは、科学と哲学の思考の方法を論じた『実体概念と関数概念』（一九一〇年、山本義隆訳、みすず書房、一九七九年）と次の著作、文学と詩を論じた『自由と形式』（一九一六年、中埜肇訳、ミネルヴァ書房、一九七二年）が同じ調子で書かれていることだ。つまりカッシーラは、現代科学と一八世紀の詩に対して同等な価値を与えられている。

それに加えて『言語と神話』（一九二五年、岡三郎・岡富美子訳、国文社、一九七二年）では、文学どころか神話という、科学万能の現代の私たちにとっては架空の存在に対しても、徹底的に論じているのである。文学、科学、神話がシンボルという一つのキーワードによって、生松敬三・木田元訳で『シンボル形式の哲学』として全四巻、編まれた。この膨大な論考を経て『啓蒙主義の哲学』（一九三二年、中野好之訳、紀伊国屋書店、一九六二年）あたりから、カッシーラは「歴史学」についても詳細を検討していく。

アメリカへ亡命し、英語で書かれた最晩年の『人間』と『国家』は、またカッシーラの新しい展開を予感させたが、急死してしまった。とても残念である。カッシーラの思想で一貫しているのは、プラトンとヘーゲルの「精神現象学」である。私はこの二つを通過してからカッシーラと触れて、本当によかったと思う。カッシーラはゲーテ、シラー、カント、ルソーを大切にしていたが、特にヘーゲルの方法論を正統に引き継いだと解釈してもいいのではないだろうか。

『十八世紀の精神』（一九四五年、原好男訳、思索社、一九七九年）を読んでいて、日本ではゲーテはよく研究されているが、シラーについてはその全集すら発行されていない、つまり、片手落ちの研究しかなされていないことに気がついたのであった。「シンボル形式」の発見に重要な役割を持つシェリングも、日本では忘れ去れている。私たちが西洋哲学の研究をする準備はまだなされていないのだ。それでも、少しでも知ろうとすることしか方法はないのである。

カッシーラは、とりわけこの『十八世紀の精神』で、ゲーテ、カントなどの文章の中から絶妙な部分を引用し、それがまるでカッシーラの言葉でないかと思うような錯覚に見舞われる。このようなことができるのは、カッシーラがそれらの作品を相当に読み込み、本人以上の言葉の意味を抽出することができているからではないか。カッシーラは天才でも革新でもなく、ひたすらに努力の人であることがこのような箇所からよくわかるのだ。

カッシーラは当時、最新で衝撃的なアインシュタインの相対性理論に対して真っ向から向き合い、手紙まで書いて教えを乞うた。アインシュタインの現代物理学を解くために、カッシーラはニュートンの物理学、ケプラーやガリレイの宇宙論、レオナルドの科学を、デカルトという近代思想の父の哲学まで遡って考察した。そして、当時未完成であった歴史学にも目を向けた。カッシーラの取り扱っている領域は広いと言われているが、実は人間を解明するには当たり前過ぎて、むしろ足りなかったとも思える。

私は哲学を専門にしているのではなく、すべて独学である。しかし思い起こせば、大学時代の針生一郎、大学院の木下長宏、外に出てから付き合いの多い谷川渥など、私の師匠はみんな、美学・哲学を専攻しているのである。私はカッシーラに対する「評価」をほとんど読んだことがない。私はやはりカッシーラがヘーゲルの活動をなぞっていることを強調したい。政治学から出発したヘーゲルは、歴史、科学、美学、国家論、論理学とすべての思考に目を向けた。

その中で、カントが避けた「絶対空間」と「絶対時間」を問うために、『精神現象学』が生まれたのだと私は考えている。私の哲学の読み方は独断と偏見であり、偏っているのであろうから、一つの参考としてほしい。それどころか、原書すらも読んでいない。しかし、ジョルジュ・バタイユがフランス語でヘーゲルを読んだように、私も翻訳という問題を飛び越えた本質を摑もうと努力している。それにしても『精神現象学』を体験しなければ、マルクスの『資本論』も読めないと私は考えている。

ヘーゲルの最も重要な仕事は当然『大倫理学』ではあるのだが、私は特に『哲学史』と『宗教哲学』であると思う。カッシーラを読み続けている際に注意を払っていなかったのだが、『人間』の冒頭に書かれているカッシーラの宗教観にはとても驚いた。

人間性の秘密をさぐることは、ただ一つの方法しかない――すなわち宗教によることである。宗教は我々に二重の人間があることを示す――堕落以前の人間と堕落後の人間である。人間は最高の目標に向う運命をもっていた。

しかし、彼はその地位を失堕した。墜落によってその力を失い、そして彼の理性と意志もまた、方向を誤った。それゆえ、クラシカルな格言「汝自身を知れ」は、これを哲学的に――ソクラテス、エピクテトス、またはマルクス・アウレリウスの意味に――了解することは、無益なばかりでなく、人を誤らすものであり、まちがっていることである。（一六頁）

「汝自身を知れ」は間違っている。衝撃的な内容だ。人間ははじめからすべて堕落している。これもまた当然の如くの指摘だ。続けて考察しよう。

宗教は明晰かつ合理的ではあり得ない。その語るところは、朦朧とした薄暗い話である――人間の罪と堕落の話である。宗教は何ら合理的な説明のできぬ事実を明らかにする。我々は人間の罪を説明することはできぬ。なぜならば、それは自然的原因によって生じたものでもなく、必然的に起こされたものでもないからである。我々は人間の救いを説明することもできない。なぜならば、この救いは神の恩寵の奥妙な作用によるからである。それは自由に与えられ、そして自由に拒否される。

人間の行為や人間の価値で、これを受けるに値するものはない。それゆえに宗教は断じて人間の神秘を明らかにすると称するものではない。それはこの神秘を確認し深めるのである。その語るところの神は（隠された神）である。ゆえに、神に似せられつくられた（肖似である）人間さえも神秘的以外のものではあり得ない。人間も亦、つねに（隠された人間）である。宗教は、神及び人間、及び両者の相互的関係に関する「学説」ではない。我々が宗教から受取る唯一の答えは、自己を隠していることが神の意志であるということである。（一六～一七頁）

強烈な論考だ。信仰を持つ者にしてみれば、何という冒瀆であろうと憤慨するであろう。しかしカッシーラは哲学者であり、宗教のことを非難するのではなく、その本質を見抜くのだ。その証拠として、カッシーラは続いて以下のように述べている。「宗教はいわば背理の論理である。なぜならば、ただ、このようにして人間の背理、内的矛盾、奇妙な存在をつかむことができる」からである（一七頁）。人間とは合理的な生物ではない。背理と矛盾を孕む奇妙な存在であることを前提にすべきだとするのである。

ヘーゲルは以下のように述べている。

> 宗教の本質とは、感情と思想から絶対的本質をつかむことにあり、また絶対的本質の表象を現前させるというところにある。そしてこの点に、この超越において自分の特殊性を忘却することと、この意味における行為、すなわち絶対的本質との関係から行為するということが必然的に結びついている。

『哲学入門』一八〇九～一一年、カール・ローゼンクランツ編、一九四〇年、武市健人訳、一九五二年、岩波文庫、一二〇頁

カッシーラが述べているもので類似する発想を簡単に書き止めておきたい。オルテガ、今道同様、私の発想の古さを露わにしているだけではなく、近代に考えなければならなかった宿題が未だ解決していないことを表していると考えていただけるととてもうれしい。近代の宿題をなかったことにしている現在、われわれは少し前の時代を思い出し、読み直し、考え続ける必要が必ずあると私は確信している。

私は「芸術とは人間の感情である」と書いた。カッシーラは「もし芸術家が自分の作品の創造や、自分の直感の具象化に没頭するのをやめて自分の個人性の中に埋没するとすれば、換言すれば芸術家が自分自身の快を感じ、「悲哀の喜び」を享受するのであるなら、そのとき、その芸術家は一個の感傷家（センチメンタリスト）にな」ると指摘する（「芸術を教育することの価値」一九四三年、D・P・ヴィリーン編『象徴・神話・文化』一九三五～四五年、神野彗一郎他訳、ミネルヴァ書房、一九七九年、一九八五年、二五一頁）。

確かにそのとおりである。われわれの感情とは限りなく複雑なものである。それを考えると本当に頭が痛くなるのではあるのだが、なさなければなるまい。しかし私の書き方では、カッシーラが指摘するとおり単にセンチメンタリストに陥ることを認めてしまう可能性がある。カッシーラの言うとおり、感情と自分の個性ということに対して、最大限に注意を払うべきである。

私は冒頭で「作品とは見るものが創る」とベンヤミンを引用したのであるのだが、カッシーラも同じことを論じている。「鑑賞者が芸術作品を熟視鑑賞するためには、鑑賞者は芸術作品を彼なりに創造しなければならないのである」（「芸術を教育することの価値」一九四三年、二五六頁）。『人間』においては、さらにわかりやすく書いている。「我々は芸術家と協力しなければならぬ。芸術家の感情と共感するばかりではなく、彼の創造の活動に入り込まねばならぬ」（二三〇頁）。

また、私がこれまで論じてきた内容との比較もある。レヴィ・ブリュルに対して「正反対の誤謬に陥っている」（『国家の神話』一三頁）とする。訳者の宮田光雄による解説にある「カッシーラの神話理論の問題性は、本来相容れないレヴィ・ブリユール(ママ)とマリノフスキーの見解を同時に取り上げようとすることにあるのではないか」（四四〇頁）という意見に、私は同意する。

ホイジンガについてもある。「ホイジンガはかつて、アベラール、ソールズベリのヨハネス（ジョン）、そしてヴォルフラム・フォン・エッシェンバッハのような人物がルネサンス時代の境界の外にいる以上、「個人主義」をその時代に限ることはできないと述べている。／しかしながら、ブルクハルトが自分のテーゼをこの意味において意図しなかったことは明白である」（「ルネサンスの独創性の問題」一九四三年『シンボルとスキテンティア』一九二〇〜四六年、佐藤三夫他訳、ありな書房、一九九五年、二一四〜二一五頁）。「「ルネサンス」と「中世」は、厳密に言えば歴史的時代を表す名称ではまったくなく、マックス・ヴェーバーの意味における「理念型」の概念である」（二一六頁）。

カッシーラは慎重である。「それゆえ、なんらかの厳密な時代区分のための道具としてはそれらを用いることはできない。いかなる時点で中世が「止まる」のか、あるいはルネサンスが「始まる」のかを問うことはできない。実際の歴史的事実はきわめて複雑な仕方で互いに浸透しあっている」（同）。

何よりも引用しておかなければならないのが、カッシーラ最後の著作である『国家の神話』の次の一文である。

> ヘーゲルは国家の美しさではなく、その《真理性》に関心を抱いている。そして彼によれば、この真理は道徳的なものではなく、むしろ《権力のうちにある真理》である。「人々は愚かにも、良心の自由や政治的自由に熱狂するあまりに、権力のうちにある真理を……忘却する。*」一八〇一年、今を去るおよそ百五十年も前に書かれたこれらの言葉は、政治的または哲学的な著作家によって、かつて提出されたもっとも明確な徹底したファシズムのプログラムも含むものである。（三五二頁）

「＊」の訳者註も引用すると、「ヘーゲル『ドイツ憲法』ヘルマン・ヘラー編、九五頁。なおマイネッケ『ドイツの悲劇』（矢田俊隆訳）二〇頁参照。「その歴史がヘーゲルと共に始ったドイツの権力国家思想は、ヒットラーにおいて、最も悪しき、また最も不運な昂揚と酷使を経験すべき運命にあった。」」（四一九頁）。ヒットラーどころか、これまで引用してきた中野晃一の「「改革」のレトリック」、佐伯啓思が言う「思考停止」そのものではないか。現代にも通じている。

歴史を読む

ここからは、歴史を学ぶ必要性について簡単に記していく。歴史学が最も基本であると今の私たちは考えるのだが、実は歴史学とは、驚くべきことに、最近できた学問であることをあなたは知っているだろうか。歴史学の元祖ではなくとも、歴史学の形成に尽力したヨハン・ホイジンガ（一八七二〜一九四五年）から再び学ぶ。ホイジンガといえば先にも引用した『中世の秋』（一九一九年）や『ホモ・ルーデンス』（一九三八年）が有名だが、まずは『歴史学の成立』（一九三四年）（『ホイジンガ選集3』兼岩正夫訳、河出書房新社、一九七一年）から引く。

一九世紀になってはじめて、歴史の取り扱いが著しく変化した。一八世紀の間に、学問一般が徐々に、文化と人生を構成する不可欠の要素となった。批判的研究の要求が、いっそう厳密に提示された。そして歴史学はこの発展に加わった。一七世紀に一般の関心が、もっぱら自然科学に向けられた時、同じころ歴史学もまた二つの方面で進歩した。（中略）

歴史はもはや、ただ教会と永遠の救済の教えとによって決定されたものとは見られず、交替はするがしかも法則によって動いて行く諸国民と諸国家の生活とみなされた。（一三七〜八頁）

ここでホイジンガが何をいいたいのかというと、西洋において宗教の力は絶大だったので、歴史など必要なかったということなのである。次に見るように生活は教会の鐘の音に合わせ、死んだら天国へ行くという救済が待ち受けているので、歴史など知る必要はなかったのである。本当のことを言ったり知ったりしたら、処刑されることも多々あった。ガリレオ・ガリレイ（一五六四〜一六四二年）が、地球が太陽のまわりを回っていると一六三二年に発表したら宗教裁判で裁かれたことは、だれもが知っていることであろう。

ホイジンガの「ヴァン・エイクの芸術」（選集5、同、一九一六年、里見元一郎訳）を引用する。ここには、エイク（一三九五年頃〜一四四一年）の時代の「常識」が記されている。今から約六〇〇年前。途轍もない過去のように感じるが、実はこの状態は、さまざまな革命が行なわれる前まで、四〇〇年頃から淡々と続いていたのである。人間が急変したのは近代であって、それまで人間の生活に大きな変化が訪れることはなかった。

この時代においては芸術はまだ生活の中に埋没していた。生活そのものは堅固な形式の中にはめ込まれ、教会の秘蹟の儀式や年中行事、それに毎日の日課となった定時の祈禱などによってその全体を定められ、測られていた。生活の進行を枠づける形式そのものを装飾することも芸術の仕事であった。現代人は芸術を自ら求めて一人静かな瞑想にひたりつつ鑑賞しようとするため、多かれ少なかれ自分とは無関係な日常生活の軌道から、外へ抜け出す。中世人は芸術を彼らの生活そのものの光の輝きを一段とうるわしくするのに用いられるものと考えていた。（二五八頁）

教会の鐘の音に生活は決定し、その中にひっそりと芸術が組み込まれていたことを示している。

まさに現代とは大違いだ。現代の芸術は「気休め」であり、時は電波時計に支配されて自然の営みはお座なり、われわれは常に追い立てられている。日本の場合、寺の鐘の音だが、寺院の近隣住民から「うるさい」と注意され、除夜の鐘すらも中止しているところがある。年中行事は形骸化され、だれもが仕方なくやっている。このような現代社会すらも、いつしか「過去の遺物」にされてしまうのだ。テレビやパソコンなどがあったの？化石燃料で走る車があったの？料理とは自分で作る時代があったの？といった具合に。

オルテガは『現代の課題』（一九一四年）で以下のように述べている。


人間存在は本来生である、すなわち、発展の法則が遂行される内的過程である。それゆえに歴史学という科学が可能なのである。ひっきょうするに学問というものは、あることを理解しようとするわれわれの努力のことにほかならない。そしてわれわれが一つの状況を歴史的に理解し得るのは、それを、それに先立つ他の状況から必然的に起こってきたものと見るときである。（一九三〜四頁）

学ぶためには、歴史学が最も重要だと考えているのだ。

それにもかかわらず、歴史を知ることが意味をなさなくなってきた。それは、新世界秩序と新右派連合の働きによるのであるが、特に歴史修正主義に対して本当にこれから警戒していかなければならない。哲学者の鵜飼哲（一九五五年〜）が記している歴史修正主義について引用する。引用元は「受難について」（『償いのアルケオロジー』収録、河出書房新社、一九九七年）である。

僕は一九八四年から八九年の四年半の間、フランスに留学していました。歴史修正主義という現象との出会いはその留学中のことです。知識としては、ガス室はなかった、ナチスドイツによるユダヤ人ホロコーストは存在しなかったと主張する人々が存在するということは日本にいた頃から知っていたのですが、それはたいしたことではなかろう、そういう変なことを言う人はどこの社会にもいるというくらいであまり深刻に考えていませんでした。（一四一頁）

八七年一二月、パレスチナ被占領地でインティファーダ、民衆蜂起が始まり、僕はその連帯デモに出かけました。そのとき、フランスの自称左翼「老いたるモグラ」というグループがビラを撒いていました。（中略）歴史修正主義そのものの主張だったのです。（中略）

そのとき一緒にいたフランス人の友人に、なんでパレスチナ連帯のデモでこんなひどいビラが撒かれるんだと言ったところ、その友人が、おまえ本当にそう思うか、実はこういうものを見ると、これとは反対のことしか教えられてこなかったので、もしかすると本当かもしれないという気持ちが自分の中にあると言った。それは僕にとって青天の霹靂、こんな近くにこんなことを考えている人がいるということで、大変なショックを受けました。（一四二頁）

この友人はまともであるにもかかわらず、その後も歴史修正主義の波へ飲み込まれていく。鵜飼は歴史修正主義の構造について調査し、思索する。歴史修正主義とは体制の単なる押しつけではなく、複雑な要素が絡み合っていることを突き止める。

その上で、鵜飼は日本の歴史修正主義の特質をヨーロッパと比較する。「第一に、イデオロギー的には多様性が乏しい」。第二は、性差別主義が暴走し、過激化する。第三は、「教科書問題の一つの帰結として、問題が最初から国家のレベルで出てきている」。第四が重要で、ヨーロッパの歴史修正主義は「大衆文化」と結びつくことはないのに、日本では「最初から無視できない形で表面化している」（一六五〜一六六頁）。ヨーロッパと日本との違いも大切だが、やはり無視できないのは、文化と結びついている点にある。

今日の日本の動向に目を向けてほしい。次から次へとスマートフォン、テレビ、パソコンに押し寄せる「レバノンで何人死んだ」、「北朝鮮からミサイルが飛んでくるかも知れない」、「アメリカと中国、日本と韓国は戦争直前だ」という悲観的なニュースによって飼い慣らされ、「またかよ」と重要な事項を考えなくなってきている。歴史修正主義という言葉すらも忘れている。反対をＳＮＳで発言すれば炎上だ。つまり、われわれが主体的に歴史を修正してしまっているのではないだろうか。でも、どうすることもできない。考えるしかない。

私はここまで再三、「現代とは知らなくてもよい時代になった」と書いてきたが、学べば学ぶほど、「知ってはいけない時代になった」と考えざるを得なくなってきた。ホイジンガを読めば、人類が歴史を必要としたのはたかだか二〇〇年程度であり、それは読書と同じくらいの時期である。これからは「どうしてそのようになったのか」すら考えてはいけない時代に突入している観がある。それは地動説を唱えると処罰された、ヨーロッパの暗黒の中世と同じというより、むしろ悲惨な時代だということができるのではないのか。

ＡＩどころかクローン人間、宇宙開発、ロボットの開発に躊躇なく向かっている人類と、前に引用したホイジンガの指摘するルネサンスの「大規模な退化過程の中の病的現象」と同様の古いタイプの人類という、二つに二分化されていくのか、それともこの両者は同じなのか、いずれにせよ、近代国家の成立を考え直す気運など不要になってしまう。近代国家成立の際に問題となったのは、人種であった。これからの人類はこの差別を抹消した。代わりに出してきた境界線は、富裕か貧困かという区別である。やはり歴史から多くを学び、考えることを忘れてはならないと私は感じる。

第五章　活　動

十二　発表することの意義

さまざまな芸術、デザイン、伝統芸能に全身全力で向き合うと、何が芸術で何が芸術ではないかといったことなど問題にならず、生活や人生そのものに全身全霊を賭けて過ごしていかなければならないことに気がつく。それを前提に命懸けで作品を制作する。作品は制作するだけでは足りない。発表しなければならない。はじめ、対象は家族や親族、友人だけでもいい。そのうちに、不特定多数に向け、いずれは今日に生きている世界中の人間に見てもらうことを目指そう。そして、過去や未来の人間にも見てもらう必要が生じる。

私のような物書きは、創造者を対象にして学会発表をして学会誌に論文を投稿し、その成果を大学や高校の学生に講義するだけではなく、一般誌に投稿して公共の場で講演会を開くことも大切な活動となる。これから発表する創造者なら、美術であれば画廊、演劇やダンスであればシアター、音楽であればコンサートホールとなるであろう。その制作内容は自主企画、スペース企画、コンペティションと大きく三つに分かれる。

確かに、スペース企画やコンペティションばかりで発表を続けるベテランアーティストさえいる。とある美術団体展の、七〇歳を過ぎたアーティストに、「ぜひ、個展を開催なさったらいかがですか？」とお話ししたところ、「個展⁉　私が所属しているこの団体は、この時期のこの美術館の展覧会に一〇万人以上のお客さんが入るのですよ！　それなのになぜ小さな画廊で個展などしなくてはならないのですか？　多くの人が見に来られないのではないですか？」と、逆に質問されてしまった。

自分の作品が多くの人々の目に触れることを目的とするのであれば、それはそれでいい。しかし、自らが主催する個展では他者が企画した展覧会では見つからない発見に満ちあふれている。それは美術に限らず、演劇でも音楽でもダンスでも伝統芸術でもあらゆる芸術に変わりはない。私も自らの仕事と正反対である自主企画展を行なうし、記録集や画集を自費出版することも多々ある。人間は独りでは生きられないのだから、グループで時代を確認することは重要だ。しかし、個が自立してなければ全体は失われる。

文学、美術、音楽、映像、ダンス、活け花などあらゆる芸術には、主流な公募団体と個人で活動するフリーランスという選択肢が存在する。私は、そのどちらを選んでもいいと思う。ただし、そこに固執しないという余裕は必要であると考えている。なぜそこの団体に自分がいるべきなのか、なぜフリーで活動したいのか、そのような理由と将来へのヴィジョンをしっかりと携えて、向き合ってほしい。ある程度団体に所属して、将来的にはフリーになりたい、初めからフリーで世の中と闘いたい、どちらでもいいのだ。

もちろん展覧会や舞台を行なうにはスペース（会場）の方々、作品の搬入出のスタッフ、作品の飾りつけ、音響、照明、ビデオや写真の記録などさまざまな人間の力によって可能となるのではあるのだが、やはり自分一人の作品を発表して世に問う姿勢が不可欠である。展覧会や舞台の製作も実質、自らで行なわなければならない。フライヤやDM、ウェブでの宣伝をプロのデザイナーに頼む必要はあるが、発送するのは自分だ。自分で見てほしい人々の宛名を書き、一筆添えて、切手を貼って投函する。プロならだれもがやっていることだ。

自分の個展だから、まずは自分の視線を最優先させるべきである。スペースの企画やコンペティションは、結局は他者の視線を頼りとすることになる。自分の作品を自分で管理することはとても大変だ。自分では気づかない側面を掘り起こしてくれるのが他者の視線ではあるのだが、まずは自分の作品を自分で並べてみよう。すると、自分ではいいと思っていたのだが、他の人から見ればあまりよくない場合がある。自分では悪いと思っていた作品が、逆にとても評価されることもある。つまり、複数の視線が必要となってくるのだ。

複数の視線とは何か。自分の視線の主張が一端でも披露することができたのであれば、次はお客さんの視線で物事を考えてみよう。今の人々は自らが発表するシーン——美術、演劇、ダンス、音楽などのカテゴライズされた種類——で、何を求めているのか。つまり、何を求められているのかを考える。その次はお客さんではなく自分と同じ分野の他のアーティスト、またはその筋の専門者—批評者や他のスペースの方がどう見るかを考える。すると、マスコミなら何を見るかなど、多角的な視線を想起するのだ。

その上で、個展を再構築する。むろん一番いいのは、自らのむき出しの作品を、見られることを一切意識しない個展だ。他人に媚を売る個展が最悪となる。それでも自分以外の、さまざまな立場の他者の視線を想定することは必要なのだ。さまざまな立場の視線に合わせることの必要はなくとも、考えているか考えていないかによって、個展はまったく異なる存在と化す。このことを意識するか意識しないかで、これからの発表の広がりと喜びが俄然異なってくるのだ。他者と触れ合うためには自己を曝け出しながら、同時に他者を配慮するのだ。

このような展覧会なり舞台を行なうと、賛美と共に批難がやってくる。しかし創造者であるのならどのような意見に対しても、すべて受け止めなければならない。受け止めた上で、考えればいいのである。賛美されて喜んだり批難されて傷ついていたりする暇など、まったくない。遮二無二制作するのと同じように、今度はどのように発表すればいいのか四苦八苦するしかない。制作と発表、この繰り返しが体験から経験となり、経験を慣例とせずにいつでも初心に帰って新鮮な気持ちで向き合い受け止めること。これが大切なのである。

このようなことを意識しながら個展を続けていくと、自ずと自らが展覧会なり舞台を組織したくなってくる。そうすればシメタものだ。自分を含む他者の展覧会や舞台を組織すると、これまでまったく見えてこなかったことが見えてくる。創造者は自己主張が強いのでまとめるのがとても大変だし、自らが実はわがままなので、自分の発想を納得させることも至難の業だが、やるしかない。やってみると途轍もなく未来が広がる。企画者の苦労がわかればただ出品する楽しさを自覚するし、楽しさがわかると自らにも厳しくなれる。厳しくなれれば、作品もどんどんよくなっていく。自己の作品だけではなく周りをはじめとしてそのシーンを盛上げ、シーンが盛り上がることは芸術全体の底上げに通じる。芸術全体の底上げができたらそこに留まるのではなく、この国の心を豊かにしようという気持ちが芽生える。次は地球上のすべての人間を豊かにしていこうと思える。そのくらいの心構えがなければ現実と向き合うことができない。

いつも他者の芸術を云々言う批評者が企画を行なうと、結局は自画自賛に陥っていると思われる場合が多い。しかし私は自分が企画を行なった意図、行なった意味、その企画によって願う意義を常にフライヤに書いたりトークを開催したりして、地球全体に伝えようと努力している。土方定一や針生一郎もこれまで行なってきたことだ。言葉で説明するのではない。熱意をどのように伝えるのかに必死なだけである。むろん、これまで繰り返し書いてきたとおり、過去と未来の人類のために頑張るしかない。

このように自己に厳しくなる方法としては、美大生であれば経験済みであろうが、講評会が非常に重要な役割を果たしてくる。美大生にとって講評会は頑張って創った自分の作品を、教授が偉そうに木っ端微塵に非難しまくる、トラウマになりそうな経験であろう。しかし教授たちは、実は愛情を込めて悪口を言っている。私のように褒める人間のほうを警戒したほうがいい。社会に出て、褒めてくれる人間などいない。みんな、真剣勝負の競争であるからこそ、学生のときにけなされることに慣れなくてはならないのだ。

むろん、それだけではない。さまざまな指摘を乗り越えなければならないのは当然の試練だ。だから、やはり講評会はどの分野であっても行なうことが不可欠なのである。歳を取っても関係ない。歳を取ったからこそ、同年代だけではなく若い人の意見を聴ける余裕がある。展覧会、公演、コンサート、何であれ、講評会を自らが企画して、多くの人の本音の意見を求めることが必要だ。頓珍漢な意見でもいい。それを自分がよくなるために解釈するのは、あなた次第なのである。

私は美術作品を、積極的に「購入」することにしている。正確に書くと「購入」ではなく「手に入れる」ことを主眼としている。それにたまたま金銭が絡むだけのことである。原稿料の代わりに作品をいただくこともある。たいていの批評家や学芸員はこれを嫌うが、私は創造者と共に世の中に向けて闘争をしているつもりなので、金銭や作品といった価値以上の内容を考えている。実際に作品が手元にあると発想も変わってくる。毎日身近に見ると、新しい発見が常にある。

私にとって作品の価値とは金銭ではなく、友達のような存在である。友達の価値とは、出会い、共に過ごす時間を喜び、時には喧嘩をし、いつか別れてしまう、かけがえのないものだ。そのようなかけがえのないものは、他に換えることができない。人間の心とは、事物や事象でははかり知ることはできない。遠くにいても、離れていても、死んでしまっても、友達は友達だ。作品とは、友達と同じではないか。

このように考えているので、自分で払える範囲での作品を「購入」している。私は創造者にも作品の購入を薦めているし、実際に優れた創造者は積極的に作品を手に入れている。他者を知って、自己を知るのだ。手元にある他者の作品を繰り返し見たり、時には外してしまったりして、そこから「人類」と「世界」を知ろうと努力するのである。「観賞」という場合もあるだろうが、作品を見ることは常に勉強であり命がけの作業でもある。

舞台を見るには確かに金がかかる。先日も大学生に「見たいのだけれど本当にお金がなくて」と言われてしまった。しかし舞台の創造者からしてみてば、お客さん以上に金はなく、舞台を行なうだけでも精一杯で、もうけなどほとんど存在しないことも確かなのである。舞踏などはこのような事情が特に前提なので、低価格に設定している場合が多い。質が高く値段が安い公演を探すのも大切な勉強である。それ以上に大切なことは、舞台に立ち会うことによって、値段以上のものを見出す力を身につけることだと私は思っている。

これだけの金額があればこれだけの別のモノが買えるなどと、考えてはならない。この舞台を見ることによってどれだけの勉強につながり、今後の活動の起爆剤になるのかと考え、舞台を見ることにそれ以上ないほどの真剣な気持ちを持つことができれば、金額など関係なくなる。繰り返すがこのような気持ちにさせてくれる舞台とは、実際には安いのである。金に価値観などないのだと知っている創造者はたくさんいるのだ。今日の状況では探すのに苦労するが、見つかれば数珠つなぎにあなたの元にやってくる。

美術、演劇、ダンス、音楽等、さまざまな作品を制作し、発表し、売買を介して手元から放しては手に入れる。作品を創造者の手から解放し、自立させることが大切である。それは同時に、創造者も過去の作品から子離れしなければならないことを示している。子離れ、親離れして、次のステージに向かっていくと、新たな創造の活力を互いに与え合うことができる。いつまでも過去の作品にこだわっていると、次のアイデアへと進めない。むろん、徹底的にこだわって作品を仕上げることも必要だ。いったん手放して、客観性を磨くのも問題はない。

そのために、常に記録をとっておくべきだ。写真、映像を多角的に撮り、簡素でいいのでポートフォリオを増やすなり、単独の記録集の制作なりをするといい。その際、作品のキャプションと展覧会のデータを残すことは当たり前だが、自己のステートメントや思い、課題などを併せて記すと重要な資料となる。あのとき何を考えていたのかを思い出すのは、至難の業となってしまうのが人生の常だ。思いや課題などをポートフォリオに盛り込む必要はないといえばないのだが、自分のために残しておくと後々、とても便利なのである。

作品のキャプションと展覧会データは、簡素なものではなく詳細を記すべきである。同じ作品を再び出品することもあるので、初出、二度目、三度目などを書いておくと、それだけで重要な履歴となる。間島秀徳というアーティストは高さ二・五メートル、直径八〇センチはある円柱の作品を制作し、東京の画廊、京都の寺、オルタナティブスペースでダンス&実験音楽とのコラボレーション、美術館とさまざまな場所で展示し、その記録を残している。同じ作品であるのに異なる場所によってさまざまな表情を浮かべ、インスタレーションの好例となっている。データをしっかり残せば、今度はスペースの企画に呼ばれるきっかけとなる。個展、自らの企画を行なう一方、企画に呼ばれて出品することも重要である。性質の異なる両者にバランスよく出品し、ベテランになっても、時には自分に対して挑戦するために、コンペティションに出すこともいいだろう。常に慢心せず、チャレンジする人生を歩むべきだ。七転び八起きの気持ちを死ぬまで捨てないことが肝心だ。

経済的に余裕があれば、記録集を制作することをお奨めしたい。名刺代わりに配ったり、美術館や図書館などの公共施設に送ったりすると今後の役にも立つ。そのためには、自己の作品を客観的に批評してくれる人、写真を撮ってくれる人、作品集のデザインをやってくれる人と知り合い、仲間になっていることが大切だ。自分の作品を理解してくれて共に行動してくれる人を探し、友達になるためには、やはり普段から視野の広い人間になることを志すことが大切なのである。

十三　生活と制作

ここまで、本当に堅苦しい内容になってしまった。最後の手前だが、私のくだらない日常の話に付き合ってほしい。人それぞれだが、私がどのようなことを考えながら毎日を過ごしているのかである。日々の生活の中にこそ、芸術が潜んでいる。それをどのように私は掘り下げているのかを記す。私と同じことなど、する必要はない。ああ、こんなばかなことをしているのか、ならば簡単ではないか。違うな、自分ならこう考えるな。

などでいいと思う。漫然と過ごすより、考えると生きることが楽しくなる。

生活というと、衣食住となろう。まずは私が起きたらどうするのか、から話を始めよう。起きたらまず、ベランダに出て深呼吸する。夏でも冬でもである。雨でも雪でもである。外の空気を吸い、大気圏の中に生きていることを確認するのだ。晴れていたら太陽を見てみよう。季節が違うと、太陽が昇ってくる場所が大きく異なっていることを理解する。時間も当然違う。

自然の時間と人間の時間の違いが前提となれば、どちらの時間に合わせるのかを自分で意識して調整すればよい。そうすれば、身体の調子がとてもよくなる。時間に追われてそんなことをする暇がないという声が聞こえてくるが、だからこそ、そう、「意識」さえすればいいのだ。下ばかり見ていないで、上を見よう。太陽と空と雲に話しかけよう。そうすれば、自分なんてちっぽけな存在で、ちっぽけだけから頑張ろうという気になる。「その気になる」だけで、だいぶ精神的に変わってくる。

ベランダから戻ってきたら、顔を洗う。女性はメイクや肌の問題があるだろうが、私は水で顔を洗う。スッキリする。顔を洗うとなぜすっきりするのか。実は顔ではなく、指先に水が触れるため、指先の末梢神経と血管と毛穴が目を覚ますのではないだろうか。海を感じるのではないか。外に出て外気に触れ、中に入って海に洗われる。自然と一体になることを意識すると、楽しい。台所へ行って、コップ一杯に氷を入れて、いつもヤカンで煮出して冷したお茶をコップに注いで飲む。ここで私は重力と氷河期を意識するのだ。

起きて数分で大気圏、海、重力、氷河期を感じる。やっぱりこの人はオカシイのかアヤシイ宗教でもやっているのではないと誤解されそうだが、私は至って凡人、マジだ。氷がお茶によってカランカランと溶けてお茶の中で下に落ちる。それを一気に飲み干す。今度は皮膚という外部ではなく身体の内部に水分が入って、起きたなあというより産まれたなあという気持ちになる。人間、思い込みで生きているが、その瞬間に「自覚」したり、「意識」したりすることが私は大切だと感じている。

一息ついたら、歯を磨く。その際に重要な道具は、歯ブラシである。この歯ブラシが本当にクセモノだと私は感じている。アーネスト・サトウの『一外交官の見た明治維新（上下）』（一九二一年、坂田精一訳、岩波文庫、一九六〇年）だったと思う。アーネストは日本人が、夜が明けたか明けないかくらいの真っ暗な時間に起きて、物凄い勢いで塩壺に指を突っ込んでその指を口に入れて歯を磨き、飛ぶように出かける様子を驚愕の目で描いているのが印象的であった。

そう考えると日本における「歯ブラシ」の歴史とは何かが気になってきて、この原稿を書きながらウェブで調べると簡単に出てくる。文明開化以降に国産が生まれ、輸入品が参入してくる。それはいいとして、私はナイロンやポリエステルといった人口の毛を口の中に入れるのが大嫌いで、もっぱら豚、馬、羊の毛を求めているのだが、最近見なくなってきて焦る。家畜の毛のほうが汚い、と感じるかも知れないが、ビニールを食うのはマッピラである。

できるだけ自然のものがいいと感じている。なければ人工でも使う。徹底的なこだわりを私は持たない。その時々に対応するつもりだ。だから、歯ブラシは持ち運ばない。すると、ホテルなどで、一度というか数分使うだけで使えなくなる、本当に酷い歯ブラシに出会うことがある。これは歯ブラシのニセモノだと感じる。ニセモノといえば、世の中、ニセモノだらけになってきているのではないか。例えば鮭味のフリカケ。鮭の切り身だってどれが本物かわからなくなってきている時代に、フリカケでしか鮭を食べたことのない人がいるのではないだろうか。鰻など私が子どもの頃でも川で釣れていたのに、今ではマツタケを含めて貴重になっている。普通だったはずの有精卵の卵が高級品で、ブロイラーが普通になっている。社会の何かがおかしい。

傘の本物を見かけなくなったので、折り畳み傘を常に鞄の中に入れている。ビニール傘ほど嫌いなものはなく、仕方なく使ったとしても、壊れていないのに捨てるなどということは絶対にできない。使い捨てライターも同様だ。ベルト、時計のバンド、靴は革が好きとすれば動物愛護の方々に叱られそうだ。靴など、いちいち踵を直して十年は履かないと気がすまない。

家で調理して食事をしているといっても、庭で鶏を飼って必要なときに締めるのでもないし、スマホではなく手書きでメモを取る際に、硯で墨を磨るほどのこだわりはない。ただ、身の回りのモノにどのような起源があるのかを考えることは楽しい。先日、木更津へ行って旧安西家住宅を訪れた際、ボランティアガイドの方から、「明治以前の布団は藁で、汗などで使えなくなると動物の糞と混ぜて肥料にしたので、無駄などまったくないオーガニックな生活だった」とうかがった。明治以前は綿ではなかったのか。新しい発見がある。

起きたら簡単なストレッチと体操を三〇年以上続けている。もちろん、途中辞めていた時期もあるし、時間もない時は一〇分しかしない。本当は四五分くらいやるのが自分にはちょうどいい。そんな時間はないという人ほど、ストレッチだけでもはじめは一分、次第に一五分は行なうとその日一日、身体が軽くなることに気づくと思う。ストレッチするだけでも体力はいる。毎日少しずつやるだけで、どんどん体力はついていく。それには三年くらいかかることもあるので、それを前提に無理なく続けるといいと思う。

ストレッチできる体力がつくと、体操する体力がつく。体操する体力があると、普段歩くことが容易となる。歩けば歩くほど、体調はよくなる。熱い風呂やサウナに入る楽しみも増えてくるし、ともかく、身体を動かす喜びを感じることが大切だと私は思う。窓を開けっぱなしにして外気というより大気圏と一体になることをイメージしながら、体操する。夏なら汗が滴り落ちて、かえって涼しくなる。汗をかくということの本来の意味がわかってくる。私の運動量であれば冬に汗をかくことはないのが、夏が待ち遠しい。

一汗かいたら、風呂に入る。真冬で雪が降っていようと、私はまず頭から水を浴びる。歳をとったら心臓に悪そうだが、まだ中年なので大丈夫だ。指先だけではなく、全身に冷水を浴びせかけるのだ。それから、四六度くらいの風呂に入るかシャワーを浴びて、頭と身体を洗う。身体を洗うことは、垢を落とすと共に、全身のマッサージでもある。歳をとったり事故で身体が動かなくなったりした人の身体を拭いてあげることも同様である。スキンシップは他者にも自己にも大切である。

足の指の間も耳の中も隈なく洗う。すると、普段自分でも意識していない身体の部分を感じることができる。腿の裏に髪の毛がくっついても、なかなか感じることができないのだが、このように身体を洗うと、全身に神経が行きわたることになる。流して再び熱い風呂かシャワーに入る。このとき、お湯が湧き出ている地球の地下へと心を泳がせる。つまり、地球と一体化する想像力を用いるのだ。そして最後に、また手の指先から足の指先まで冷水だ。毛穴、血管、神経と、体内のあらゆる器官を意識するのだ。

そして、太陽の光を浴びてカラカラに乾いたバスタオルで全身を拭く。この爽快さといったら、たまらない。繊維の心地よさと太陽光の間に自分がいるという存在感こそに、私はまさに大気圏を感じるのである。夏など拭いても拭いても汗が吹き出てくる。それをタオルで拭い去る。髪の毛というか、頭皮をゴシゴシ擦る。濡れたままが不快なのは、人間だけなのだろうか。身体を拭くのが、人間的行為で動物より優位であると言いたいのではない。比較ではなく、自分が人間である喜びを感じるのだ。

この国では梅雨や冬は洗濯物が乾かないが、夏はよく乾く。今では全自動の洗濯機がものをいうが、やはり干すのは天日干しが最高だ。韓国で呉承潤（オスンユン）という偉大な絵描きの生家を訪れた際、洗濯物を棒で叩いて脱水していた。日本でもそうであったろう。掃除は精神論と結びついていたが、今では普通の家庭でロボットがやっている。家事は本当にしんどい作業だ。しかし、家事にこそ家族への愛情を深く込めることができる。

起きて、顔を洗ってお茶を飲んで歯磨きして体操して風呂に入る。この過程によって、私は常に誕生することをイメージする。身体を動かすと嫌なことがあっても気が楽になるし、今日も頑張るぞという気になれる。当然、前の日の酒はすべて抜けていることが一番大切だ（笑）。そして食事する。今の生活環境とこれまでの経験から、私は二食しか食べない。朝食べるとすぐにお腹が減ってしまい、昼、夜と食べ過ぎてしまう。これは自分でさまざまに人体実験をしたので（笑）、みなさんも自分でやってみるといい。

外食をしてさまざまな料理を研究するのも楽しいのだが、私は基本、妻の料理を食べている。今では子どもが二人いるので妻に任せているが、私も三〇歳くらいのとき、趣味程度で料理をしていた。料理は動画ではなく、写真もない文字だけの新聞の切り抜きで覚えた。何度も読んで、シュミレーションするのだ。すると短い字数の中で、火加減とか時間とか食材の大きさとか、最小限の情報しか書いていないことに気がつく。想像力を働かせるのだ。動画では、特に火加減は映していないので、音に気をつける。味見はしない。全身で「こうなる」と考えて料理した。

私が小さい頃のおやつで大好きだったのが、夏はトウモロコシだが、通年はジャガイモを茹でただけのものだった。まず、大きな鍋にお湯が沸くだけでも時間がかかり、待ち切れない。お湯が沸いたら母親が洗ったジャガイモをごろりと投入する。やっとか、と思いきや、竹串を刺して中まで火が通っているのか確認するのだが、それまた時間がかかる。お腹が減って気が狂いそうになる。そこで茹で上がったジャガイモを食べるのが、最高に美味しかったことを覚えている。

これに慣れてくると、料理とは時間がかかるものだと理解する。夕ご飯で大好きだったのは、たまのハンバーグ。これまた果てしなく時間がかかる。しかし、ああ今玉葱を炒めているのだなという匂いがし、こねている音が聞こえ、再びジュージューと匂いが立ち込め、実家ではケチャップとソースの煮込みなので、グツグツという音がして、やっとでき上がる。この過程を手伝いもせず台所にもいなくて、部屋で本などを読みながら待つのが至福の時間であった。チンするだけのハンバーグもいいが、たまには作ってみるといい。

料理は至って簡単であって難しい。この経験はぜひともすべきである。何も大げさに考える必要はない。例えばカップラーメン。コンビニで食べることに慣れてしまったことを反省しよう。料理方法を読むと、たいてい「熱湯を注いでください」と書いてある。ポットのお湯は九八度である。ヤカンでグツグツ沸騰しても、一〇〇度には達しない。沸騰して少し待ったお湯を入れて食べてみよう。スープの溶け方、麺のほぐれ方が全然違う。

この入門編さえできれば、料理ができたことになる。次はゆで卵や枝豆、トウモロコシなどを茹でてみよう。これが実は滅茶苦茶難しい。卵は冷蔵庫から出して常温にしなければならないし、枝豆はザルを用いて塩で洗って、表面をつるつるにすると口当たりがいいし、よけいな水分を出すことになるので一時間くらい放っておくといいと言う人もいる。すぐに茹でてもいいと言う人もいるから、いろいろ試してみよう。ちょっと失敗しても、「今度はこうしよう」と選択肢が広がる。みんなで食べればまた楽しい。そう、料理も作品と同じ創造なのである。

自分で料理をすることは、新世界秩序という全体主義に向き合うことにもつながる。日本は気候と風土の差が激しい国だから、いくら輸送が発達したとしても、出身地によって食事は今のところだいぶ違う。山の地方出身なら野菜や肉、海の地方なら魚介であろう。私の母はいわき、父は神田が出身地なので、魚が多く、キノコが全然食卓に上らなかった気がする。それによって、好みも形成される。これからはさらに食事もチェーン化されることだろうが、できるだけ自分が住んでいる身近な食材を用いると、生きている証しとなると思う。

今も唯一行なう料理はおにぎりのみ（笑）。手数が少ないほうがいいとネット検索でも出てくるが、私は掌を水で湿らせて、熱々ご飯を一分間、回しながら握る。一度軽く冷ましてから、手に塩をつけて再度三〇秒ほど握る。すると表面は硬く、中は柔らかいおにぎりとなる。これが正しいわけでは決してないが、おにぎりを握る際に愛情を込めたいということなのだ。まさに手塩にかける。握りながら、家族のことを考える。

時々モニターを見ながら食事をしてしまうのだが、できれば食べることに集中すると、色々と想像力が鍛えられる。なぜこの味がするのだろう、なぜこの味が美味いと感じるのだろう、おにぎりや寿司は手で食べると美味いが、インド人やネパール人のように、カレーも手で食べるとさらに美味くなるのだろうか。人類はこれまで何を食べてきたのだろう。そのようなことを考えると、とても楽しい。むろん、親しい人と話しながらの食事が最高だ。一緒に食事すると、本当に親近感が沸くのはなぜだろう。

「衣」と「住」についても簡単な見解を記す。「住む」ことは本当に変化した。第二次世界大戦で都会は焼け野原になり、再び一戸建が多く建設された。風呂などなかった家が多く、銭湯が当たり前であったが、いつしか水洗トイレと共に自宅に風呂があることが当然となり、銭湯は次々と姿を消していった。地方の一戸建は母屋と離れに分かれていて、トイレはあっても風呂は離れだった。それが、マンションになったら敷地のど真ん中にある。

一戸建からアパート、マンションが多くなっていった。この両者の厳密な違いはないらしいが私は、アパートは独身者、マンションは家族が一戸建と同じように住める環境だと考える。団地が日本人の生活を革命したという論は、たくさんある。それまで別々だった寝る部屋、食事する部屋が一緒になったのだ。現在では高年齢化が進んでいるので、一戸建は掃除が大変、二階に上がれないという不便が生じ、マンションのほうが住みやすいという逆転現象が起こっている。

私は高級マンションに縁がないのだが、ここには和室はまだあるのだろうか。和室は畳が敷かれてあるだけでは意味がない。欄間があり、床の間には仏壇や掛け軸、花が欲しい。そういった内容が失われ、形骸化された和室はなんだろうと感じる。むろん、すべてが形骸化されているので、そういった和室だけを責めるわけにはいかない。畳部屋なのに、夏にはゴザを敷いて寝るなんてことがあった。流石に靴を脱いで部屋に上がる習慣は、そう簡単になくなることはないだろうが、この先どうなるかわからない。

留学生に、「日本では道もオフィスも建物の中でも、すべてが柔らかいのはなぜか」と聞かれ、それはワラジと裸足の文化であると答えたが、正解かどうかはわからない。しかし、日本人は足の裏の感覚を重視しているのは確かであろう。秀吉の朝鮮侵略失敗も、ワラジで寒さに耐えられなかったからと聞いた気がする。ワラジ、畳、ゴザ、土、砂、川、海に足をつける喜びははかり知れない。足湯なんて温泉もある。アメリカ人は通勤には運動靴、オフィスでは革靴らしい。私たちはこういった喜びを忘れてはならないのではないかと思う。

和室といえば当然「衣」、和服である。私の父は会社から帰ってきたら部屋着は和服だった。それがバブル経済あたりからジャージになってしまった。私は父の真似をせず、はじめからジャージである。世界中がアメリカになろうとする今日、和服すらも民族衣装に成り下がっているのではないだろうか。岡倉覚三（一八六三〜一九一三年）のように奈良時代の格好をして馬に乗れとは言わない。私が大切にしたいのは、それぞれの国、地方、家族、個人の意志の尊重である。自分が好きな格好ができる世の中でありたいと願うのだ。

和室、和服となると、生活の中で最も大切なのは単位である。日本は明治維新以来、太陽暦を太陽暦に変えただけではなく、長さや重さなども外国に合わせるようになってしまった。優秀な職人とかデザイナーの本を読むと、これによって日本人の感覚が狂ってしまったと書いてある。確かにそのとおりで、一合は決して一八〇ミリリットルではないし、畳や板のサブロクとは九〇×一八〇センチではない。このような感覚にも気を配ると、生活と制作はまったく異なるものになるに違いない。

身体的な感覚は、本当に不可欠だ。私は東急東横線を利用しているので、改築中の渋谷駅もよく使う。地上から遙か地下のホームを潜っていく間、この中にかつて訪れたことのあるケルンの大聖堂が丸ごと入ってしまうのではないかと感じる。逆にいうと、ケルンの大聖堂へ行ったとき、あまりにも感動しなかったのだ。それほどまでに、現代人の感覚は乱れてしまっているのかも知れない。これからの宇宙時代には、これまたまったく異なる視点に変化していくのであろう。そのとき、私たちはどうするべきか。

宇宙時代に到達する前でも、すでに私たちの視点には大きな変化が訪れている。例えばスマートフォンやタブレットの普及により、私たちはこれまでずっと見慣れていた横長の画面が、縦長に変化している。ＳＮＳに写真をアップする場合、縦のほうが迫力がある。これまでパソコン、映画、テレビといったモニターから、雑誌、新聞といった紙媒体まで、横長のほうが臨場感があった。私たちの視点は、実は狭められているのではないだろうか、見てはいけないものがあるのだろうかと憶測してしまうほどに、この変化は急激だ。

ここまで生活と制作について簡単に触れてみたが、いかがだろうか。ここでもやはり「考える」ことが不可欠だし、それに対して「知ろう」とする好奇心も重要であることにお気づきであろう。そしてまた、生活が便利になるということは、それだけ大切なものが失われていることに気がつく必要があるのだ。私たちは過去に還ることはできない。しかし、今の生活をもっと酷くする必要はないのだ。新世界秩序の時代にあっても、自己を見失わないで生きていくべきだ。

十四　コラボレーションの不可能と可能性

本書を締め括る最後の章がやってきた。ここでは私が推奨するコラボレーションについて書いておこう。コラボレーションとは、多分野のアートが互いにぶつかり合う公演である。絵画の前でダンス、映像の中で詩の朗読、作品のまわりで即興音楽など、もちろん組み合わせは自由で、いくらでも出てくる。重要なのは、この公演のフライヤを理解あるデザイナーにデザインしてもらうことだ。それによって、さらにコラボレーションの質が上がる。公演はその日だけではない。フライヤ配布から始まる。

及川廣信、ヒグマ春夫

私はこれまで、さまざまなコラボレーションを発案してきた。最初が、横浜ZAIMオープニング・フェスティバルのCHAOSMOS展示企画「相良ゆみ『舞踏』+CHAOSMOS」「池田龍雄『梵天の塔』+CHAOSMOS」(二〇〇六年五月六日)であった。その後の代表的な企画を挙げる。フランシス真悟の一〇メートルの作品が筒状に展示された空間での相良ゆみの舞踏(新港ピア、二〇一一年八月二十一日)。『天空が近づく』(四谷・ACT、二〇一一年八月二十五〜二十七日)では、鈴木省三の一〇〇号の油彩によるインスタレーション空間に相良ゆみ、幸内未帆、永井美里が舞った。二〇一二年七月の『時空の基軸』(キッド・アイラック・アート・ホール、七月五〜十一日)では間島秀徳《kinesis No.478(climbers eye)》《kinesis No.479(divers eye)》(二五〇×直径一一五センチ、木製円柱・麻紙・水墨・顔料・アクリル・樹脂膠)に対して踊りと即興音楽も用意した。及川廣信+千野秀一、山田せつ子+YAS-KAZ、田辺知美+陰猟腐厭、桂由貴子+àqui avec Gabriel、上杉満代+河合孝治、長谷川六+湯浅譲二、相良ゆみ+飯田晃一+竹田賢一であった。

この後、及川廣信を中心に二つのコラボレーションも企画し、実行した。横尾龍彦の帰国記念展覧会『道すがら』(二〇一五年十一月十一日〜十五日、キッド・アイラック・アート・ホール)イベント、横尾作品×及川廣信《遠心と拮抗》(十四日)である。もう一つは『ある、これ、いま、ここ』(二〇一七年九月二十一日、キッド・アイラック・アート・ホール)である。出演は及川廣信(ダンス)+NECROMIST(音楽)+大野慶人(舞踏)+

ヒグマ春夫（映像・美術）であった。

コラボレーションの歴史は原始までどこまでも遡れるのであろうが、近代以後は一九五〇年代のジョン・ケージ（音楽）×マース・カニングハム（美術）×ロバート・ラウシェンバーグが代表的と言えるのであろう。この流れとはまた異なって重要なのが、やはり及川廣信が福島県で開催した「パフォーマンス・フェスティバル・イン・桧枝岐」（一九八四〜八七年）である。広大なこの地で、さまざまなアーティストが同時多発的にパフォーマンスを行なった。その様子は『肉体言語』一二号（一九八五年）で垣間見られる。

このフェスティバルに参加したヒグマ春夫は旺盛に活動を繰り返し、幾多のコラボレーションを行なっている。特に二〇〇八年六月から始まった「映像パラダイムシフト」は今日でも続けられ、八六回を数えている。私は「映像パラダイムシフト」の記録を毎回書きながら、自らの企画を暖めていたのであった。『ある、これ、いま、ここ』は、及川とヒグマに対する一つの恩返しでもあった。私はこれからもコラボレーションの企画を続けていきたいと思っている。コラボレーションは非常に企画しがいがある。

コラボレーションに、成功も失敗もないと私は考えている。むしろ、規範的な「成功」があってはならない。企画者も、出演者も、観客も、だれもが想像できない世界が実現されたとき、その意義が生まれるのである。その意義が生まれると、次の課題が出てくる。その繰り返しであって、答えは当然見つからない。答えを求めていないともいえる。すると、コラボレーションは非常に難解な存在となる。当然のことである。美術はダンスの背景になってはいけないし、音楽は単なる公演の装飾と化してはならない。

それぞれが単独で行なっていては見えてこない位相を、コラボレーションによって引き出すことが目的となる。この意図をアーティストや観客に理解してもらうことも、至難の業だ。コラボレーションが嫌いなアーティストのほうが多いのではないだろうかと、私の経験では感じる。他者に自己の世界に入り込んでほしくないのはわかるが、それは自己を神聖化することにもつながってしまう。互いが他者との関連性を生み出す土壌であることを自覚すればするほど、各人の追及は深まっていくのではないだろうか。

私はコラボレーションのときだけではないが、展覧会を行なうと常に出演者、ゲスト、私を含めてトークショーを開催する。少しでも、私の企画の意図を多くの方々に理解していただきたいという願いからである。その後、観客の方々を含めた交流会も必ず用意するのだが、どうしてもダンサーにはダンス関係者と、美術にも音楽にも同じファンや関係者が集まってしまい、なかなか交流を果たすことができない。コラボレーションをしてほしいとも、私がしてみる、という人もそうは簡単に出てこないのだ。

現代芸術の死

それはなぜかという答えは、実は二つ見つかっている。一つは、現代芸術とは元々、コラボレーション的な意図を含んで発生している点にある。スイスのダダは詩の朗読、ドイツのバウハウスは舞台芸術、ロシア・アヴァンギャルドは建築も含んでいた。第二次世界大戦後の現代芸術も、先に見たケージ、カニングハム、ラウシェンバーグと同様、美術、音楽、ダンス、パフォーマンス、映像、建築、その他あらゆる芸術は「コンテンポラリー」を意識すると、自ずと「コラボレーション」が内在化されるのである。

しかし日本で紹介されたり、評価されたりしている現代芸術を見てみると、どうしてもそれぞれのジャンルでとどまってしまっているように感じる。そしてそこには、海外で認められた、何かの賞をとったなど、何かしらの権威主義が付随しているような気がしてならない。美術、音楽、演劇、ダンスなどのジャンルの超克はその作品に内在化されていたとしても、表面にはあまり現れない。それは、日本のオーディエンスが求めていないといえばそれまでだが、それでは政治家と同じになる。例えば、近年の美術の動向を見てみよう。

村上隆は一九九〇年代から活動を開始していたが、大ブレイクしたのは「スーパーフラット展」（渋谷パルコギャラリー、二〇〇〇年、ロサンゼルス現代美術館、二〇〇一年）と、東京都現代美術館の個展（二〇〇一年）であろう。それまでサブカルチャーとして認識されていた漫画やアニメ、同人誌のレベルのオタク文化まで巻き込んで、日本の「伝統的」な日本画と組み合わせた「スーパーフラット」の概念はその後も飛躍した。村上は世界のオークションの仕組みを学び、使いこなしていく。

ヤノベケンジは一九九〇年代から国際的に注目され、国立国際美術館で個展を開催したのは二〇〇三年である。一九七〇年代の前向きな民主主義をノスタルジー的に語りながらも一九八六年のチェルノブイリ原発事故、阪神淡路大震災、地下鉄サリン事件などの壊滅的状況を織り交ぜ、立体／映像で表現する方法論は村上と同様、ヴァニタスを好む国際マーケットに準じている。

二〇〇〇年代から今日に至る日本の現代美術は、一九七〇年代以降前衛性を失い、商品と化し、国家レベルに利用されることを前提としている。七〇年代にニューヨークで認められた杉本博司は二〇〇九年に高松宮殿下記念世界文化賞、二〇一〇年に紫綬褒章。一九九一年のインドトリエンナーレで金賞を受賞した福田美蘭は二〇一三年に東京都現代美術館で個展を開催。東京藝術大学日本画研究領域で博士号を取得した松井冬子は二〇一一年に横浜美術館で個展を行なった。ちなみに村上は同博士日本人初の取得。勲章と博士と国際展という権威のラッシュだ。

このような動向の中で、コラボレーションが注目されることはほとんどない。翻れば、日本ではコラボレーションどころか、パフォーマンスがまったく評価されていないのではないだろうか。現代芸術に対して、その本質に対する理解が欠けているといっても過言ではない。コラボレーションは「前衛」的であり、難解でわかりにくいために、敬遠されている感は否めない。コラボレーションの「先」にこそ、現代芸術の未来は隠されているはずだ。

第二次世界大戦以降の現代美術を振り返ってみよう。現代芸術の中心は、パリからアメリカへと移っていった。この時期のアメリカの美術は、第一次世界大戦時にヨーロッパで興隆した美術運動を焼きなおすことで成立した。ネオ・ダダはスイスで起こったダダ、抽象表現主義はロシア構成主義、ポップ・アートはフランスを中心に展開したシュールレアリスムにそのルートをたどることができる。それらの芸術を洗練し、「歴史」という灰汁を抜き、アメリカンスタイルに仕立て上げたのであった。

それは当然、ヨーロッパのアーティストがアメリカへ亡命したことがきっかけとなるのであるが、すでにダダの時代から現代美術は絵画と彫刻を乗り越え、インスタレーション、パフォーマンス、映像、文学、演劇、ダンスというさまざまに分岐していた形態を総合的にした点を忘れてはならない。それは素材の面でも表れている。油彩、彫刻という「伝統的」な姿をアメリカの美術では留める必要がなかった。それどころか、常に「新しい」ことを期待されたので、ヨーロッパでは不可能だった芸術がこの頃、実現した。

ジョン・ケージ、ロバート・ラウシェンバーグ、マース・カニングハムによる「コラボレーション」を追うことも重要ではあるのだが、マリーナ・アブラモヴィッチやヘルマン・ニッチェのパフォーマンス、ケネス・アンガーの映像、ウィリアム・バロウズの文学、デレク・ジャーマンの映画、ロバート・メイプルソープの写真、マルレーネ・デュマスの絵画などを、総合的に考察していかなければなるまい。これらの芸術は今日、分化されて考察されてしまっているが、時代背景と制作動機をつぶさに調べれば、そこに共通項が見いだせるのは確実であろう。

当然、ヨーゼフ・ボイスの活動を見落としてはならないのではあるのだが、冷戦期の世界状況も再考する必要がある。大戦後、イギリス、フランスは戦勝国となったが敗戦国同様のダメージを受けた。それはヨーロッパとアジアの各地も同様である。中国は経済発展の途中にあり、日本、ドイツ、イタリアは戦勝国からの干渉によって復興した。ちなみに、この戦勝国と敗戦国のレッテルをはがすことは、再び世界大戦が行なわれない限り不可能であろう。このレッテルを無視することはできないことを強調しておこう。

針生一郎は考察する。

オーストリアは第二次世界大戦後、米・英・仏・ソの四国管理を受けて、永世中立国として独立（一九五五年）後も、ちょうど西欧と東欧の中間という立地条件から、社会主義的状況と資本主義的状況がせめぎ合うなか、そのどちらにも心揺るぎながら、どちらにも進むことができないジレンマが強くあった。そして、それに対する一つの社会的反撃衝動として戦争の傷跡が非常に内省的に、幻想的に、芸術作品に表れてきたという気がする。

「社会的反撃の表現」『月刊美術』一九九二年十月号

私はこの現象が日本だけではなくアメリカ、ソビエト連邦にも当てはまると考えるのだ。いつ核爆弾が落ちて自らの体が溶け落ちてしまうのかという恐怖は世界共通であったろうが、特に戦勝国で冷戦を繰り広げたアメリカとソ連の国民にとっては脅威であった。その恐怖を克服するため、ヘヴィメタルの音楽とファッション、ゾンビやエイリアンのようなホラー映画が流行した。これこそ「戦争の傷跡」の幻想作品と数えるべきではないか。世界中が、分裂症と鬱病から抜け出せていなかったのである。

しかし多様に展開したアメリカ現代美術は、一九八〇年代には国内の経済と共に衰退し、一九九一年以降の「新世界秩序アート」によって壊滅したとも言える。新世界秩序の世界では、常に露出していないと活動どころか名前すら忘れ去られ、検索さえされてもらえない。日本では川俣正、森村泰昌、宮島達男、村上隆すらも今の人々は忘れている。常に宣伝し、ウェブに載っていなければならない。このシステムを利用しないアーティストは消えてしまう。つまり、「現代美術」という発想自体が死滅したのである。

アンゼルム・キーファー、クリスチャン・ボルタンスキー、ジョセフ・コスースなどの、八〇年代に私立美術館で開催された現代美術のスターたちについて、私たちはどれだけのことを知っているといえるのだろうか。彼らの活動のその一部についてしか知らないのではないだろうか。同様に、私たちは、岡本太郎や草間弥生、奈良美智などについても、本当に知っているのだろうか。現在の、ヨーロッパやアジアの現代美術をわかっているのか。私たちは、何も知らないのかも知れない。知る術もないのかも知れない。

映像は人間に強烈な印象を与える。映画は画面が発光せず反射するだけなので、写真や印刷物の延長にあった。ところがテレビは画面自体が発光する。それはネオン広告を近くで直接見続けることに等しい。画面自体の発光はパソコン、スマートフォンに受け継がれた。このような激しい刺激がなければ目がいかないように人間は「改造」されてしまっていることに気がつかなければなるまい。

敗戦後の日本では岡本太郎と花田清輝が中心となって、「夜の会」が結成された。ここから出発した池田龍雄は絵画、立体、パフォーマンス、演劇デザイン、暗黒舞踏、批評、小説とあらゆる芸術を融合した。瀧口修造は興味をアンフォルメルにシフトしてしまったが、その前には「黒い漫画」「実験工房」と、従来の美術にはないものを投入し、生み出した。特に実験工房は美術、舞台、音楽を融合した。瀧口の影響から、武満徹をはじめ、多くのアーティストが実験的な作品を生み出した。

一九六〇年代は、混沌の時代であった。池田らの活動は拡張し、ネオ・ダダのようなアマルガムな存在も活躍した。同時に、環境芸術＝エンバイラメントと呼ばれた映像、建築、デザインすらも含む総合芸術が発案された。しかしエンバイラメントは、国策である大阪万国博覧会に吸収され、これに対するアンチの活動も共に闇へ葬られた。その中でインドやブルックリンへ拠点を移し、日本へ帰ってきて二〇一七年の最後までアジテーションを繰り返したゼロ次元の加藤好弘の存在は忘れてはならない。

一九七〇年代、前衛美術は沈黙したように思われているが、実際には旺盛に活動を繰り返していた。歴史的に見れば「もの派」が中心とされているが、五〇年代末からの暗黒舞踏、モダンダンス、アングラ演劇、実験映像が全盛期となり、まさに肉体が叛乱したのであった。八〇年代に入ると昇り坂の景気はますますよくなり、美術はデザインと融合されPARCOから日比野克彦がデビューした。ローリー・アンダーソンが「パフォーマンス」を広げ、ダムタイプも出てきた。アートに対する政府と企業の理解が増し、多くの会場で上演された。

しかし、バブル経済の破綻と共に、多くの会場は失われた。それと共に、アートもまた行き場所がなくなり、消滅していった。そして、二〇〇〇年代を迎えるのである。いずれにせよ、現代芸術が失われてしまった現在だからこそ、コラボレーションの可能性を追求しなければならないと私は強く感じる。

その役割の先陣を担うのは、やはり桧枝岐パフォーマンスフェスティバルに参加していたアーティストが中心となろう。参加してなくとも、その動向を知っているアーティストも多くいる。長谷川六、秀島実、上杉満代、小林嵯峨、徳田ガン、粉川哲夫、吉本大輔、小松亨、深谷正子、竹田賢一、ヒグマ春夫、池田一、曾我傑、多田正美、河合孝治は元気だ。谷川渥、鵜飼哲、北川研二も協力してくれるであろう。むろん、知らなければこれから知ればいいだけのことだ。若く新しい力も私は強く求めている。

おわりに

ここまで私は、芸術は現在の姿ではなく新しい世界を生み出さなければならないと書いてきた。デザインは、現在の世界の規格として通用しなければならないとも。しかし、最後まで書いてきて、考えが変わってきた。実は現在の世界とは仮の姿なのではないか？　現実とは何か？　端的に考えよう。六本木に一〇年ぶりに行ったとしたら、建物もそこにいる人も同じはずがない。同じであるほうが恐ろしい。つまり、私たちが現実だと思っているものは、一つも現実ではないのだ。では、現実とは何か。芸術の世界とは何か。

地球の歴史をふりかえってみると、まず第一に、地球上すべてのものが進化する、という普遍的な法則に目がとまる。いまさらくりかえすまでもなく、地球自身がそうであり、地殻も、大気も、海岸も、地向斜も、生物も、その例にもれなかった。

ここで進化というのは、すこしも価値判断をふくむものではなく、あたらしいものがうまれ、かつ死んでいく、という「発展的な運動」をいうのであって、発生・変化・発展・消滅という、らせん運動をつづけることである。

井尻正二・湊正雄『地球の歴史』〔改訂版〕（岩波新書、一九六五年）に、次のような一節がある。（二〇七頁）

地球は、生成と消滅を絶えず繰り返している。そしていずれ、地球どころか世界全体も破綻の日が来る。変わらないと信じているのは私たちの頭の中の形而上的な世界で、実は刻々と変化し、同じ姿を留めることはないのだ。平和なときもあれば、最悪のときもある。最悪だと思っていたら、少しはマシになる。そのような現実に対して、私たちは、やはり拮抗しなければならないのではないだろうか。それを理想主義と片付けるわけにはいかない。

また、現実とは本当に現実なのかを疑う必要も生じてくる。佐伯啓思が再三指摘しているのは、現在の日本国憲法が成立したとき、日本は主権国家ではなかったから、この憲法は改憲も護憲もなく廃憲しなければならないということだ。もしそう考えれば、私たちは嘘の現実の中に生きていることになる。

世界中が疫病に包まれ、何が本当で、何が現実なのかがわからなくなっている。そして、いつ戦争が勃発してもおかしくない。これは本当に現実なのか？ このような問いに対して、私たちは自分で現実を探し、確立しなければならない。それこそが創作でもあり、生活でもあるのではないだろうか。

私たちは生きている限り、安らぐことなど絶対にない。それを自覚して、一人ひとりが、いま、生きている現実に対して、人類がよりよくなるように、努力を繰り返し続けていかなければならない。それを実現するためには、芸術を愛し、求め、人間としての本来の姿とはどういうものなのかを、常に追求していくしかない。そのために芸術作品を生み出し、お互いにその場に立会い、意見を交換し、さらに異なる芸術を生み出していくことが大切だと、今の時点で、私は思い、願うのだ。

カバーは、堀木勝富（一九二九年〜）さんの作品だ。堀木さんとはフェイスブックで知り合った。堀木さんは一九六九年にすべてを捨ててイタリアに行き、美術を学んでトリノに定住し、アーティストとして認められて、その地に身を固めたこと。それを私は家族と共に堀木さんの家で確かめた。堀木さんの作品は日本ではまったく知られていないが、これからその重要性が認識されていくだろう。堀木さんが人生を賭けた作品こそ、本書にふさわしいと思った。

本書は私の力だけでは、決して成り立っていません。周囲の多くの方々に教えていただけるからこそ、成立したのです。論創社の志賀信夫さんとの付き合いは、いつの間にか十五年を越えましたが、常に叱咤激励いただいています。アート関係者はもちろん、フェイスブックなどSNS上でしか知らない方々にも、御教示いただきました。

特に、長男が通った葛飾こどもの園幼稚園では、たった三年という短い時間でしたが、本当に楽しい時間を過ごし、さまざまな発見がありました。加藤和成園長先生、おじいちゃん先生、おばあちゃん先生、みよこ先生、宮本先生、ふじこ先生、鶴巻先生、㞍田先生、千秋先生、峯野先生、賜保先生、よしこ先生、さゆり先生、満喜人先生、田代先生、かおり先生、横田先生、月澤先生、鄭先生、まなみ先生、山崎先生、上野先生、山條先生、増島さん、やよいさん、高尾さん、吉沼さん、ほんとうにありがとうございました。親父の会メンバー、清住さん、新田さん、高村さん、川崎さん、和才さん、佐々木さん、田口さん、岡田さん、中野さん、高橋さん、山辺さん、加藤さん、皆川さん、飯塚さんなどなど。もちろんお母さん方々の理解がなければ、親父の会はありえませんでした。ありがとうございました。ここには当然、私の両親、妻の絢子、息子たちの一郎と和郎、今は亡き絢子のお父さん、お母さんも含まれています。無茶苦茶な私を常に支えているのは妻、絢子です。カバー袖の私の写真は、小・中学校の同級生でプログレッシヴ・アート・フォトグラファーの朝木健次郎さんに撮影してもらいました。

いつも素晴らしい作品を発表しているアーティストのみなさんのお名前は、あげきれません。東洋言語学院の喜多さん、篠原先生、伊東先生、若木学園の隋先生、多摩美術大学の木下京子先生、嵯峨美術大学の宇野先生、長岡造形大学の遠藤先生、小松先生、芸術工芸高等専修学校の浦野先生、佐藤先生、日本大学芸術学部の笹井先生、ほんとうにありがとうございます。これからも宜しくお願いいたします。

宮田徹也（みやた・てつや）

1970 年横浜生まれ。芸術批評者。日本近代美術思想史研究。嵯峨美術大学客員教授、日本大学芸術学部美術学科非常勤講師。横浜国立大学教育学部付属横浜小・中学校卒業、神奈川県立田奈高等学校中退、和光大学卒業、横浜国立大学大学院教育学研究科修士課程修了。岡倉覚三、宮川寅雄、針生一郎を経て敗戦後日本前衛美術に到達。ダンス、舞踏、音楽、デザイン、映像、文学、哲学、批評、研究、思想を交錯しながら文化の「現在」を探る。銀座・ステップスギャラリーの毎回展評担当。著作：執筆論文多数。美術家・芸術家に関するパンフレット企画編集多数。『池田龍雄画集』著述目録・文献目録執筆（沖積舎、2006 年）、「闘士、池田龍雄」『池田龍雄の発言』（論創社、2018 年）など。

カバー写真：堀木勝富《ULYSSES》（油彩、アクリル、キャンバス、110.5 × 130.4cm、2009 年、提供：彩鳳堂）

芸術を愛し、求める人々へ――芸術創造論

2021 年 4 月30 日　初版第 3 刷印刷
2021 年 5 月10 日　初版第 3 刷発行

著　者　宮田徹也
発行人　森下紀夫
発行所　論 創 社

〒101-0051 東京都千代田区神田神保町 2-23　北井ビル 2F
TEL : 03-3264-5254　FAX : 03-3264-5232　振替口座　00160-1-155266

装幀／奥定泰之
印刷・製本／中央精版印刷
組版／フレックスアート

ISBN978-4-8460-1895-5